图书在版编目(CIP)数据

100 条江河湖泊/吴胜兴主编. —南京：河海大学出版社，2009.3

(水文化教育丛书/郑大俊，鞠平总主编)

ISBN 978-7-5630-2545-9

Ⅰ. 1… Ⅱ. 吴… Ⅲ. ①河流—简介—世界 ②湖泊—简介—世界 Ⅳ. P941.7

中国版本图书馆 CIP 数据核字(2009)第 042846 号

书　　名	100 条江河湖泊
书　　号	ISBN 978-7-5630-2545-9/P·17
责任编辑	朱婵玲
特约编辑	周　勤
责任校对	蒋振云　刘书含
装帧设计	南京千秋企划广告有限公司
出　　版	河海大学出版社
发　　行	江苏省新华发行集团有限公司
地　　址	南京市西康路 1 号(邮编:210098)
电　　话	(025)83737852(行政部)
	(025)83722833(发行部)
	(025)83786934(编辑部)
排　　版	南京理工大学印刷厂
印　　刷	南京工大印务有限公司
开　　本	750 毫米×1020 毫米　1/16
印　　张	14.25
字　　数	241 千字
版　　次	2009 年 7 月第 1 版
印　　次	2009 年 7 月第 1 次印刷
定　　价	680.00 元/套(共 10 册)

(河海大学出版社图书凡印装错误可向本社调换)

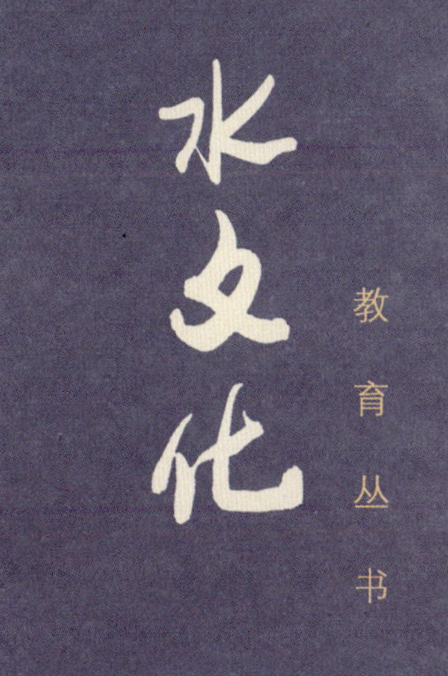

总策划

张长宽

总主审

林萍华

总主编

郑大俊　鞠　平

副总主编

吴胜兴　王如高　李乃富

100条/江河湖泊

主编　吴胜兴
副主编　顾圣平　贺　军

弘扬先进水文化，促进水利事业又好又快发展

——《水文化教育丛书》序言

文化是民族的血脉和灵魂，是国家发展、民族振兴的重要支撑。一个民族的文化，凝聚着这个民族对世界和生命的历史认知和现实感受，积淀着这个民族最深层的精神追求和行为准则。党的十七大把文化建设摆在更加突出的位置，对兴起社会主义文化建设新高潮、推动社会主义文化大发展大繁荣作出了全面部署。先进水文化是中华优秀文化的重要组成部分。弘扬和建设先进水文化，为水利事业又好又快发展提供文化支撑，是摆在我们面前的一个重大而紧迫的课题。

我国是一个拥有悠久治水历史的国家，在中华民族五千年文明史中，我们的祖先创造了光辉灿烂的水文化。这些文化，有的以物质形态存在，如都江堰、大运河、坎儿井等举世闻名的水利工程，以及水利工程技术、治水器械工具等物质产品；有的以

制度形态存在，如以水为载体的风俗习惯、宗教仪式、社会关系和社会组织、法律法规；有的以精神形态存在，如对水的认识、有关水的价值观念、与水相关的文化心理和文化特征等。这些璀璨的水文化，已经深深熔铸在中华民族的血脉之中，成为民族生存发展和国家繁荣振兴取之不尽、用之不竭的力量源泉。

新中国成立之后，党和国家领导人民进行了规模空前的水利建设，取得了辉煌的成就。特别是 1998 年特大洪水以后，水利部党组认真贯彻落实科学发展观，按照全面建设小康社会和构建社会主义和谐社会的要求，根据中央水利工作方针，认真总结经验教训，尊重基层和群众的实践创造，与时俱进地提出了可持续发展的治水思路，进行了一系列卓有成效的探索，开启了水利实践的新征程，为水文化建设注入了新的时代内涵。人与自然和谐的治水理念、以人为本的治水宗旨，扬弃了我国传统的治水文化观念，体现了科学发展观的要求；一大批水利水电工程的建设，有力地保障了经济社会发展，激发了民族自豪感，为当代和后人积累了宝贵的物质和精神财富；水利科技创新的突破，水利信息化的推进，显著提升了我国水利的科技含量和现代化水平，武装和改造了传统水利；节水防污型社会建设的深入开展，依法治水的不断推进，促进了传统治水方式和水管理制度的深刻变革；“献身、负责、求实”的水利行业精神，“万众一心、众志成城，不怕困难、顽强拼搏，坚韧不拔、敢于胜利”的伟大抗洪精神，体现了民族精神的精华，丰富了时代精神和社会主义核心价值体系的内涵。这是水文化传统与新时期水利实践相结合的丰硕成果，必将永远激励着我们不断奋斗前进。

当前和今后一个时期，是全面建设小康社会的关键时期，也是传统水利向现代水利转变的关键时期。我们要把科学发展观的根本要求与可持续发展的治水思路的探索实践结合起来，把全面建设小康社会的宏伟蓝图与水利发展的长远目标结合起来，把人民群众过上更好生活的新期待与水利工作的着力点结合起来，进一步增强水利对经济社会发展和改善民生的保障能力，不断创造无愧于时代要求的先进水文化，推动社会主义文化大发展大繁荣。要深入挖掘和弘扬传统水文化的丰富内涵，努力在继承优秀水文化传统的基础上铸造先进水文化；要善于从当今时代波澜壮阔的水利实践中汲取新鲜养分，努力展现先进水文化鲜明的时代特征和强烈的时代气息，更好地适应水利发展与改革的需要；要把培育和弘扬水利行业精神作为建设先进水文化的重要任务，努力把先进水文化更好地融入社会主义核心价值体系之中，激发广大水利干部职工投身水利实践的热情和干劲。

弘扬和建设先进水文化，要坚持研究与教育相结合、普及与提高相结合、继承与创新相结合，向全行业、全社会展示水文化研究成果，普及水文化基本知识，开展水文化宣传教育，不断推动水文化建设在服务水利发展与改革中取得新的实效。我们很高兴地看到，河海大学充分发挥学科优势和学术实力，组织了一批专家、学者，从水利名人、江河湖泊、咏水诗文、城市与水、水工程、水灾害、水用具、水景观、水传说、水歌曲等诸多方面，精心梳理、深入挖掘、全面概括千百年来人类水文化的积淀，编写了《水文化教育丛书》。这套丛书系统地介绍了优秀的传统水文化，宣传了可持续发展的治水思路，展示了水利发展与改革成就，彰显了水利精神，是水利宣传的良好平台、文化传播的优秀载体。希望以《水文化教育丛书》的出版为契机，把水文化的研究和建设推向一个新的阶段，拓宽水利视野，更新治水理念，弘扬水利精神，推进传统水利向现代水利转变。同时也希望通过广泛而深入的水文化教育，呼唤全社会进一步关注水、珍惜水、爱护水，关心水利、支持水利、参与水利，共同谱写水利发展与改革的新篇章。

陳雷

二〇〇八年三月廿八日

前言

河流是地球上最基本的形态之一。天然河流都是由降落到地面的雨水，经过下渗、蒸发等损失后产生的地面径流长期侵蚀地面，冲成沟壑，形成溪流，最终汇集而成的。从远古人类择丘陵而处，逐水草而居，刳木为舟，结网而渔，抱瓮灌园，桔槔取水的时代起，人类就与河流朝夕相处，密不可分。四大文明古国——古埃及、古巴比伦、古印度和中国，无不首先在大河冲积平原发展起来，无不借助于河流的慷慨赠予。可以说，一条河流孕育一方文明。

河流有着基本的生命规律与节律。世界上许多著名河流均形成于数百万年甚至上千万年前，直至今天仍然生机勃勃。正是由于河流的生生不息，才带来人类文明的源远流长。而河流的秉性差异，则造就了世界文化的多姿多彩。人们常将河流比作母亲，是因为河流一直在滋养、哺育、呵护着人类，而我们也应该像善待自己的生命一样，善待河流母亲。为此，必须知河，进而爱河。编写本书的基本目的，就是要从河流与文化的视角，通过对所选的中外著名河流、湖泊的介绍，使读者从其流域的自然属性、资源特点、开发状况、自然景观及人文背景等方面，增加对这些河流、湖泊的了解和认识，并鼓励更多的人学会知河、爱河。

世界上大大小小的河流、湖泊难计其数，对这些河流、湖泊进行分类的方法有很多。以往也有些文献对一些中外著名河流、湖泊作过介绍，但其选择所要介绍的河流、湖泊的角度往往不尽相同。本书主要从河流与文化的视角，侧重从"影响较大"和"特点明显"两个方面考虑，选择了 100 条中外著名河流、湖泊，并逐一进行介绍，其中包括中国天然河流 33 条，湖泊 28 个，国外天然河流 20 条，湖泊 14 个，以及中外运河 5 条。在这些河流、湖泊中，既有以人类文明发祥地著称的尼罗河、底格里斯河及幼发拉底河、恒河、黄河等，也有以"大"而闻名的亚马孙河、长江等，它们或者水量特别大、或者长度特别长。有些河流、湖泊虽然水量不很大，河流不很长，但其或自然景观独特，或人文背景丰厚，或与一些著名历史事件有关，本书也将其选入。例如，既有"山青、水秀、洞奇、石美"四绝，又有"洲绿、滩险、潭深、瀑飞"之胜的漓江，以及集美景河、美酒河、英雄河于一身的赤水河等河流，就属于此类。还有一些河流、湖泊，虽然由于特定的条件和原因，现在已不复存在，但其在人类文明发展史上曾经发挥过十分重要的作用，这次也被选入本书。例如，因地处塔里木盆地东部的古“丝绸之路”要冲而著称于世，且曾是我国第二大内陆湖的罗布泊就属于此类。在本书选入的5条中外运河中，既有作为亚非两大洲分界线的苏伊士运河，也有被誉为“世界第八大奇迹”的当代修建的“人工天河”红旗渠。这些人工运河，在人类文明发展史上也占有十分重要的位置。

对选入本书进行介绍的著名河流、湖泊，一般先扼要介绍其自然属性，包括地理位置、河流长度、流域面积、水系组成情况等，以便使读者对所介绍的河流、湖泊及其流域概貌有一个基本的认识。接着，对河流、湖泊在水资源及水能资源等方面的特点，以及河流资源的开发利用等情况进行简要的介绍，这对读者进一步认识河流、湖泊在经济社会发展中的作用是有帮助的。最后，从河流的自然景观和人文背景方面对河流、湖泊进行介绍，特别是通过吟诵河流、湖泊的著名诗词歌赋，以及与河流、湖泊有关的重要历史事件、故事、传说等，帮助读者加深对河流、湖泊深厚文化底蕴的认识，从而激发其知河、爱河的热情。

在当今社会发展对青年学生综合素质要求越来越高的形势下，做好河流知识与河流文化的宣传、普及，是一件很有意义的工作。编写本书正是在这方面进行的一次尝试。事实上，本书的编写者在写作过程中，自己也作为河流知识与河流文化宣传、普及的对象，对河流知识与河流文化的内涵有了更多的认识。希望本书能对青年学生以及其他读者了解河流、认识河流、丰富河流文化知识有所帮助。

本书由吴胜兴任主编，顾圣平、贺军任副主编。刘鑫、何俊芳、武娟、周奇等为本书编写做了大量的图、文资料的收集、整理工作。本书编写过程中，编者参阅、学习了大量的文献资料，谨对所有这些文献资料的作者一并表示感谢！

对本书的不足之处，欢迎读者批评指正！

编　者

2008年春

目　录

贰 国内湖泊

叁 国外天然河流

肆 国外湖泊

壹

国内天然河流

1. 长江

——中国第一大河

长江是中国第一大河，全长 6 300 余 km，流域面积约 180 万 km^2，按长度计排在世界大河第三位，仅次于尼罗河和亚马逊河。

长江发源于青藏高原唐古拉山脉，干流流经青海、西藏、四川、云南、重庆、湖北、湖南、江西、安徽、江苏、上海 11 个省（自治区、直辖市），于崇明岛以东注入东海。

长江干流宜昌以上为上游，宜昌至湖口为中游，湖口以下为下游。长江上游从源头至当曲口称沱沱河，从当曲口至玉树巴塘河口称通天河，巴塘河口至宜宾称金沙江，宜宾至宜昌河段称川江，从枝城至城陵矶又称荆江。

长江水系中支流还伸展至甘肃、陕西、贵州、河南、广西、广东、福建、浙江等 8 个省（自治区）。雅砻江、岷江、嘉陵江和汉江 4 条支流的流域面积都超过了 10 万 km^2。支流流域面积以嘉陵江最大，年径流量以岷江最大，长度以汉江最长。

长江是中国水量最丰富的河流，水资源总量约 9 600 亿 m^3，在世界上仅次于亚马逊河和刚果河（扎伊尔河），居第三位。长江流域上游多流经高山峡谷，坡陡流急，落差 5 360 m。流域水能资源丰富，理论蕴藏量 2.78 亿 kW，经济可开发水电装机容量 2.28 亿 kW，年发电量约 1.05 万亿 kW·h。流域已建的大型水电站主要有：长江干流葛洲坝装机 271.5 万 kW、雅砻江二滩 330 万 kW、清江隔河岩 120 万 kW、沅江五强溪 120 万 kW、汉水丹江口 90 万 kW 等。正在建设的长江三峡水利枢纽装机容量 1 820 万 kW，居世界首位。在建的还有金沙江溪落渡电站 1 260 万 kW、向家坝电站 600 万 kW 等。这些工程大多具有防洪、发电、灌溉、航运等综合效益。长江是中国东西航运大动脉，沟通西南、华中、华东三大区，被誉为“黄金水道”。

考古证实，长江流域也是中华民族古人类的发祥地和中国古代文化的发源地之一。7 000 多年前，长江流域就有水稻种植。隋唐到明清时期，经济重心不断南移，长江中下游地区越来越成为朝廷主要的敛赋地区。

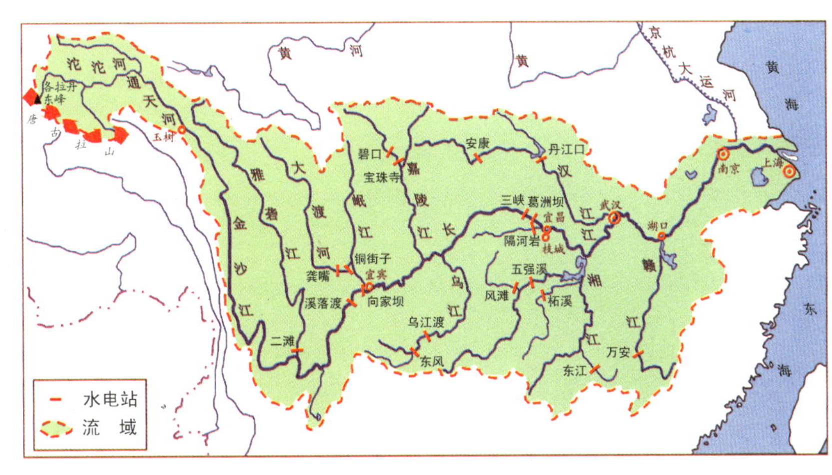

长江水系示意图

浩浩长江，源远流长，沿江风景名胜繁多，如三峡、蒲圻赤壁、神农溪、悬棺、栈道、巫山小三峡、奉节白帝城、云阳张飞庙、忠县石宝寨、丰都鬼城、荆州古城墙等众多著名景点。其中最为著名的长江三峡由瞿塘峡、巫峡、西陵峡三段峡谷组成，全长 193 km(其中狭谷段合长 90 km，宽谷段合长 103 km)，山峰高峻，江流汹涌，气象万千，构成了一幅自然和谐的壮美画卷。古代三峡地区的交通，由于蜀道难，几乎全靠水路。清康熙年间开凿栈道，高出江面十多米，纤夫走在栈道上，如临深渊，怵目惊心。而今，铁链和石级仍在，拉船的纤夫基本消失，但在神农溪景点，游人还能看见少许裸体拉纤的景象。

自古以来，吟咏长江的诗篇举不胜举。“朝辞白帝彩云间，千里江陵一日还。两岸猿声啼不住，轻舟已过万重山。”流传千古的佳句，展现了唐代大诗人李白的豪放。“更立西江石壁，截断巫山云雨，高峡出平湖”，则是一代伟人毛泽东 1956 年“万里长江横渡”时写下的《水调歌头·游泳》中的著名诗句，既表达了诗人革命家的浪漫主义情怀，也是人民共和国的缔造者对长江三峡工程的畅想。如今这一畅想正在变为现实。

2. 黄河

——中华民族的母亲河

黄河是中国的第二大河流，河长仅次于长江，全长约 5 464 km，流域面积约 79.5 万 km^2。黄河为世界上含沙量最大的河流，河水呈黄色，因而得名。

黄河发源于青海省巴颜喀拉山北麓 4 500 m 高程的约古宗列盆地，流经青海、四川、甘肃、宁夏、内蒙古、山西、陕西、河南、山东 9 省(自治区)，在山东省垦利县注入渤海。从河源到内蒙古托克托县的河口镇为上游，水多沙少，水力资源丰富；从河口镇到河南郑州桃花峪为中游，水少沙多；桃花峪以下至河口为下游，为地上悬河。

黄河之所以多泥沙，是由于其流经黄土高原地区，支流夹带大量泥沙汇入。三门峡站平均含沙量 35 kg/m^3，年平均输沙量高达约 16 亿 t，如果把这些泥沙堆成高、宽各 1 m 的土堤，其长度可以绕地球赤道 27 圈。泥沙造成黄河下游河道严重淤积，河床平均每年抬高约 10 cm，形成地上悬河。目前下游堤防临背悬差一般 5～6 m。滩面比新乡市地面高出约 20 m，比开封市地面高出约 13 m，比济南市地面高出约 5 m。黄河泥沙治理问题非常严峻。

黄河全流域多年平均年降水量 466 mm，年径流量约 580 亿 m^3，流域内水资源供需矛盾非常突出。

黄河流域水能资源理论蕴藏量约为 4 330 万 kW，经济可开发水电装机容量约 3 160 万 kW。干流已建有龙羊峡(128 万 kW)、李家峡(200 万 kW)、刘家峡(122.5 万 kW)、三门峡(41 万 kW)、万家寨(108 万 kW)等大中型水电站。治理开发黄河的关键性工程小浪底水利枢纽(电站装机容量 180 万 kW)也已建成，正在发挥巨大的减淤、防洪、防凌、发电和排沙的综合利用效益。近年来，通过对这些水利水电工程进行合理调度，上世纪后期曾多次发生过的黄河下游河段断流的情况得到了有效控制。

黄河是中华民族的母亲河。中国古代自夏、商、周以来多数强大的统一王朝，核心地区都在黄河中下游一带；文化著作、科学技术等也多在这里诞

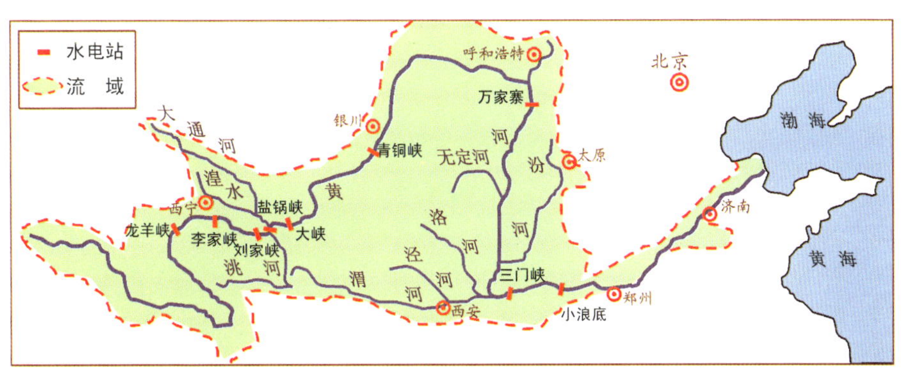

黄河水系示意图

生。黄河孕育了中华文明。

黄河在历史上原先并不称黄河,《山海经》中称“河水”,《水经注》中称“上河”,《汉书·西域传》中称“中国河”,《尚书》中称“九河”,《史记》中称“大河”。西汉时有人称“浊河”或“黄河”,到唐宋时期才广泛使用黄河这一名称。

关于黄河源头,历史上有“河出昆仑”的说法。李白曾有“黄河西来决昆仑,咆哮万里触龙门”的诗句。唐宋以来以星宿海为源头,至康熙末年经官方长期勘察,绘出卡日曲、玛曲(约古宗列曲)和扎曲,正源至今还在玛曲和卡日曲之间有分歧。

自古黄河洪水决堤、改道频仍,黄河泛滥一直是国家和人民之忧患。从先秦时期至民国年间的 2 500 多年中,黄河下游共决溢 1 500 余次,大的改道 26 次,平均三年两决口,百年一改道。至 1938 年抗日战争时蒋介石下令掘郑州花园口大堤,黄河又南流入淮,造成了广大灾区,人民的生命财产遭受惨重损失,至 1947 年堵复,黄河才回归北道。

黄河两岸文化遗存甚多,既有仰韶文化、伏羲文化等古人类遗址,又有历代古城、塔寺庙观和名山石窟等。自然风光壮丽,其中壶口瀑布是国内外罕见奇观,水势汹涌,涛声震天。

自古描写黄河的名篇佳句颇多,“黄河之水天上来,奔流到海不复回”出自唐代诗人李白,勾画出了大河奔流的壮观景象;王之涣的“黄河远上白云间,一片孤城万仞山”,王维的“大漠孤烟直,长河落日圆”,刘禹锡的“九曲黄河万里沙,浪淘风簸自天涯”等著名诗句,至今仍为人们广为吟诵。

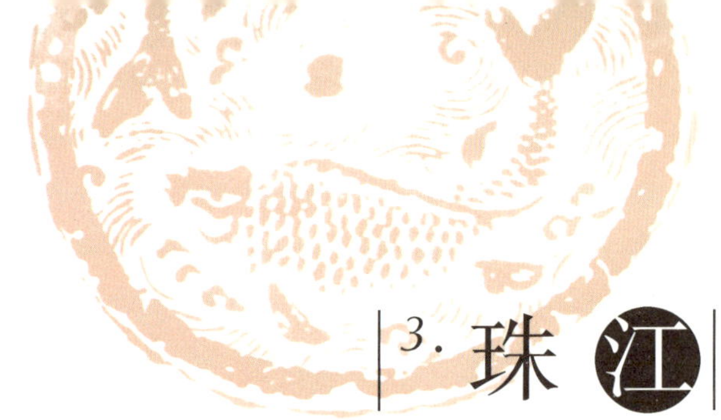

3. 珠江

——中国南方最大河系

珠江水系是中国南方最大河系，干流长度 2 214 km，与长江、黄河、淮河、海河、松花江、辽河并称中国七大江河。珠江的正源起自云南省曲靖市沾益县境内的马雄山，海拔 2 444 m，干流经滇、黔桂交界处、桂、粤，于珠海市的磨刀门注入南海。全流域横贯中国南部的滇、黔、桂、粤、湘、赣六省(自治区)和越南的北部，总面积约 453 690 km^2，其中 442 100 km^2 在中国境内。珠江水系各河径流汇集于三角洲后，通过 8 条水道注入南海，各水道之出口称之为“门”，称为八大口门。东边为虎门、蕉门、洪奇门和横门；西边有磨刀门、鸡啼门、虎跳门和崖门。

珠江水系支流众多，由西江、东江、北江及三角洲诸河四大水系组成。西江是珠江的主干流，由南盘江、红水河、黔江、浔江及西江等河段所组成，主要支流有北盘江、柳江、郁江、桂江及贺江等；北江发源于江西省信丰县大茅塬，主要支流有武水、连江、绥江等；东江发源于江西省寻乌县桠髻，主要支流有新丰江、西枝江等。珠江三角洲包括河网水系和入注三角洲的流溪

珠江水系示意图

河、潭江、增江、深圳河等十多条河流，流经地区包括香港和澳门特别行政区。

珠江流域地处亚热带，气候温和，水资源丰富，多年平均年降水量为 1 477 mm，年径流量 3 360 亿 m^3，其中中国部分为 3 344 亿 m^3，仅次于长江，居中国第二位。流域汛期降水强度大，汇流速度快，容易形成峰高量大历时长的流域性洪水。

珠江流域水能资源理论蕴藏量约 3 224 万 kW，经济可开发水电装机容量约 3 002 万 kW，是我国水电开发建设基地之一。已建成的 25 万 kW 以上的水电站有天生桥二级 132 万 kW、岩滩 121 万 kW、鲁布革 60 万 kW、大化 40 万 kW、新丰江 29.25 万 kW、天生桥一级 120 万 kW 等。

珠江流域文化圈包括相邻的韩江和沿南海诸河的流域地带。从史前文明来说，这里是早期人类的重要发源地，发现过马坝人、柳江人、都安人等智人化石以及旧石器、新石器时代遗迹。先秦以来，百越、苗蛮、百濮、氐羌、巴、蜀等多族群在这里生活。华夏族势力南下，楚国在春秋时还是“夷狄”，到战国时已经成为诸夏的一员，楚文化直入岭南。《史记》记载，公元前 382 年，楚悼王任用吴起南平百越；秦始皇征服岭南百越各族；汉武帝灭南越国、东越国。历代汉族不断南迁，在岭南形成广府、客家、潮汕（福佬）等汉族民系。汉文化与土著文化不断融合。粤语就是中原人与越人相互同化形成的方言。岭南文化是南越的土著文化、中原文化和海洋文化的融合体。

古时岭南是名人士大夫贬谪之地，苏轼被贬时写下：“日啖荔枝三百颗，不辞长作岭南人”；刘禹锡写诗词描写所见所闻：“蛮语钩辀音，蛮衣斑斓布”；其他如柳宗元、韩愈、汤显祖等也曾被贬至此。

到了近现代，珠江三角洲开始名人辈出，其中包括康有为、梁启超等，而从这块土地上走出来的伟大的民主革命先行者孙中山先生领导了辛亥革命，改变了中国历史的进程。而今，中国的改革开放以广东为发源地，显示了珠江流域孕育的岭南文化的开放性和独特性。

4. 海河

——华北地区主要大河之一

海河是华北地区大河,海河水系也是全国七大水系之一。由北运河、永定河、大清河、子牙河、南运河五条河流自北、西、南三面汇流至天津后东流到大沽口入渤海,故又称沽河。海河流域东临渤海,南界黄河,西起太行山,北倚内蒙古高原南缘,地跨京、津、冀、晋、鲁、豫、辽、内蒙古八省(自治区、直辖市)。流域面积为31.78万km^2。其干流是指从天津市金钢桥附近的三汊河到大沽口海河闸上的一段河道,长73 km。若以漳卫南运河的源地起算,则全长1 090 km。

海河水系示意图

海河流域属暖温带半湿润半干旱气候。年平均降水量为560 mm,且降雨量较为集中于汛期,极易酿成洪涝灾害和春旱。全流域多年平均径流量264亿m^3,地下水资源256.37亿m^3,水资源总量为419.43亿m^3。由于工农业及城镇生活用水不断增加,水资源短缺矛盾日益突出。

全流域水能资源理论蕴藏量约283万kW,可开发

水电装机容量约151万kW。流域内已建大型水库主要有官厅、密云、岗南、黄壁庄、岳城等。这些水库以防洪为主，兼有灌溉、供水、发电等作用。流域内已建水电站总装机容量约66万kW，有4座水电站装有抽水蓄能机组，总容量107.2万kW。

由于海河水系上游支流繁多分散，下游集中，河道容泄能力上大下小，尾闾不畅，故而极易形成洪峰，给流域内人民的生产生活带来极大的危害。在1939年天津遭受的洪灾中，白洋淀东堤决口，永定河、大清河、子牙河、南运河相继决口，洪水冲淹天津两个月，街上行船，工厂停工，交通中断，受灾人口达65万。新中国成立以来，经几十年大力整治，海河流域排洪入海能力大大提高，约为原来的10倍。

海河流域具有丰富的史前文化，是中华文明的发祥地之一。1978年永定河支流桑干河流域发现了属于136万年前旧石器时代早期的小长梁遗址，1992年又发现马圈沟遗址，2001年发现大象骨骼和石片、刮削器。这种遗迹将泥河湾出现古人类的时间推到200万年前。新石器磁山文化遗址推断为公元前6000年至前5600年，有粟类作物和家畜遗迹。

海河流域历代名人荟萃，两晋南北朝时期有地理学家郦道元、数学家祖冲之等；隋朝有设计建造赵州桥的杰出工匠李春；唐朝出了魏征；元朝涌现出一大批著名剧作家，如关汉卿、王实甫、白朴、马致远、杨显之。自元代定都北京，海河流域逐渐成为中国政治、经济、文化中心。

由于海河近海，又有渔盐之利，历史上漕运发达，明朝永乐二年(1404年)的天津筑城设卫，并逐渐成为京都的重镇码头，此后天津卫日趋繁荣，与海河的“河海冲要”地位是密不可分的。“晓日三汊口，连樯集万艘”，就是这一历史的写照。而在海河水系之一的北运河，昔日岸上的桃柳堤，风光春色在历史上也名噪一时。清朝初期，北运河堤有桃柳千株，每逢春日桃花盛开，绿柳如茵，有诗云：“红入桃花嫩，青归柳叶新”，又有诗人赞道：“丁字沽边柳万条，青青一带锁红桥”，说的就是桃柳堤。

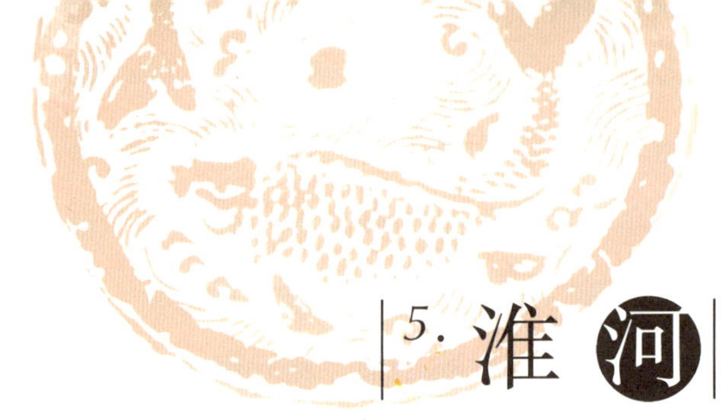

5. 淮河

——中国南北方的自然分界线

淮河流域地处我国东部，介于长江和黄河两流域之间。干流全长约1 000 km。淮河干流正源西起桐柏山，东临黄海，经河南省南部、安徽省中部，在江苏省中部注入洪泽湖，经洪泽湖调蓄后，主流经入江水道至扬州三江营注入长江。洪泽湖的排水出路，除入江水道以外，还有部分经苏北灌溉总渠和淮沭新河入黄海。

淮河干流河源至洪河口为上游，长 360 km；洪河口至洪泽湖出口中渡为中游，长 490 km；中渡至三江营为下游，长 150 km。南岸支流主要有白露河、史灌河、淠河、东淝河、池河等，北岸支流主要有洪汝河、沙颍河、西淝河、涡河、漴潼河、新汴河、奎濉河等。

1194 年黄河夺淮入海，至 1855 年黄河北徙后，淤高的废黄河把统一的古淮河水系分割成淮河水系及沂沭泗水系两个部分，京杭大运河、淮沭新河和徐洪河贯通其间。总流域面积约 27 万 km^2。流域南以大别山和江淮丘陵与长江流域为界，北以黄河南堤和泰山与黄河流域毗邻，地跨河南、安徽、江苏、山东及湖北 5 省。

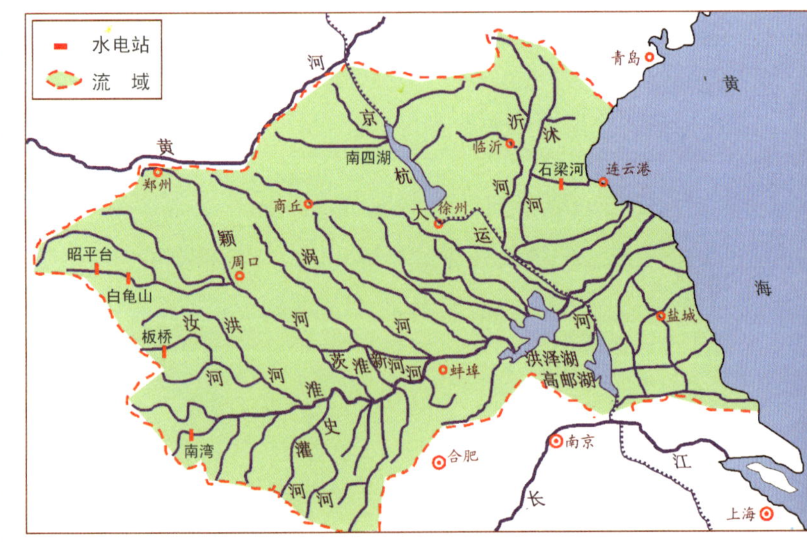

淮河水系示意图

整个淮河流域多年平均径流量为 621 亿 m^3，

其中淮河水系453亿m^3，沂沭泗水系168亿m^3。水资源总量为854亿m^3。淮河流域水能资源理论蕴藏量111.85万kW，经济可开发的水电装机容量55.65万kW。

全流域已建大量水库、堤防、行蓄洪区、水闸和抽水站，形成防洪、除涝、灌溉、供水工程体系，初步解决了黄河夺淮造成的水系紊乱、出海无路的问题。佛子岭水库、响洪甸水库、梅山水库、磨子潭水库等都是著名的水利工程。流域内洪泽湖、南四湖、骆马湖已建成具有防洪、灌溉、供水、水产养殖等功能的综合利用水库。

古淮河流域是一个经济繁荣、文化积淀深厚的地方。据考古发现，古淮河流域存在一个相对独立的古文明“淮夷文明”。河南舞阳贾湖遗址考古发现，早在9 000多年前，淮河流域的贾湖人已有稻作文化，淮河流域可能是我国稻作农业的起源地。淮河流域的先民被称为“淮夷”。在蚌埠市发掘的双墩遗址，出土了大量7 000多年前新石器文化遗存，有水稻壳、农业生产工具等，大量陶石骨蚌的刻画符号被认为是汉字的源头之一，被命名为双墩文化，表明淮河流域是中国古代文明的发祥地之一。古往今来，从这里走出许多政治文化名人：儒家创始人孔子出生地属泗水流域；道家创始人老子和思想家、文学家庄子的家乡都是在涡河边；思想家、政治家管仲生于颍水之滨；其他历史人物如陈胜、吴广、项羽、刘邦、韩信、曹操、朱元璋、吴承恩等等都是淮河流域的人士。

“映门淮水绿，留骑主人心。明月随良掾，春潮夜夜深。”这首出自王昌龄《送郭司仓》中的诗句，表达了以幽幽淮水挽留友人之情。

6. 辽河

——辽宁的“母亲河”

辽河是中国七大江河之一，位于中国东北地区南部，古代称句骊河，汉称大辽河，五代以后称辽河，清称巨流河。全长 1 345 km。辽河流域总面积 21.9 万 km²，地跨河北、内蒙古、吉林、辽宁四省(自治区)。

辽河有二源。上源(西源)为老哈河，发源于河北省平泉县七老图山脉的光头山(海拔 1 729 m)，向东北流经内蒙古自治区苏家堡附近纳西拉木伦河后称西辽河，而后东流到吉林省境内折向南，于辽宁省昌图县福德店与东辽河汇合后称辽河。东源称东辽河，发源于吉林省东南部吉林市哈达岭西北麓，北流经辽源市，于公主岭市内折向南，在辽宁省昌图县福德店与西源汇合。

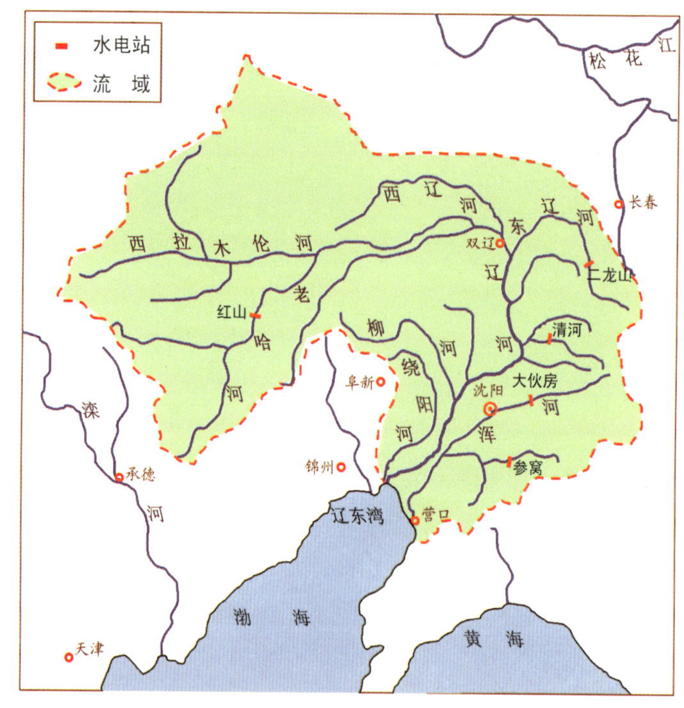

辽河水系示意图

辽河为树枝状水系，东西宽南北窄，由两个水系组成：一为东、西辽河，于福德店汇流后为辽河干流，经双台子河由盘山入海；另一为浑河和太子河，于三岔河汇合后经大辽河由营口入海。1958 年

外辽河上口堵截后，干流与浑河、太子河不再沟通，成为各自独立的水系。

辽河多年平均年径流量 148 亿 m^3。辽河流域水资源地区分布极不均衡，时间上变化剧烈。辽河中下游地区水资源十分紧张。

辽河干支流水能资源理论蕴藏量为 154.6 万 kW。其中可开发装机容量为 48.3 万 kW，且都为中小型水电站，基本上集中在支流太子河和浑河上。辽河水系径流量较少，水能资源开发利用条件不理想，主要开发任务是防洪和供水。已建的主要水利工程有：红山水库，总库容 16.19 亿 m^3；清河水库，总库容 9.71 亿 m^3；柴河水库，总库容 6.36 亿 m^3；大伙房水库，总库容 21.87 亿 m^3；观音阁水库，总库容 21.68 亿 m^3；参窝水库，总库容 7.91 亿 m^3；汤河水库，总库容 7.07 亿 m^3。

辽河口，即双台河口，具有北国滨海湿地的自然景观，芦苇荡绵延数百平方千米，是全国最大的湿地自然保护区；有一望无际的红海滩；有被誉为湿地之神的珍稀鸟类丹顶鹤、濒危物种黑嘴鸥。

辽河流域是中国史前玉文化最发达地区之一。红山文化遗存主要分布在辽河上游的西拉木伦河、老哈河、教来河及辽西的大凌河、小凌河流域，存在时间可推至约五六千年前。出土的红山玉雕龙是史前“龙”文化和玉文化的代表文物。

辽河文化自古就从渤海对面吸收齐鲁儒家文化，从燕山山脉以西吸收燕赵文化和秦晋文化，使辽河流域成为中原连接东北的桥梁和纽带。辽河流域又是各少数民族聚居的地区，努尔哈赤曾崛起于辽河大地，在这里留下了一宫三陵，现已成为世界文化遗产。其中，沈阳故宫始建于 1625 年，是清朝入关前的皇宫，又称盛京皇宫，清朝入主中原后改为陪都宫殿和皇帝东巡行宫；福陵、昭陵和永陵则分别是努尔哈赤、皇太极和皇族的祖陵。

7. 赤水河

——集美景河、美酒河、英雄河于一身

赤水河是长江上游的一级支流，古称安乐水，全长 523 km。流域面积 2.04 万 km^2。

赤水河发源于云南省镇雄县，上游称鱼洞，东流至梯子岩，水量增大，称毕数河，流至赤水镇后，始称赤水河，经贵州省至四川省合川市城南关注入长江。一般以二郎镇以上为赤水河上游，二郎镇至复兴镇为中游，复兴镇以下为下游。赤水河主要支流有二道河、桐梓河、古蔺河、大同河及习水河。

赤水河两岸陡峭，多险滩急流，天然落差 1 588 m，洪、枯流量变幅大，实测最大流量 9 890 m^3/s，最小流量仅 33.2 m^3/s。多年平均年径流量 101 亿 m^3，最大年为 173.8 亿 m^3，最小年为 61.4 亿 m^3。

赤水河水能资源理论蕴藏量为 127 万 kW，可开发水电装机容量约 94 万 kW。建国前曾建成桐梓县天门水电站(装机 576 kW)等小型水电站，建国后分别在支流上局部开发小水电站，总装机容量已近 4 万 kW。

著名的人文景观有十丈洞大瀑布、四洞沟、竹海公园、桫椤王国。十丈洞大瀑布高 76 m，宽 80 m，倾泻而下，似万马奔腾，气势磅礴，水雾弥漫，彩虹缤纷。四洞沟瀑布群是有着“千瀑之市”称号的赤水市形象景区，它由一段约 4 km 的山溪间大致等距离排列的四级跌水瀑布为主体构成。竹海公园以浩瀚的“竹海”风光为主，区内尚有“天锣”、“地瀑”、“八仙树”、“夫妻树”等奇特的自然景观，给人以回归大自然的美好享受。桫椤王国是我国第一个国家级桫椤自然保护区——赤水桫椤国家级自然保护区的所在地。桫椤，又名树蕨，是一种起源古老的冰川前孑遗植物，植株高大，株高数米，形如巨伞，状若华盖，树形优美，四季常青，早在距今约 1 亿 8 千万年前的中生代侏罗纪时期就十分繁茂，曾与恐龙同生共荣。经过第四纪冰川的侵袭，桫椤仅在一些低纬度的适宜生态环境里残存并繁衍至今，被国家确定为一级珍稀濒危保护植物。此外，赤水河还是一条酒文化之河，贵州茅台酒产地黔北仁怀和四川郎酒产地川南古蔺，都分布在赤水河畔。

“四渡赤水出奇兵”，是中国工农红军长征路上以弱胜强的运动战典范战例。1935年遵义会议召开之后，面对国民党军队的围追堵截，毛泽东决定红军北渡长江以会合四方面军，部队分三路向赤水河挺进。同时令四方面军进逼成都、重庆钳制川军，配合中央红军渡江。到了赤水河边的土城后遇敌陷入被动，于是放弃北渡长江的计划，第一次渡过赤水河，向国民党兵力薄弱的川南、滇东北地域前进，部队集结云南扎西。为了摆脱滇军、川军夹击，红军避实就虚，回师东进，第二次渡过赤水河，向国民党兵力薄弱的黔北发起猛烈攻击，挥戈南下，于娄山关战斗中重创敌人，再占遵义。为摆脱敌人重兵压境，红军于茅台第三次渡过赤水河，以一部分兵力挺进川南，佯作北渡长江姿态，主力则出敌不意回师东进，第四次渡过赤水河。主力南渡乌江，直逼蒋介石督战的贵阳。红军连克数县，开始西进云南。红军以不足4万之师，跳出20万敌军的堵截，获得长征战略转移中具有决定意义的伟大胜利。

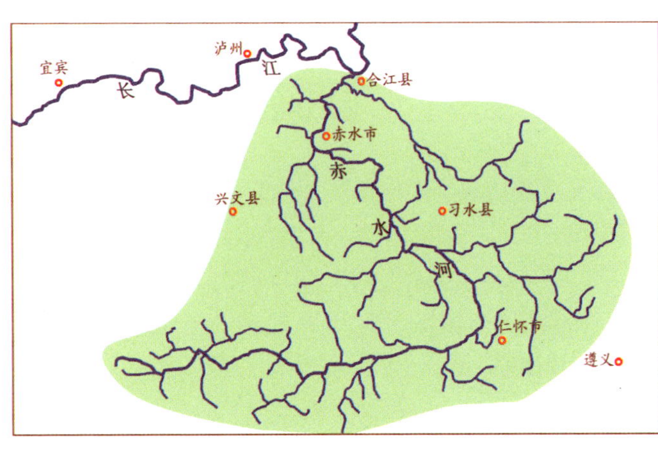

赤水河水系示意图

8. 乌江

——纵横乌蒙，雄关天险

乌江为长江川江段四大支流之一，又称黔江、延江，跨中国贵州省中北部和重庆市东南部，全长 1 037 km。流域面积约 8.79 万 km^2。

乌江源于乌蒙山东麓。北源是六冲河，位于赫章县北，南源是三岔河，位于威宁彝族回族苗族自治县东，两源汇合后称鸭池河。向东北至息烽县乌江渡以下始称乌江口。经思南县、沿河县等，至四川省酉阳土家族苗族自治县龚滩，向北至涪陵入长江。

乌江支流众多，呈羽状水系分布，主要支流有六冲河、猫跳河、清水江、濯河、洪渡河、郁江、芙蓉江等。

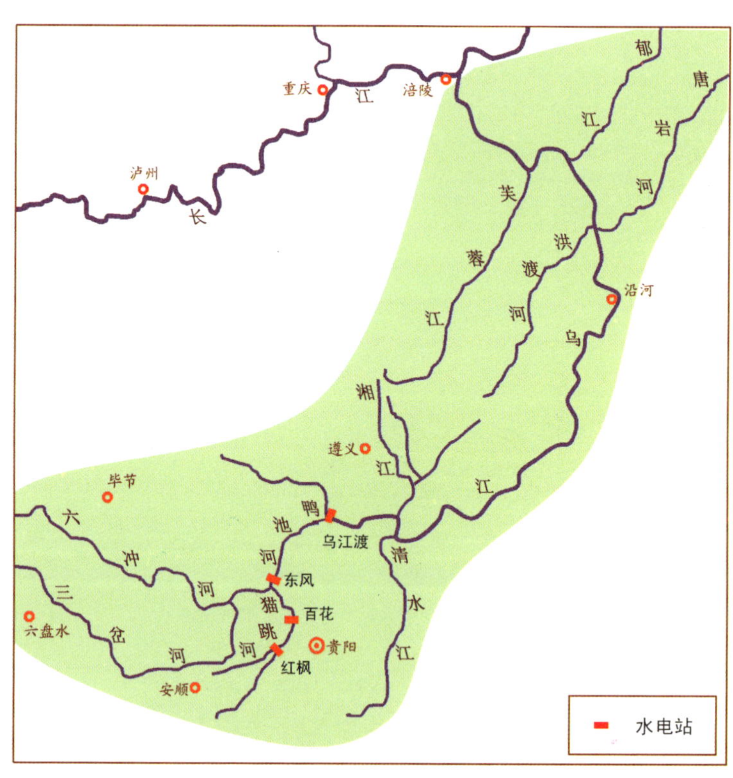

乌江水系示意图

从河源到乌江渡为乌江的上游，河谷切割深，坡陡流急；从乌江渡到贵州沿河县城为中游；从沿河县城到四川涪陵的河口为下游。

乌江流域多年平均年径流量 503 亿 m^3。水能资源丰富，理论蕴藏量约 1 042.6 万 kW，可开发水电装机容量约

888 万 kW，是中国十二大水电基地之一。已建成的乌江渡水电站，当时是中国自己设计建设的国内最高的拱形重力坝，装机容量 63 万 kW。规划拟建及在建的工程还有洪家渡、彭水、构皮滩等大型水电站。

乌江自中游余庆县构皮滩出峡谷后，江面展宽到 200 多 m，水势平缓，但礁石、险滩多。流域内山峦起伏，石灰岩地层分布广泛，多溶洞、伏流。在中游乌江渡到沿河县城段，河道穿行于峡谷之中，礁石林立，险滩密布，素有“天险”之称，有名的漩塘、天生桥、镇天洞、一子三滩四大天险均在此段。

然而，乌江天险终于被中国工农红军踩在了脚下。1934 年 12 月 31 日，红一方面军到达乌江南岸。黔军约一个旅的兵力在江北岸凭险固守。1935 年 1 月 1 日，红一军团第 1 团由回龙场渡口强渡，一举突破敌江防，渡过乌江，占领滩头阵地。至 4 日，红一军团主力及红九军团由此全部渡江。与此同时，红一军团第 4 团先后两次由江界渡口强渡，有 5 名勇士渡江成功。此时，追敌即将迫近，刻不容缓，第 4 团又以 60 多个竹筏在炮火掩护下，组织强渡，与先期到达对岸的 5 名勇士一起，夺取了敌人的滩头阵地。军委纵队和红五军团由此相继渡过乌江。5 日，红三军团进至茶山关渡口，守敌不战而逃。6 日，红三军团由此渡过乌江。红军渡过乌江后，先后两占遵义、四渡赤水，最终跳出了几十万敌军的围追堵截。

乌江既有“乌江天险”之险，又有“乌江画廊”之美。千里乌江，江水碧绿，林木葱郁，高峡成群，险滩密布，壑连嶂叠，豪野之气，盈贯其间。著名的自然及人文景观有乌江腾龙峡风景区、古纤道、镇江阁、赤壁摩崖、白鹭洲等。乌江是古代巴族人迁徙的重要通道和文化传承的密集地区，也是土家族、苗族、仡佬族等少数民族聚居的地区。

9. 雅砻江

——山峻江清，资源宝库

雅砻江为金沙江的支流，又名若水、小金沙江，干流总长 1 500 km。雅砻江流域位于青藏高原南部，形状狭长，流域面积约 13 万 km^2。

雅砻江发源于青海巴颜喀拉山系尼彦纳克山与冬拉冈岭之间，洁白的冰雪融水，集成涓涓细流，成为它的上源“扎曲”。在石渠县附近进入四川时，才正式被称为雅砻江。

雅砻江在尼坎多以下流入四川后，通过石渠县、甘孜县、新龙县、木里县、冕宁县，于攀枝花市投入金沙江的怀抱。按地貌特征划分，甘孜以上可称上游，甘孜至大河湾为中游，大河湾以下为下游。

雅砻江大于或接近 1 万 km^2 流域面积的主要支流有鲜水河、理塘河、卧落河、安宁河等，其中左岸最大支流是安宁河，古代称为孙水，清代始名安宁河。它发源于冕宁拖乌北部羊洛雪山牦牛山的菩萨冈。

雅砻江滩多水急，径流丰沛而稳定，多年平均年径流量为 570 亿 m^3，占长江上游的 13%。

雅砻江水量丰沛，自然落差大，水能资源理论蕴藏量高达 3 372 万 kW，可开发水能资源约为 2 494 万 kW，为全国十二大水电基地之一。干流拟定了 21 个枢纽梯级开发方案，共利用落差 2 812 m，总装机容量 2 235 万 kW，其中锦屏—河口是近期重点开发的河段，拟定 5 级枢纽，总装机容量 1 110 万 kW，年发电量 689 亿 kW·h。现已建成的二滩水电站，装机 6 台，总容量 330 万 kW，坝高 240 m，为目前国内已经建成的最高混凝土双曲拱坝。二滩电站交通方便，建设条件十分有利，动能指标优越，经济效益显著。

作为雅砻江主要支流之一的安宁河谷素有“川西第二大平原”之称，又被誉为川西南的“粮仓”。这里土地肥沃，日照充足，雨量充沛，是雅砻江流域乃至川西地区粮食和蔗糖生产的重要基地。西昌卫星城也坐落在安宁河流域。

在安宁河的源头冕宁地区，曾经发生过刘伯承元帅在红军长征中与彝

族武装首领小约达歃血为盟的故事，至今仍传为佳话。1935年，刘伯承率领中国工农红军一方面军先遣部队到达冕宁，先头部队在拖乌喇嘛房受到彝族武装阻挠。先遣队宣传队队长肖华通过喊话，并通过通司（翻译）反复阐明红军的性质和政治主张，说明红军是穷人的队伍，于此借道北上抗日。双方经过交谈，彝族武装首领小约达提出愿与刘伯承结为兄弟。于是双方便在秀丽的彝海边举行了结盟仪式，因为当时没有酒，便从彝海取来两碗水，以水当酒，歃血为盟，刘伯承端起酒碗，大声发誓："上有天，下有地，我刘伯承同小约达今天在海子边结为兄弟，如有反复，天诛地灭。"说罢一饮而尽。小约达也举起酒碗说："我小约达同刘司令员结为兄弟，愿同生死，如有反悔，和这鸡一样死。"亦一饮而尽。刘伯承随后将随身携带的手枪赠给小约达，又赠送了部分枪支和一面写有"中国夷民红军沽鸡支队"的队旗，小约达也把自己的黑骡子送给刘伯承，并派出4个彝族向导为红军带路，护送红军。红军大队人马顺利地通过了彝区，挥师北上。这件事在党史、军史和民族团结史上写下了光辉的一页。

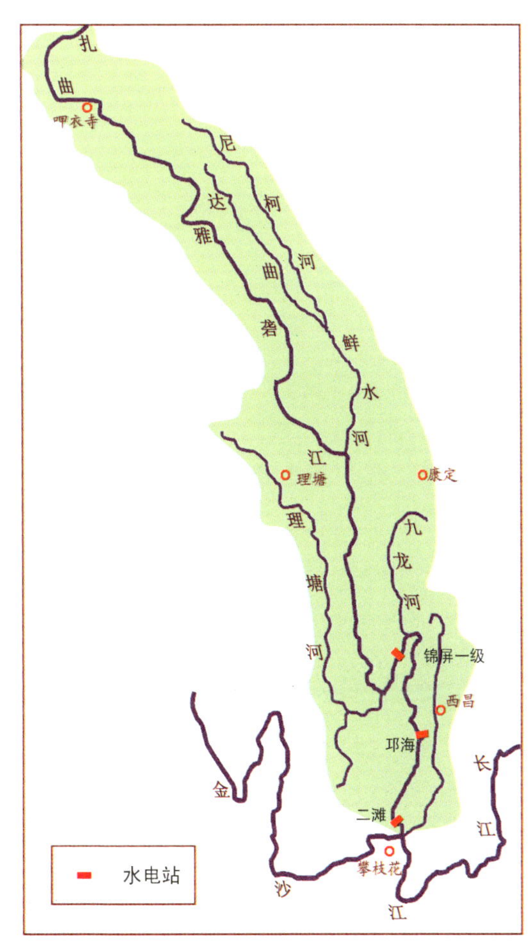

雅砻江水系示意图

10. 岷江

——岷山导江,巴蜀名河

岷江是长江上游川江段四大支流之一,又名汶江、都江,亦是长江上游水量最大的一条支流。全长 735 km,流域面积约 14 万 km^2。

岷江发源于岷山弓杠岭和郎架岭。都江堰以上为上游,都江堰市至乐山段为中游,乐山以下为下游。

岷江有大小支流 90 余条,上游有黑水河、杂谷脑河;中游有都江堰灌区的黑石河、金马河、江安河、走马河、柏条河、蒲阳河等;下游有青衣江、大渡河、马边河、越西河等。

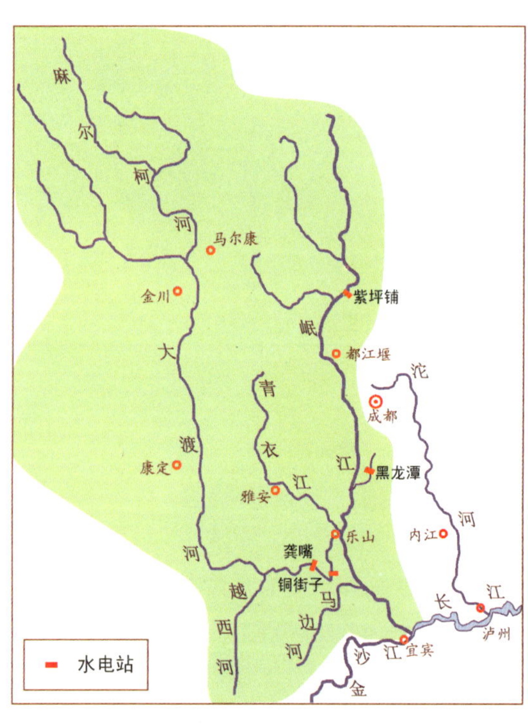

岷江水系示意图

岷江多年平均年径流量 896 亿 m^3,约占长江宜昌年水量的 20%,为长江水量最丰富的支流。上游开发以漂木、水力发电为主;中游流经成都平原地区,与沱江水系及众多人工河网一起组成都江堰灌区;下游开发以航运为主。

岷江全河落差 3 560 m,水能资源十分丰富,理论蕴藏量 4 888.6 万 kW,是长江流域水能最丰富的支流。其中,大渡河(不包括青衣江)为 3 132 万 kW,青衣江约为 424 万 kW。流域内已建成一批大中型水利水电工程,岷江干流上有映秀湾、太平驿两座电站;岷江支流草坡河、杂谷脑

河、渔子溪等河流上还修建了草坡、理县、甘堡、渔子溪一级和二级、黄丹、坛罐窑等中小型电站；大渡河干流上修建了龚嘴、铜街子大型电站；青衣江上建有铜头、雨城、槽渔滩等中型电站。

闻名中外的古代水利工程都江堰坐落于成都附近的都江堰市城西，是全世界至今为止年代最久、惟一留存、以无坝引水为特征的宏大水利工程。工程建于 2 200 多年前的战国时期。时任秦国蜀郡太守的李冰父子经过调查研究，总结自然规律和前人治水经验，选择地理位置优越的成都平原顶点、岷江上游干流出山口处作为工程地点，对工程进行合理布置，带领西蜀各族人民，经过多年艰苦奋斗，终于建成都江堰。工程至今仍然发挥着巨大的效益。都江堰工程主要由鱼嘴分水堤、飞沙堰溢洪道、宝瓶口进水口三大部分构成，科学地解决了江水自动分流、自动排沙及控制进水流量等问题，三项工程相互制约、相辅相成，联合发挥引水、分洪、排石输沙的重要作用。都江堰工程的建成，使成都平原自此成为“水旱从人”的“天府之国”。宋元后，都江堰被誉为“独奇千古”的“镇川之宝”。

岷江流域的旅游资源极其丰富：九寨沟的自然风光犹如童话世界，生态环境天然原始，空气清新，雪山纯净，森林幽幽，湖水奇幻，让人流连忘返，高峰、彩林、翠海、叠瀑和藏族风情“五绝”更是令人啧啧称奇。乐山大佛景区位于岷江、青衣江、大渡河三江汇流处，与乐山城隔江相望，由凌云山、麻浩岩墓、乌尤山、巨形卧佛等组成，集聚了自然及人文景观的精华，属峨眉山国家级风景区范围。凌云山紧傍岷江，上有建于唐代的凌云寺，依山开凿大佛一座，通高 71 m，为当今世界第一大佛。大佛为唐代开元名僧海通和尚创建，历时 90 年完成。大佛为一尊弥勒坐像，雍容大度，气魄雄伟，人们将之形容为“山是一尊佛，佛是一座山”。

11. 大渡河

——两岸绝壁千仞，一部地质天书

大渡河是岷江最大支流，位于四川省西部，古称沫水、铜河，发源于青海省境内的果洛山东南麓，纵贯四川西部。大渡河河长 1 062 km，流域面积 7.74 万 km^2（不包括青衣江流域）。

大渡河有东西两源。东源是阿柯河和麻尔柯河，于阿坝南部汇合后称足木足河；西源有多柯河和色曲河，于垠塘南部汇合后称绰斯甲河。足木足河与绰斯甲河汇合后称大金川，是大渡河主流，南流至丹巴，同来自东北的小金川汇合后称大渡河，在石棉县折向东流，到乐山市草鞋渡纳青衣江后入岷江。流域内沟谷纵横，支流众多，干支流之间组合呈羽状水系。

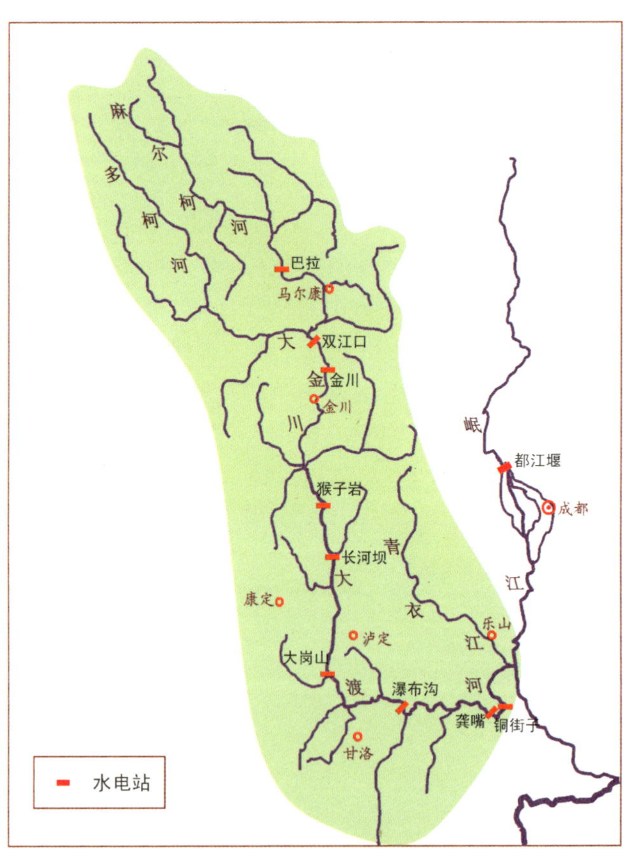

大渡河水系示意图

大渡河多年平均流量 1 570 m^3/s，从河源至河口天然落差 4 175 m，水能资源理论蕴藏量 3 132万 kW，可开发

水电装机容量 2 340 万 kW，被列为中国水电能源十二大基地之一。

现已建成投入运行的水电站主要有龚嘴水电站，装机 70 万 kW，最终扩大到 210 万 kW；铜街子电站，装机 60 万 kW。规划拟建及在建的水电站有独松水电站、大岗山水电站、龙头石水电站、瀑布沟水电站等。其中独松水电站装机容量 136 万 kW；大岗山水电站装机容量 150 万 kW；龙头石水电站装机 50 万 kW；瀑布沟水电站装机容量 330 万 kW。瀑布沟水电站不仅可以改善四川电力系统的运行条件，还可以减轻下游梯级电站的泥沙淤积等问题，增加梯级发电效益。

四川大渡河峡谷国家地质公园以大渡河大峡谷和大瓦山玄武岩地质地貌为特色，总面积约 404 km^2。大渡河峡谷长约 26 km，谷宽 70～150 m，落差 1 000～1 500 m，最大谷深 2 600 m，为长江三峡的 2 倍，比美国科罗拉多大峡谷还深 860 m。据此可以想象大渡河大峡谷两岸绝壁千仞、触目惊心的景象。

大渡河的天险，曾经引发了多少悲壮的历史故事。太平天国将领石达开率领的太平军曾在大渡河石棉县的安顺场渡口全军覆没。到了现代，红军长征途中强渡大渡河、飞夺泸定桥的壮举，不仅粉碎了蒋介石企图让红军成为石达开第二的梦想，也在中国革命战争史上写下了可歌可泣的一页。“金沙水拍云崖暖，大渡桥横铁索寒。”毛泽东的《长征》诗，热情讴歌了红军大无畏的革命英雄主义精神，抒发了红军在四渡赤水之后，巧渡金沙江、强渡大渡河这两次飞越天险，智取与力夺成功后胜利的喜悦和豪迈之情。

12. 嘉陵江

——九曲回肠

嘉陵江古称阆水、渝水，因流经陕西省凤县东北嘉陵谷而得名。嘉陵江源于陕西境内秦岭南麓，流经陕西、甘肃、四川、重庆 4 省市，于重庆汇入长江。干流全长 1 120 km，流域面积约 16 万 km^2，流域面积在长江各大支流中居首位。

嘉陵江有两源。上源为白龙江和西汉水。前者发源于四川省若尔盖县的郎木寺；后者发源于秦岭西南，因在汉江之西，故称西汉水。直至陕西省略阳县两河口以下始称嘉陵江，与白龙江相汇于四川省广元县昭化。

嘉陵江流域东北以秦岭、大巴山与汉水分界，东南以华蓥山与长江相隔，西北有龙门山与岷江接壤，西及西南有一低矮的分水岭与沱江毗连。

昭化以上为嘉陵江的上游，行经高山地区，多暴雨，有"一雨成灾"之说；昭化至合川为中游，有航运之利；合川以下为下游段。从广元张王庙到合川龙洞沱，最大特征为曲流发育。直线距离仅 200 多 km，而河道蜿蜒长达 600 km，且多环形、菌形曲流。尤以南充、武胜间的河段为典型，有"九曲回肠"之称。

嘉陵江支流众多，属树枝状水系，最大支流有涪江和渠江，涪江又称遂河。涪江和渠江在合川汇入嘉陵江。

嘉陵江水能资源理论蕴藏量 1 522 万 kW，可开发水电装机容量 551 万 kW。流域内已建成碧口、宝珠寺等大型水利水电工程，其中，碧口水电站总库容为 5.21 亿 m^3，装机容量 30 万 kW；宝珠寺水电站总库容 25.5 亿 m^3，装机容量 70 万 kW。在建的航电枢纽有利泽(装机 65 万 kW)、草街(装机 50 万 kW)等。即将建设的还有装机容量 90 万 kW 的亭子口水电站等。

嘉陵江陕甘段、重庆段两岸主要是崇山峻岭，有代表性的文化民俗主要有广元的"女儿节"、广安的巴文化等。女儿节流行于广元一带。相传，唐朝女皇武则天的母亲在广元游河湾时感孕而生下武则天。故旧时民间以武则天生日这天相互邀约沿河湾畅游，以讨吉祥。1988 年，广元市政府决定恢复

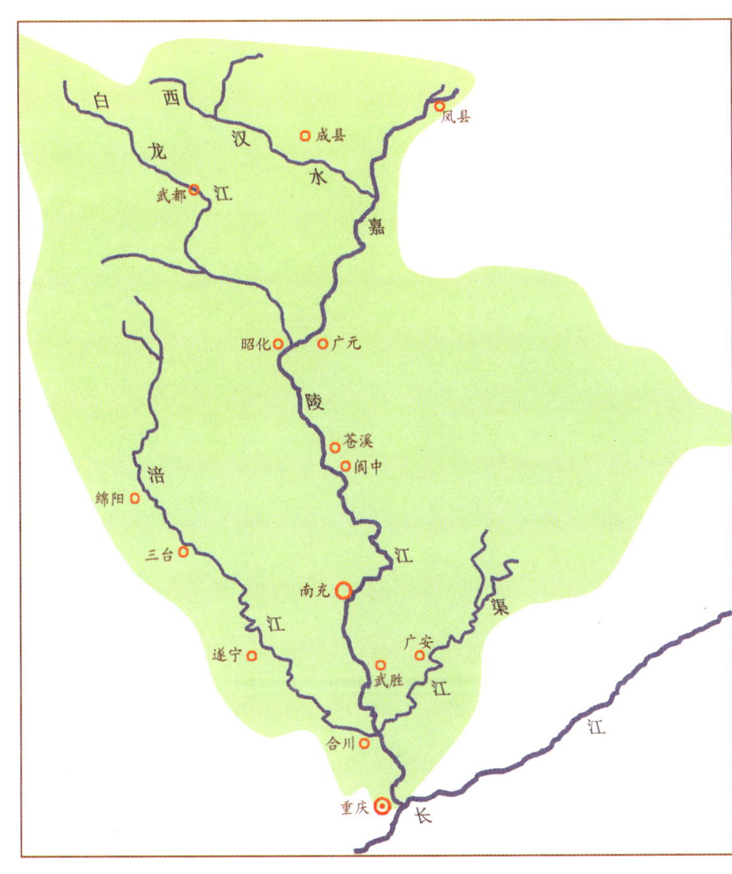

嘉陵江水系示意图

这一民间节日，并定名为“女儿节”，将节期定在公历 9 月 1 日。

流经南充的一段嘉陵江较为平缓，这里人口稠密，文化兴盛。南充的万卷楼，是《三国志》作者、西晋著名史学家陈寿青少年时代读书治学的地方。始建于三国蜀汉建兴年间（公元 223—237 年）。它倚岩而建，为三重檐式木石结构楼阁，飞檐斗拱，气势雄伟。至唐代又在楼前建甘露寺，形成建筑群。因年久失修，于 20 世纪 60 年代毁坏。1990 年由政府拨款复建。在著名的历史文化名城阆中，无论是张飞庙、滕王阁、锦屏山，还是保存完好的古街区、号称“活化石”的巴渝舞，在嘉陵江流域内乃至全国都声名显赫，曾吸引无数文人墨客竞相来此吟诗作赋。杜甫、陆游、卢伦、元稹、李商隐、贾岛、苏轼、苏辙、司马光、欧阳修等都曾写下关于嘉陵江和阆中的诗篇。其中，诗圣杜甫一人就写下数十首诗歌，如“嘉陵江色何所似，石黛碧玉相因依。正怜日破浪花出，更复春从沙际归。巴童荡桨欹侧过，水鸡衔鱼来去飞。阆中胜事可肠断，阆州城南天下稀”，这首古今广为吟诵的《阆水歌》就是诗圣的杰作。

13. 湘江

——漫江碧透，百舸争流

湘江，又称湘水，是长江中游的重要支流，属洞庭湖水系，是湖南省最大的河流。干流全长 856 km，流域面积 9.46 万 km^2。

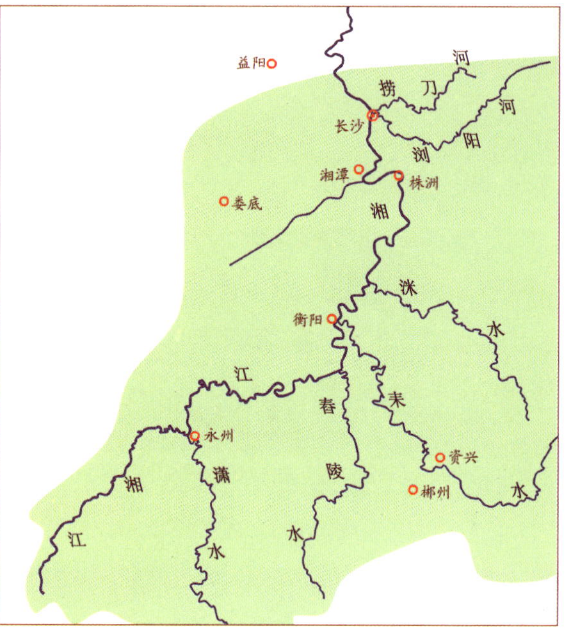

湘江水系示意图

湘江主源为海洋河，源出广西临桂县海洋坪的龙门界，于全州附近汇灌江和罗江，北流入湖南省，经 17 县市，在湘阴濠河口分为东西两支，至芦林潭又汇合注入洞庭湖。沿途接纳大小支流 1 300 多条，主要支流有潇水、舂陵水、耒水、洣水、蒸水、涟水等。

湘江为洞庭湖水系中流域面积最大的河流，多年平均径流量 2 370 m^3/s，总落差 756 m。零陵老埠头以上为上游，长约 240 km，流经山区，谷窄、流短、水急。老埠头至衡阳为中游，长约 284 km，沿岸丘陵起伏，红土层盆地错落其间，河宽 250～1 000 m，常年可通航 15～200 t 驳轮。衡阳至濠河口为下游，长约 320 km，河宽 500～1 000 m，常年可通航 15～300 t 驳轮，沿河泥沙淤积，多边滩、心滩、沙洲。长沙以下为河口段，常年可通航 50～500 t 驳轮，多汊道及河成湖泊。

新中国成立后，湘江流域境内山丘地区共兴建水库近 6 000 座，山塘河坝 136 万处，水轮泵站 2 500 多处，机械提灌保有量 160 万马力，形成了以韶

山、双牌、欧阳海、涔天河等大中型水库为骨干，库、塘、机、渠相结合的长藤结瓜式的灌溉网，蓄引提水量达 148 亿 m^3，有效灌溉面积近 133.33 万 hm^2，其中旱涝保收面积 108.67 万 hm^2。

湘江流域水能资源理论蕴藏量 522 万 kW，可开发水电装机容量 322 万 kW，在洞庭四水中仅次于沅江。已建成东江、双牌、涔天河、欧阳海等一批大中型水电站，其中，耒水上的东江水电梯级总装机容量达 60.9 万 kW。小水电更是星罗棋布。湘江是联系两岸城乡的重要纽带。干流终年可通木帆船，自常宁松柏上溯到永州平岛，轮船可季节性通航；松柏以下，洪水期千吨轮船可畅行无阻。

提起湘江，人们总会想起中国革命战争史上发生的湘江战役。1934 年 10 月，中央红军 8 万多人撤离中央苏区，连续突破敌军三道封锁线后，于 11 月下旬进抵湘桂边境。蒋介石调集 30 万大军在湘江以东地区布下了号称“铁三角”的第四道封锁线，试图将中央红军全歼在此。面对生死存亡的危境，红军将士浴血奋战七昼夜，以折损过半的惨重代价，分别由兴安县的界首、全州县的大坪、凤凰咀等主要渡江点突破湘江，之后，中央红军一、二纵队在其他军团的继续掩护下，进入兴安县华江乡、金石乡，艰难翻越红军长征以来的第一高峰——老山界，并继续挺进云贵川。可以说，没有湘江战役的成功，就不会有红军二万五千里长征中四渡赤水、巧渡金沙江、飞夺泸定桥以及爬雪山、过草地等可歌可泣的壮举，乃至共和国的建立。

湘江流域自然风光优美。上游两岸层峦叠嶂，苍山如画；进入洞庭湖滨湖平原的湘江尾闾，则是港汊纵横，平畴万顷，一派江南水乡之景象。“独立寒秋，湘江北去，橘子洲头。看万山红遍，层林尽染；漫江碧透，百舸争流。”毛泽东在《沁园春·长沙》中，为人们描绘了一幅充满强烈动感、强劲力度、浓烈色彩的立体的湘江秋色图。

历史上湘江流域发生的文人轶事也很多，例如，唐代杜审言在唐中宗时曾被贬到偏远的峰州，在这次流放途中渡湘江南下时，不禁怀念京城，悲思愁绪，写了一首即景抒情之作《渡湘江》：“迟日园林悲昔游，今春花鸟作边愁。独怜京国人南窜，不似湘江水北流。”

14. 汉江

——楚文化的发祥地

汉江又称汉水，古时曾叫沔水，就长度而言为长江第一大支流，与长江、黄河、淮河一道并称“江河淮汉”。汉江全长 1 577 km，其发源地在秦岭与米仓山之间的陕西省汉中市宁强县(旧称宁羌)冢山，而后向东南穿越秦巴山地的陕南汉中、安康等市，进入鄂西后北过十堰流入丹江水库，出水库后继续向东南方向流去，过襄樊、荆门等市，在武汉市汇入长江。汉江流域面积 15.1 万 km^2，流域涉及鄂、陕、豫、川、渝、甘 6 省市的 20 个地(市)区、78 个县(市)。

汉江流域北部以秦岭、外方山及伏牛山与黄河分界；东北以伏牛山及桐柏山与淮河流域分界；西南以大巴山及荆山与嘉陵江、沮漳河分界；东南为江汉平原，无明显的天然分水界限。流域地势西北高，东南低。

汉江干流丹江口以上称上游，长约 925 km；中游长约 270 km；下游长约 382 km。

汉江流域属亚热带季风区，气候温和湿润，年降水量 873 mm。流域多

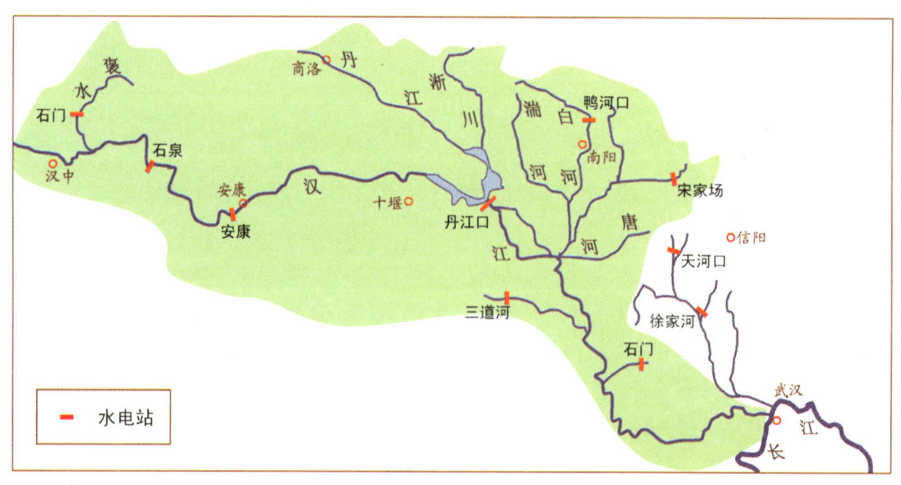

汉江水系示意图

年平均年径流量 539 亿 m^3，年内分配不均，5～10 月份径流量占全年 75%左右，年际变化较大，是长江各大支流中变化量较大的河流。

流域水能资源理论蕴藏量约 1 000 万 kW，可开发水电装机容量约 600 万 kW，多年平均年发电量约 244 亿 kW·h。其中，洋县至丹江口段不仅落差大，水量也丰富，是汉江水力资源最丰富的河段。

1949 年以来，汉江干流修建了丹江口、石泉、安康等水利水电工程，支流兴建了黄龙滩、鸭口河、石门等工程，并且建有汉北大型排涝工程和下游杜家台分洪工程等水利工程，这些工程发挥了巨大的防洪、发电、灌溉、航运等效益。

发源于汉江流域的楚文化在中华民族文明发展史上占有十分重要的地位。春秋战国时的楚国，曾以汉江为起点，争霸天下，开疆拓土，全盛时先后统一了许多小国，为后来中华民族的大一统打下了黄河以南半壁江山的基础。汉江下游江陵一带有 20 代楚王在此建都，宫殿、陵墓多不胜数。楚人很早就掌握了冶炼技术，楚境出土的大量金币、银币、绣、漆器等文物，工艺十分精湛。楚国更是音乐舞蹈之邦、绘画艺术之国，出了著名琴师瓠巴、伯牙、钟子期、钟仪等。楚文化的浪漫奇丽色彩与中原文化朴实的理性之光，交融汇合成了光辉灿烂的华夏文化。

汉江上游丹阳（今湖北秭归）出生的屈原是战国末期杰出的政治家和爱国诗人，他所创作的楚辞文学作品在世界文学史上也占有一席之地。他的作品创造了一种由神话传说、巫术礼仪、原始歌舞三位一体而组成的缤纷文学世界。后人为纪念屈原而逐渐形成的习俗——端午节吃粽子，至今不仅在中国传承，甚至远传至韩国。

为汉江的自然美景吟诗作赋的历代文化名人不胜枚举，其中，王维的《汉江临眺》，描绘了汉江波澜壮阔、山色朦胧、境界开阔、气象雄伟的景象："楚塞三湘接，荆门九派通。江流天地外，山色有无中。郡邑浮前浦，波澜动远空。襄阳好风日，留醉与山翁。"

15. 湟水

——西宁胜景“湟流春涨”

湟水是黄河上游的一条支流，干流全长 374 km，流域面积约 3.29 万 km^2。

湟水发源于大坂山南麓青海省海晏县以北的噶尔藏岭，河源高程 4 200 m。向东流经湟源、西宁、乐都、民和等县市，于甘肃省永靖县付子村汇入黄河。入黄高程 1 565 m。湟水干流，在西宁以上称西川，在西宁附近汇入北川和南川。干流谷地开阔且川峡相间，两岸汇入的较大支流有 40 余条。除大通河外，多与干流垂直，呈羽毛状形态。

大通河是湟水的最大支流，流域面积约 1.51 万 km^2，占湟水流域总面积的 46%，河道长 561 km，比湟水干流还长 187 km。若从汇入黄河点计算，则比干流长 256 km。若按河源惟长的原则，支流将升格为干流。这是湟水水系的一个特点。大通河发源于祁连山托勒南山南麓、青海省刚察县的木里山，河源高程 4 520 m。流经门源，至民和县享堂汇入湟水，入湟口高程 1 727 m。

湟水流域气候为典型的大陆性气候。由于流域地势西高东低，并有盆地、高山影响，所以气候垂直变化明显，且地域差异大。愈向上游气温愈低，降水量增大，蒸发量减小，多潮湿沼泽地。流域年平均气温 0.6℃～7.9℃，最高气温 34.7℃，最低气温－32.6℃。年降水量 300～500 mm，局部地区可达 600 mm。湟水干流谷地，6～9 月份降水占全年降水量的 70%左右，且多暴雨。无霜期西北部山区为 31 天，东南部丘陵区为 130～180 天。西宁地区有歌谣云：“古城气候总无常，一日须携四季装。山下百花山上雪，日愁暴雨夜愁霜。”概括了当地的气候特点。

据民和、享堂两水文站 1940—1984 年实测资料分析，湟水流域的多年平均年径流量为 46.3 亿 m^3，平均每平方千米产水 15.2 万 m^3。其中大通河年径流量为 28.7 亿 m^3，每平方千米产水 19 万 m^3；而湟水干流每平方千米产水只有 11.4 万 m^3。流域年输沙量 2 241 万 t，年平均侵蚀模数 736 t/m^2，其

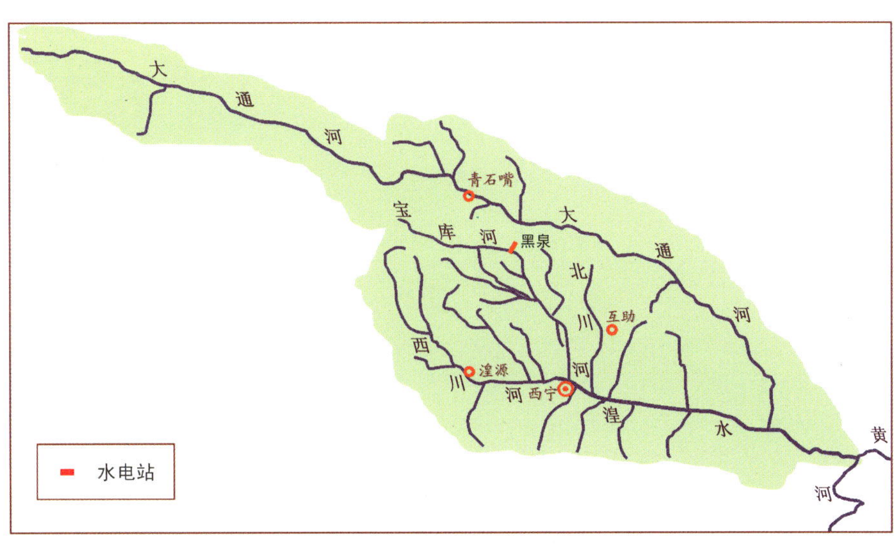

湟水水系示意图

中大通河年输沙量只有 323 万 t。湟水干流年输沙量 1 918 万 t，年平均侵蚀模数 1 250 t/m^2。不少耕垦指数较高的丘陵地区水土流失相当严重。

湟水流域的水资源利用有悠久的历史。汉宣帝时，曾遣使赵充国屯田湟中，引水灌溉农田 0.4 万 hm^2。民国年间曾在西宁附近的一条支流上修建西宁水电站，装机容量 220 kW，是当时黄河流域仅有的三个水电站之一。

湟水干流平均每亩耕地只有地表水 341 m^3，再加上城镇生活及工业用水，已严重不足。而大通河流域平均每亩耕地有地表水 4 748 m^3，却远没有开发利用。为了合理利用水资源，青、甘两省都提出调引大通河水的要求。

每当春夏之际，湟水上游冰雪消融，水源充足，汇入湟水后，则河水暴涨，波涛汹涌，浩荡东去。加之两岸春暖花开，杨柳吐青，麦田碧绿，景色怡人，所以有"湟流春涨"之美称，为西宁古八景之一。清代西宁诗人张思宪有诗赞道："湟流一带绕长川，河上垂杨拂翠烟。把钓人来春涨满，溶溶分润几多田？"

16. 渭河

——黄河最大支流

渭河是黄河的最大支流，位于黄土高原的东南地区。全长 818 km。渭河流域跨甘肃、宁夏、陕西 3 省（自治区）13 个地区 86 个县市，总面积 134 766 km^2，其中甘肃占 44%，宁夏占 6%，陕西占 50%。

渭河发源于甘肃省渭源县的鸟鼠山，于陕西潼关注入黄河。河源至宝鸡峡出口为上游，长 430 km，河道狭窄，川峡相间，水流急湍，平均比降 1/260。宝鸡峡至咸阳铁桥为中游，长 177 km，河床宽浅，沙洲较多，为游荡性河床，比降由 1/500 逐渐变缓为 1/1 500。咸阳至潼关河口为下游，长 211 km，华县船北以下，河道蜿蜒曲折，单股无汊，由于泥沙淤积和受黄河三门峡水库回水影响，河道纵坡由 1/5 000 渐变为 1/6 000。

渭河流域地貌复杂。由于地质构造上的原因，渭河属不对称水系。北岸支流源远流长，泥沙含量大，以悬移质为主，是渭河的主要来沙支流。南岸支流较短，主要流经土石山区，比降较大，水流急湍，泥沙以推移质为主。

渭河支流泾河、北洛河虽然是黄河的二级支流，但因其流域面积大（泾河 45 421km^2、北洛河 26 905 km^2），其径流和泥沙都是黄河支流中较多的河流。加之泾河、北洛河汇入渭河点分别在距离渭河入黄口仅仅 174 km 和 16 km处，历史上北洛河还曾直接汇入过黄河，因此，常与渭河本流并称为泾、洛、渭河，视为黄河的一级支流。

渭河流域属于干旱半干旱地区，年平均气温 6℃～14℃，年平均降水量 450～700 mm。多年平均径流量约 102 亿 m^3。年内变化与降水相似，6～10 月份为汛期，多暴雨，降水强度大，其中 7 月、8 月、9 月大汛期间的径流占全年的 60%～70%。年平均流量 323 m^3/s，而实测最大洪峰流量 7 660 m^3/s（1954 年），调查最大洪峰流量 10 800 m^3/s（1898 年）。

渭河流域的水资源开发利用历史悠久。20 世纪 30 年代，著名水利专家李仪祉主持兴建的泾惠渠，1949 年后经过整治扩建，引水能力由 16 m^3/s 提高到 50 m^3/s，灌溉面积由 3.33 万 hm^2 发展到 9 万 hm^2，成为亩产千斤的先进灌

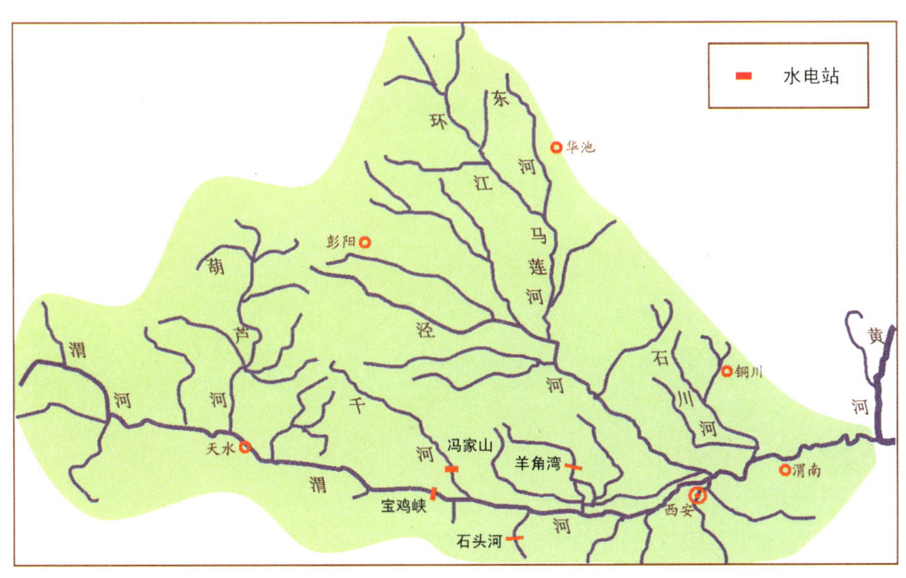

渭河水系示意图

区；1971 年建成宝鸡峡塬上干渠，引渭灌区灌溉面积达 20 万 hm^2；1950 年建成洛惠渠，1976 年扩建了洛西工程，灌地已达 5.13 万 hm^2；1970 年建成的东方红抽渭灌溉工程，装机容量 2.5 万 kW，八级提灌累计最高净扬程 86 m，灌地 8.67 万 hm^2；1981 年建成的千河冯家山水库，总库容 3.89 亿 m^3，灌地 9.07 万 hm^2，其引水干渠于 1973 年建成了万米隧洞(实长 12 614 m，过水能力 36 m^3/s)；1984 年建成的石头河水库，总库容 1.47 亿 m^3，设计灌溉面积 8.53 万 hm^2，装机容量 1.65 万 kW。

地处渭河入陕之源头的宝鸡市，是华夏始祖炎帝的故乡，周、秦王朝的发祥地，古称陈仓，唐改称宝鸡。附近有南靠秦岭、北俯渭河的五丈塬，为一琵琶状黄土台塬，三面凌空，地势险要，是古代扼关中通往巴蜀通道之要冲，乃兵家必争之地。三国相争时，汉丞相诸葛亮率大军由斜谷出师伐魏屯兵于此，与渭河北岸的司马懿对阵，病卒军中。唐代杜甫为此留下《蜀相》名句："出师未捷身先死，长使英雄泪满襟。"宋代爱国诗人陆游曾在此附近身披铁甲，提刀跃马，横渡渭河，去奇袭敌人，他参加过抗金战争，一生渴望能在中原北伐，但至死未能实现，留下"中原北望气如山，……铁马秋风大散关"的诗句。

17. 泾河

——泾渭分明

泾河是黄河的二级支流，也是渭河的最大支流。干流全长 455 km，发源于六盘山东麓宁夏回族自治区泾源县马尾巴梁，向东流经甘肃省平凉市及泾川县，至马莲河入口处转向南流，经陕西省彬县及泾阳县，于高陵县蒋王村汇入渭河。

泾河流域面积 4.54 万 km^2，跨宁夏东南部、甘肃陇东、陕西关中西北部等 35 个县市。流域山区占 4.31%，高塬沟壑区占 41.72%，黄土丘陵沟壑区占 48.81%，冲积平原区占 5.16%。

干流深切黄土高原和丘陵 100～150 m，自甘肃平凉至陕西彬县早饭头，河谷宽 1～3 km，跌水少，多沙滩；从早饭头到泾阳县张家山为 100 km 的急流峡谷段，穿越砂岩和石灰岩的土石山塬区，谷深山陡，水流湍急，多有险滩、跌水、瀑布；从张家山至陈家滩，为八百里秦川冲积平原区，地势平坦，水流平稳，比降仅 1.0‰，土壤肥沃，宜于灌溉。其中由平凉八里桥至

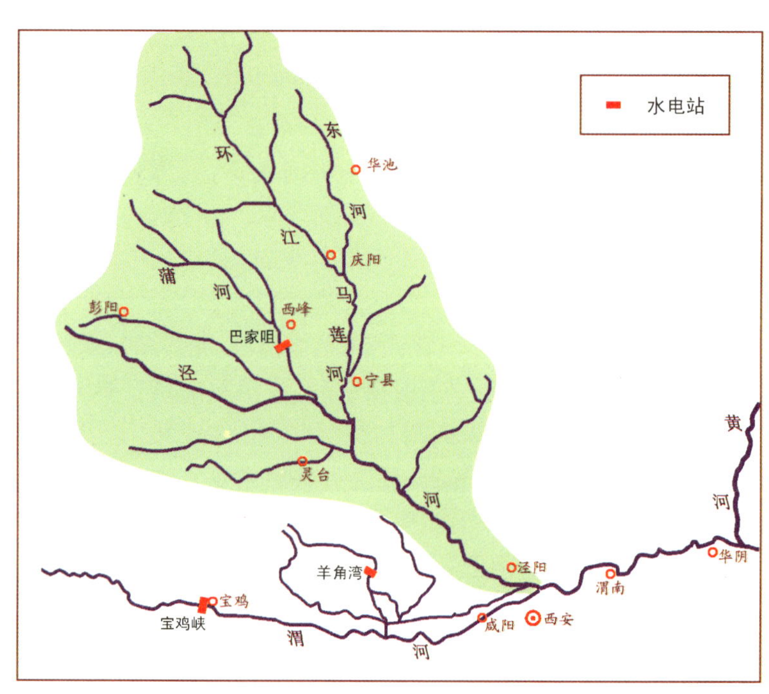

泾河水系示意图

彬县亭口，长 178 km，河谷开阔平坦，是泾河上中游最大的川地，有 1.33 余万 hm^2 川地已全部开发为水地，是当地农业生产高产区。

泾河主要支流有马莲河、蒲河、黑河、马栏河、泔河等。宁夏、甘肃两省区是支流集中区。

泾河流域属大陆性气候，雨量和气温由东南向西北逐渐递减，年平均降水量 550 mm，年平均气温 10℃左右。泾河多年平均径流量约为 21.4 亿 m^3，年内分配极不均匀。据张家山站观测，一般是夏丰（占 42.7%）、秋平（占 31.6%）、冬少（占 10.1%），洪水和枯水相差悬殊。该站 1933 年 8 月 5 日最大洪峰流量为 9 200 m^3/s，1977 年 4 月 15 日最小流量只有 1.940 m^3/s，洪枯水比值达 4 742。

泾河以洪水猛烈、输沙量大著称，是渭河和黄河洪水、泥沙主要来源地之一。泾河流域水土流失极为严重，年平均输沙总量达 3.09 亿 t，最大含沙量 1 430 kg/m^3，年均含沙量 141 kg/m^3，为黄河陕县站的 3 倍多。

“泾渭分明”、“泾清渭浊”源于古时清澈的泾河与混浊的渭河相汇，仍能见到它清澈的一半。泾河发源地六盘山茂林修竹，郁郁葱葱，百花争妍，鸟雀嘤嘤。沙南峡以险峻的峡谷、奇特的峰石、湍急的泾水为三大特色景观。

吴承恩《西游记》第九回“袁守诚妙算无私曲　老龙王拙计犯天条”，说的就是泾河老龙潭发生的故事。传说唐贞观年间，连年大旱，颗粒无收。宰相魏征扮作老农微服私访到了老龙潭，信手卜卦，得知玉皇大帝降旨八河总督泾河老龙次日子夜布雨，便在干裂的地里种瓜点豆。变作凡人的泾河老龙见状很是惊奇，魏征实言相告，龙王并不知降旨布雨之事，便与魏征打赌以争输赢。可回宫后果然接到玉皇大帝的圣旨，为了不输给魏征，擅自将一天一夜的和风细雨改为三天三夜的狂风暴雨，直下到洪水泛滥成灾。一天，魏征与唐太宗李世民对弈时突然熟睡，原来此时玉皇大帝召见魏征，命其监斩触犯天条的泾河龙王，梦中魏征将泾河老龙斩首。一百多年后的唐贞元年间，老龙潭又演绎出柳毅传书的千古佳话。

18. 汾河

——黄河第二大支流

汾河是黄河的第二大支流，纵贯山西省境内，是山西省最大的河流。全长 694 km。发源于宁武县东寨镇管涔山脉楼山下的水母洞，流经 34 个县市，在河津市汇入黄河。流域面积 39 741 km^2，约占山西省总面积的 1/4。

汾河入黄河口（湖潮村）高程 366 m。两段峡谷将干流分为三段：古交峡谷出口的兰村以上为上游，河道长 217 km，流经山区和黄土丘陵沟壑区，水土流失严重；兰村至灵（石）霍（州）峡谷入口处的义棠为中游，河道长 161 km，此段河道穿过太原（晋中）盆地，川地平坦开阔；义棠以下为下游，河道长 316 km，流经长约 85 km 的灵霍峡谷后即为临汾（晋南）盆地，地面开阔平坦。

汾河两岸支流众多，分布基本对称，流域面积 100 km^2 以上的支流有 48 条，其中大于 1 000 km^2 的有 8 条：右岸是岚河、磁窑河、文峪河、双池河 4 条河；左岸是潇河、昌源河、洪安涧河及浍河 4 条河。

据河津水文站（控制面积约 38.73 万 km^2，占全流域面积的 98.1%）实测资料统计，汾河多年平均年径流量 15.14 亿 m^3，年平均输沙量 4 287 万 t（1934—1980 年系列）。径流、泥沙多集中在 7～10 月的汛期，径流量为全年的 63.1%，输沙量为全年的 92.2%。年际变化也很大，最大年径流量为 33.56亿 m^3（1964 年），而最小的 1980 年为 4.33 亿 m^3；年输沙量最大的是 17 600 万 t（1954 年），最小的只有 151 万 t（1980 年）。汾河的灌溉用水较多，实测资料反映的是灌溉引水以后的情况，还原后的天然径流量为 26.54 亿 m^3。

汾河两岸有许多泉水出露，较大的泉水有太原的兰村泉、晋祠泉，介休的洪山泉，霍州的郭庄泉，洪洞的霍泉，临汾的龙子祠泉，新绛的古堆泉以及翼城的利民池等。全流域较大泉水总计流量约 24 m^3/s，年出流量约 8.6 亿 m^3。

汾河中游太原盆地适于发展灌溉，但水土资源不平衡，水量供需矛盾较

大。河道平缓，支流较多，排泄不畅，易涝易碱，河道淤塞摆动，常遭受洪水灾害，为汾河防洪的主要河段。

流域内现建有汾河水库、文峪河水库两座大型水库和13座中型水库，共控制流域面积12 387 km²，占全流域面积的31.4%，总库容13.09亿m³。其中，汾河水库下距太原市95 km，控制流域面积5 268 km²，是一座灌溉、防洪、供水并兼顾发电的大型水利枢纽。

汾河水系示意图

汾河流域是华夏文明起源的中心区域之一。古史记载“尧都平阳，舜都蒲坂，禹都安邑”，说的是中华民族最早的英雄们在汾河下游创业建都的历史。史书中最早出现的“中国”一词，指的就是上古虞舜时代的山西南部。不断发现的夏城遗址也映证了山西南部曾是夏朝国家政治文化中心的历史。汾河纵贯南北的太原，古称并州，是李唐王朝的“龙兴之地”，唐时以太原为“北京”，是仅次于京师长安的大都会。女皇武则天，“汾阳王”郭子仪，名相能臣狄仁杰、裴度，“门神”尉迟恭，战将薛仁贵，“文中子”王通，一代文宗柳宗元，初唐四杰之一的王勃，斗酒学士王绩，田园诗派领袖王维，七绝圣手王昌龄，边塞诗人王翰，晋阳诗才王之涣，江州司马白居易，大历才子卢纶，花间派鼻祖温庭筠等，一个个黄河之东、太行之西的儿女，光耀九州，彪炳青史。

19. 红水河

——一条红绿交替的河

红水河为西江上游南盘江、北盘江汇合处至柳江注入处的河段别称。因流经红黄壤地区，河水呈红褐色，由此而得名。红水河干流长 659 km，流域总面积 52 600 km^2。

红水河发源于云南省曲靖地区的马雄山，东流至广西西林县与清水河汇合，称南盘江，成为贵州、广西的界河。流经广西的西林、隆林、田林和贵州的兴义、安龙、册亨等县，在贵州省望漠县蔗香村与北盘江汇合后称红水河。再向东南流经广西的乐业、天峨、南丹、东兰、巴马、都安、马山、忻城、来宾等县，于象州县石龙镇三江口与柳江汇合后改称黔江。跨百色、河池、南宁、柳州、贵港 5 个市。

红水河的主要支流有濛江、曹渡河、布柳河、南丹河、盘阳河、灵岐河、平治河、刁江、清水河、北盘江等，最大支流为北盘江。红水河流域内石灰岩广

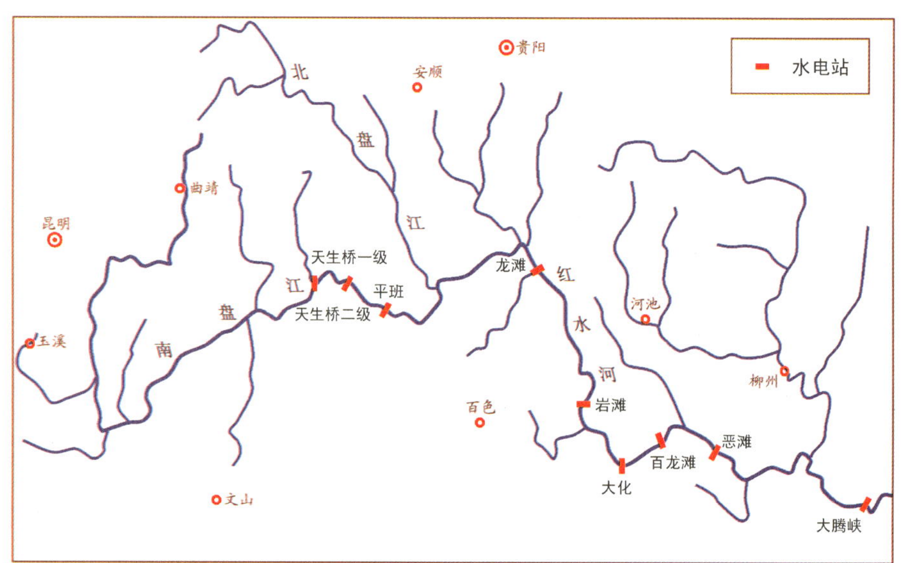

红水河水系示意图

布，岩溶地貌发育，闭合洼地、漏斗及地下河、泉眼很多。最大的都安地苏地下河，暗流总长 57 km，洪水期流量达 500 m^3/s。

红水河流域属亚热带季风气候，夏长冬短，热量丰富，无霜期长，年日照时数大致在 1 400 h～1 800 h 之间，年平均气温在 17℃～22℃之间；雨量充沛，年降雨量为 1 550.5 mm。红水河水量较丰富，多年平均年径流量达 744 亿 m^3，实测最大的 1968 年为 1 102 亿 m^3，最小的 1963 年也有 412 亿 m^3，丰枯年径流比值约 2.7 倍。

红水河水流急，落差大，自天生桥至武宣，总落差达 600 多 m，水能资源丰富，理论蕴藏量约 690 万 kW，占广西全区的 70%，为国家水电开发的重点河流之一。

为控制洪水并开发利用水资源，流域内已建天生桥二级、岩滩、大化、天生桥一级等水电站。其中天生桥二级水电站，是红水河梯级开发中建设的一座大型引水式水电站，电站水库库容 2 600 万 m^3，初期装机 4 台，总装机容量 88 万 kW。岩滩水电站总装机容量 121 万 kW，远期拟再装机 1 台，是珠江流域第一座超百万千瓦的大型水电站。大化水电站位于红水河中段，是红水河水电基地最先兴建的一座大型水电站，装机容量 40 万 kW。

红水河百龙滩风景区位于马山县，两岸奇山绵亘，风景优美，好似百龙戏水，形成了延绵 40 多 km 的旅游水域风光，被誉为“八十里画廊”。主要景点有红渡大桥、百龙滩水电站等。

红水河流域又是连接云贵高原和华南低地的一条重要的民族走廊，这里居住着壮、汉、瑶、苗等民族。从考古学、民族学和历史文献记载看，壮族是这里的土著民族，汉族是秦汉以后陆续进入这一地区的，苗、瑶民族则是在唐宋以后才进入这一地区的。从距今 5 万～6 万年前的来宾麒麟山人文化遗存到距今 4 000 多年前的忻城三堆大石铲文化遗存，一直都有承袭关系，没有中断。出土的生产工具证明了这里史前稻作文化的存在。现在红水河流域的地名中含“那”字的最多，“那”(纳)在壮语中是稻田的通用名称，这些地名说明壮族是这里最早的居民，他们是从红水河流域以稻作农业为主的史前古人类承袭而来的。

20. 漓江

——江作青罗带，山如碧玉簪

漓江属珠江流域，是西江水系桂江的上游。漓江全长 214 km，流域面积约 2 860 km^2。

漓江发源于广西兴安县猫儿山、海洋山和青狮潭水库区。流经兴安、灵川、临桂、桂林市区和阳朔县，在平乐县恭城河口汇入桂江。

漓江是桂林市区生活、旅游、航运和工农业生产的主要水源，也是沿岸城镇生活与工业污水主要的接纳水体。由于漓江属雨源型河流，流量随降雨量的变化而波动很大。流域地下水补给来源亦主要为大气降水，其次为非岩溶区侧向补给、渠道和农田灌溉渗入补给。所以桂林漓江往往丰水期受洪涝之灾，枯水期受干旱之害。汛期洪水成灾，大量弃水，枯水期水量又严重不足。一年中最大与最小的月均流量相差近 100 倍，时序变化极不稳定。若遇贫水年份，水危机随时可能出现。

漓江上游建有大小水库近 30 座，以青狮潭水库为主。拟建斧子口、小溶江、川江等三个水库，目标是桂林市防洪及漓江补水。各水库的总库容分别为 2.36 亿 m^3、1.66 亿 m^3 和 0.965 亿 m^3，总控制集水面积占桂林市区上游集水面积的 25.8%。三座水库建成后，与已建成的青狮潭水库联合运行，可将桂林现状 20 年一遇的防洪能力提高到 100 年一遇；三座水库拦蓄的雨洪水资源，通过联合调度枯水期，可向漓江补水 4.3 亿 m^3，将漓江流量补充到 60 m^3/s，从而保证漓江生态环境用水；三座水库建成后可解决沿江 200 km 范围内两岸城镇和农村 140 多万人的生产生活用水困难问题；三座水库装机容量 3.88 万 kW，对缓解桂林缺电局面将起到一定的作用。

漓江为国家级重点风景名胜区，两岸田园似锦，山峰奇秀，碧水萦回，相映成趣。人民币 20 元纸币的背面，就是漓江山水的一段。流域南部多岩溶峰丛洼地、峰丛河谷和峰林平原。漓江沿岸的风景资源，是以自然景观为主体，由地表岩溶峰林和地下岩溶洞穴及水域、绿地所组成的，同时也穿插有一些古迹名胜。特别是桂林至阳朔 86 km 的漓江风光，不仅有“山青、水秀、

洞奇、石美”之四绝，还有“深潭、险滩、流泉、飞瀑”的佳景，集中了桂林山水的精华，令人产生“船在水中行，人在画中游”的美感。古今中外，多少骚人墨客为漓江的绮丽风光写下了脍炙人口的优美诗文。唐代大诗人韩愈曾以“江作青罗带，山如碧玉篸”的诗句来赞美这条如诗似画的漓江。

漓江流经的桂林市不仅以甲天下的自然山水名闻遐迩，同时也是一座拥有两千多年历史的文化名城。秦始皇修建灵渠水道越过五岭屏障，沟通了长江、珠江两大流域，中原文明沿漓江而下岭南，与当地质朴的百越文化互相融汇，形成了两千年与山水辉映的桂林历史文化。唐朝宰相张九龄在大庾岭开凿了梅关古道，五岭地区得到逐步的开发。自唐以来，不少贬官谪吏被发配来此，他们带来了中原民族传统文化中较活跃的积极因素。他们创作的山水诗词与山水美景相得益彰，相映生辉。今天，传统文化与现代文化交融在一起，演化出桂林独特的文化韵味，使桂林山水成为“人化的自然”。

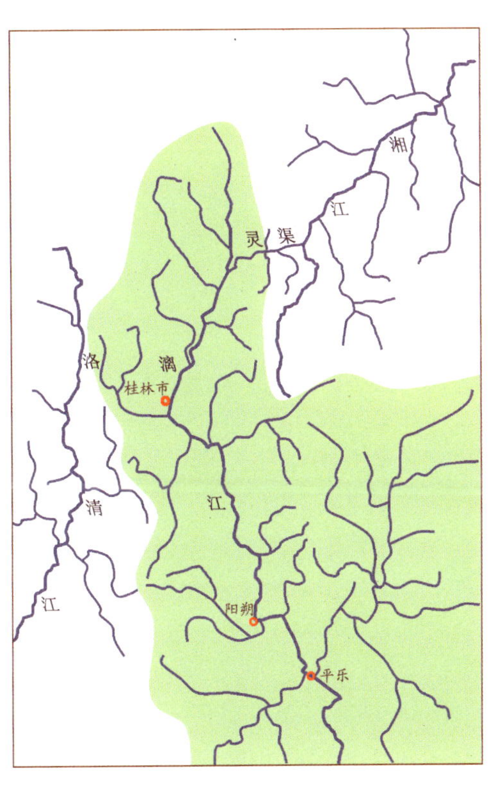

漓江水系示意图

21. 永定河

——北京的母亲河

永定河旧名无定河，是海河流域七大水系之一。发源于山西省宁武县管涔山，流经内蒙古、山西、河北、北京、天津 5 省（自治区、直辖市）的 43 个县市，在天津汇于海河至塘沽注入渤海。全长 747 km。流域面积 47 016 km^2。永定河是流经首都北京的第一大河。在北京市境内，永定河流经门头沟、石景山、丰台、房山和大兴 5 个区，河段长 170 km。

永定河上源分南北两支：北支为洋河，源自内蒙古兴和县以北的山麓；南支以桑干河为主干，源于山西省宁武县的管涔山。桑干河和洋河在河北省怀来县朱官屯汇合，以下的河段称作永定河，经官厅水库流入官厅山峡，至门头沟三家店流入平原，最后由天津入海。

永定河历史上多水害，有小黄河之称。为除害兴利，永定河流域修建的水库主要有官厅水库、珠窝水库、落坡岭水库等。官厅水库建在河北怀来永定河上，总库容 21.9 亿 m^3，设计灌溉面积 10 万 hm^2，电站装机容量约 3 万 kW。落坡岭水库位于北京门头沟区境内包树坟乡落坡岭附近，是下苇甸水电站的调节水库，总库容 365 万 m^3，库水通过 2.4 km 长的隧洞输送到下苇甸水电站（装机 3 万 kW）发电，年均发电量约 1.2 亿 kW·h。已建水闸工程包括三家店拦河闸、卢沟桥枢纽工程（包括永定河拦河闸、小清河分洪闸改建、大宁滞洪水库工程三个部分）、屈家店枢纽工程（包括新引河进洪闸、北运河节制闸、永定新河进洪闸三个组成部分）等。

由于官厅水库上游地区水资源开发利用程度不断提高和生态条件的变化，永定河流入官厅水库的水量逐年减少。在 20 世纪 50 年代，官厅水库年平均入库水量为 20.2 亿 m^3；60 年代年入库水量减少为 13.4 亿 m^3；70 年代年入库水量又减少到 8.4 亿 m^3；80 年代，年入库水量进一步减少，为 4.6 亿 m^3；1990—1997 年，平均年入库径流仅有 3.9 亿 m^3，地表径流减少趋势明显。永定河流域面临缺水、污染、水土流失等问题。

永定河被认为是北京的母亲河。从古都北京起源和形成上看，永定河

出山后形成的冲积、洪积扇，是北京城建城的地理平台基础。永定河上古渡口附近的高地蓟丘是北京城原始聚落形成的重要条件之一，蓟为北京前身和最初名称。从北京的发展过程看，永定河流域的水源、煤炭、建材、木材、漕运是北京城得以延续和发展的主要资源基础之一。

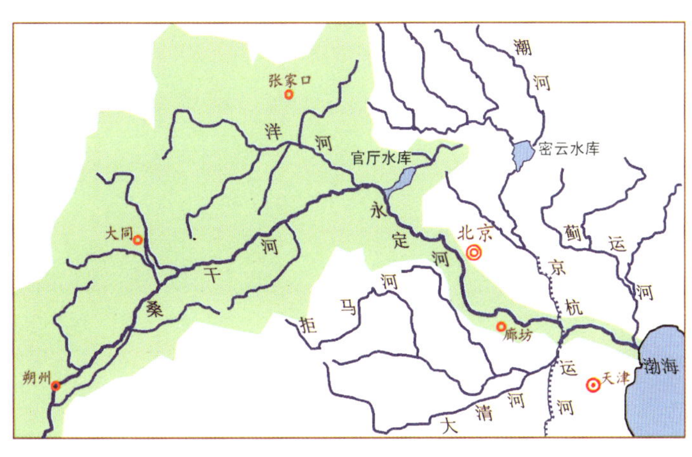

永定河水系示意图

永定河流域的古都特别多，形成古都文化。上游有黄帝之都涿鹿，北魏之都平城（大同），诸侯代王之都代王城，以及为时不久的元中都。下游则有金、元、明、清四朝帝都北京。北京作为都城的生命力最强，最初是诸侯王国之都；十六国时期曾为前燕之都；辽时为陪都南京；后为金王朝的政治中心，称中都；元代始成首都，称大都；明、清相沿，称北京或京师。清亡后仍为中华民国北洋政府之都，称北平。现为新中国首都。

永定河流域跨中原汉民族与北方游牧民族杂处交争地带，地势上跨我国的第二、第三级阶梯，自古发生过无数的战争，而且处于政治军事中心。“唧唧复唧唧，木兰当户织。不闻机杼声，唯闻女叹息。问女何所思，问女何所忆？女亦无所思，女亦无所忆。昨夜见军帖，可汗大点兵，军书十二卷，卷卷有爷名。阿爷无大儿，木兰无长兄，愿为市鞍马，从此替爷征……”这首北朝民歌《木兰诗》，充分表现了当时北方民族大融合的情景，风格刚健，语言质朴，感情真挚，也在一定程度上反映了当时战争的司空见惯及对人民生活的影响。

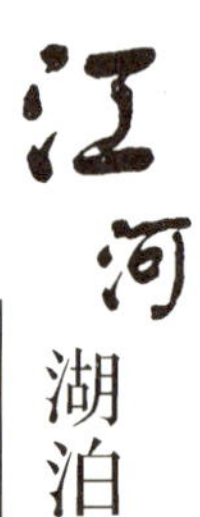

22. 黑龙江

——黑土地的血脉

黑龙江是世界著名大河之一，全长 4 440 km。流域总面积约为 185 万 km^2，其中中国境内约 89.11 万 km^2，占全流域的 48%。黑龙江是一条国际河流，流经中国、蒙古国和俄罗斯 3 国。中国古称羽水、浴水、黑水、望建河、乌桓水、石里罕水等，蒙语称哈拉穆河，满语称萨哈连河，俄语称阿穆尔河。

黑龙江有二源，南源和北源。南源为中国境内的额尔古纳河，北源为俄罗斯境内的石勒喀河。额尔古纳河由海拉尔河和克鲁伦河汇流而成。其中海拉尔河发源于中国内蒙古自治区大兴安岭西麓；克鲁伦河发源于蒙古国肯特山脉东坡。海拉尔河和克鲁伦河于满洲里市东南相汇后始称额尔古纳河。北源石勒喀河发源于蒙古肯特山脉东侧，上游称鄂嫩河。南北两源在中国黑龙江省漠河以西的洛古河附近汇合后称黑龙江。

黑龙江支流包括左岸的结雅河、布列亚河和右岸的呼玛河、逊河、松花江、乌苏里江等支流，在俄罗斯的尼古拉耶夫斯克(庙街)注入鞑靼海峡。

黑龙江干流自洛古河村至黑河附近的结雅河口为上游，自结雅河口至乌苏里江为中游，乌苏里江河口以下至黑龙江入海口为下游。

黑龙江流域水量丰沛，多年平均年径流量约 3 550 亿 m^3。黑龙江水系中国境内部分可开发的水能资源约 1 096.2 万 kW。

为开发利用该流域的水资源，我国境内现已修建大型水库 19 座，总库容 169 亿 m^3。已建水电站集中在松花江支流，有 8 座，装机容量约 339 万 kW。

黑龙江、乌苏里江交汇处建有三江自然保护区，湿地保护区总面积为 19.81 万 hm^2，境内大小河流 50 多条，湖泡(“泡”为当地人对小湖泊的称呼) 200 多个，江心岛 26 个，沼泽遍地，野生动植物资源十分丰富，属内陆湿地和水域生态系统类型自然保护区。国家重点保护野生动物有东方白鹳、丹顶鹤、中华秋沙鸭等。三江湿地保护区风景优美，雁鸭、鸳鸯成群结队地在水中嬉戏；丹顶鹤、金雕等搏击长空；马鹿、狍子在草地上奔走觅食；湿地中的大片小叶樟草在风中沙沙作响，为湿地增添了生机与活力。

黑龙江流域也是中国近现代史上许多重大历史事件的发生地。著名的雅克萨之战发生于康熙二十四年(1685年)至二十六年。沙俄派兵侵占雅克萨,黑龙江将军萨布素自黑龙江城出发抗击沙俄军并收复雅克萨,两国通过谈判签订了《中俄尼布楚条约》;1858年沙俄进攻瑷珲,签订不平等条约《瑷珲条约》,将雅克萨割占;1931年"九一八"事变后,日军进犯江桥,时任黑龙江省主席的马占山下令抵抗,打响了中国抗战的第一枪。新中国成立后,1958年,10万转业官兵和后来的百万知青响应中央号召,开发建设"北大荒";1959年开始了大庆油田会战和对大兴安岭林区的初步开发。影响几代人的"铁人"精神、大庆精神、北大荒精神和突破高寒禁区的创业精神,都是在黑龙江流域这块土地上孕育起来的。

黑龙江水系示意图

23. 松花江

——树挂奇景，闻名遐迩

松花江位于中国东北地区的北部，是黑龙江右岸最大支流，流域面积约 55.68 万 km^2。松花江流域是我国重要的粮食和石油基地，沿岸有齐齐哈尔、哈尔滨、佳木斯等重要城市。

松花江有南、北两源，南源为第二松花江，北源为嫩江。南源发源于长白山主峰白头山天池，海拔高程 2 744 m，由天池经闼门外流，称二道白河，习惯上以此作为第二松花江的正源。嫩江发源于大兴安岭支脉伊勒呼里山南侧，源头河称南瓮河，河源高程 1 030 m，自河源向东南至第十二站林场附近与二根河会合，之后称嫩江。嫩江与第二松花江会合后称松花江，亦称松花江干流，长 939 km，右岸有拉林河、蚂蚁河、牡丹江、倭肯河等主要支流注入。左岸汇入的支流有呼兰河、汤旺河、梧桐河、都鲁河等。干流向东至同江附近注入黑龙江。

如以嫩江为源，松花江河流总长 2 309 km；若以第二松花江为源，则总长 1 897 km。从南源的河源至三岔河为松花江上游，从三岔河至佳木斯为松花江中游，从佳木斯至河口为松花江下游。

松花江水系深度发育，支流众多，流域面积大于 1 000 km^2 的河流有 86 条。在第二松花江，面积大于 1 万 km^2 的支流有 3 条；在嫩江，面积大于 1 万 km^2 的支流有 8 条；在松花江干流，面积大于 1 万 km^2 的支流有 6 条。

松花江流域气候冬季严寒漫长，夏季温热多雨。年平均气温为－3℃～5℃，最高达 40℃，最低达－50℃。年降水量一般约为 500 mm，其年际变化较大，存在明显的丰枯交替变化规律。年径流量约 742 亿 m^3。流域自然灾害主要为洪涝和干旱，东涝西旱。

松花江流域水能资源丰富，理论蕴藏量为 659.85 万 kW，并以嫩江、第二松花江干流及牡丹江较为集中。第二松花江干流上建有著名的丰满水电站，是东北电网的骨干电站之一，初开工于 1937 年，1955 年复改建，是东北地区最早修建的第一座大型水电站。总装机容量为 55.32 万 kW，水库总库

容 109.88 亿 m^3，坝高 90.5 m。松花江流域已经建成的主要水利水电工程还有察尔森水库、月亮泡水库、山口水电站、白山水电站、海龙水库、石头口门水库、新立城水库、镜泊湖水电站、莲花水库等。

松花江的雾凇奇景闻名全国。雾凇通常称树挂，也有叫雪柳和银枝的。它是由于大气中无数 0℃以下而尚未结冰的雾滴在树枝等物上不断冻结积聚而形成的。

松花江水系示意图

松花江上的丰满水电站大坝将江水拦腰截断，形成人工湖泊——松花湖。冬季的松花湖表面结冰，下层水温却保持在 0℃ 以上。湖水流经水电站发电机组后温度有所升高，再顺流而下，就形成了几十千米江面临寒不冻的奇特景观，同时也具备了形成雾凇的两个必要而又相互矛盾的自然条件：足够的低温和充分的水汽。夹带暖流的江面上不断升起的水汽，凝结在岸边的柳丝、松叶上，就形成了壮观的松花江雾凇奇景。

24. 乌苏里江

——赫哲人的生命之河

乌苏里江为国际河流，是黑龙江支流，自乌拉河源起，全长 890 km，全流域面积 18.7 万 km^2。中国境内河长约 473 km，流域面积 6.15 万 km^2。下游饶河站多年平均年径流量 232.9 亿 m^3，河口处多年平均径流量 623.5 亿 m^3。

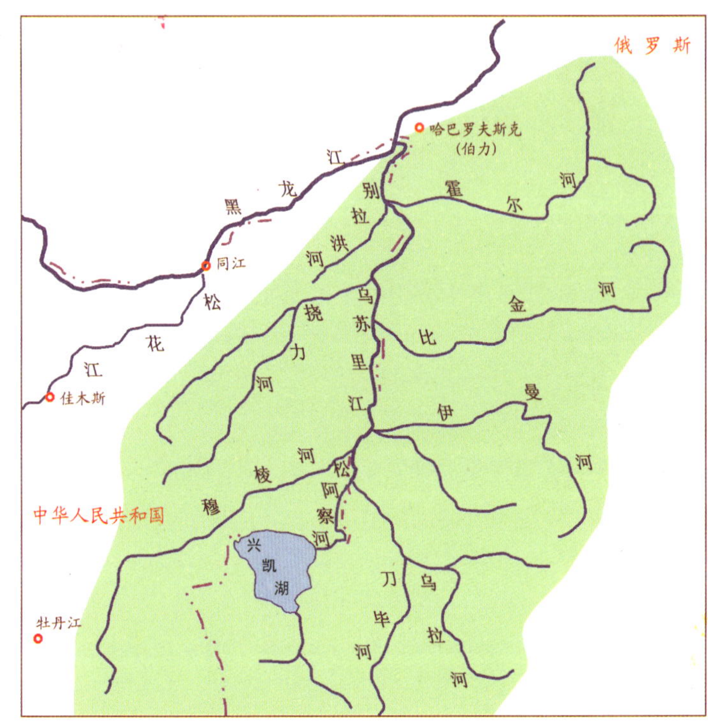

乌苏里江水系示意图

乌苏里江源于俄罗斯境内的乌拉河与刀毕河，源头是锡霍特山脉的西坡。由南向北流，松阿察河汇入后称乌苏里江，流至俄罗斯的哈巴罗夫斯克（即伯力）附近汇入黑龙江。主要支流有松阿察河、穆棱河、挠力河、伊曼河、比金河等。松阿察河发源于中国和俄罗斯边境的兴凯湖。自松阿察河起，到乌苏里江与黑龙江汇合口止，为中俄界河。

乌苏里江江面宽阔，水流平缓，多汊流和岛屿。结冰期约 5 个月。径流来源补给为雨水、雪水、地下水。春汛较猛，一般在 4 月至 5 月间，秋汛在 7 月至 9 月间，枯水期为 11 月到翌年 3 月。

在乌苏里江流经的地区，生活着一个历史悠久的少数民族——赫哲族。

据考古遗迹推断，赫哲族的起源可追溯到6 000多年前的密山新开流文化时期。在先秦时称肃慎，汉魏时称挹娄，南北朝时称勿吉，隋唐时称黑水，元明清时称女真。由于历史原因，赫哲族是跨国民族，在俄罗斯境内被称为那乃人。在我国境内，赫哲族大部分居住在黑龙江省同江、抚远、饶河等市、县，有本民族的语言，没有本民族文字。赫哲语属阿尔泰语系满—通古斯语族，大多数通用汉文。赫哲族的民间说唱文学“伊玛堪”最受群众喜爱。“伊玛堪”是赫哲族口传的叙事长诗，现有50多部典籍，被誉为北部亚洲原始语言艺术的活化石。

赫哲族是中国北方惟一的以捕鱼为生、用狗拉雪橇的民族。作为以渔猎为生的北方内陆民族，赫哲族的历史、语言、宗教礼仪、歌曲舞蹈、衣着服饰、民风民俗极具特色。赫哲人喜食生鱼，“刹生鱼”、“凉拌生鱼”是他们的特色菜肴。在赫哲人居住的庭院中，一般都建有贮藏鱼的鱼楼，几乎每家一座，平时还可用来放置渔具等物品。赫哲人不仅以鱼肉、兽肉为食，穿的衣服也多半是用鱼皮、狍皮和鹿皮制成的。男子大多穿大襟式狍皮大衣，衣襟上缀两排用鲶鱼骨做的纽扣；女子多穿鱼皮或鹿皮长衣，式样很像旗袍，用鱼皮做衣服是赫哲族妇女的一大特长。赫哲族的传统渔猎文化已成为黑龙江省第一个非物质文化遗产保护工程国家级试点项目。

“乌苏里江长又长，蓝蓝的江水起波浪，赫哲人撒开千张网，船儿满江鱼满舱。白云飘过大顶子山，金色的阳光照船帆，紧摇桨(来)掌稳舵，双手赢得丰收年。”这首唱遍大江南北的《乌苏里船歌》就是由赫哲族民歌《想情郎》改编的，歌中不但唱出了赫哲人捕鱼生活的快乐心情，也绘就了一幅赫哲人与乌苏里江和谐相处的和美画卷。

25. 鸭绿江

——因水色而得名的中朝界河

鸭绿江是中朝两国界河，以江水清澈、颜色呈鸭头绿而得名。全长795 km，全流域面积6.38万 km^2，中国境内流域面积3.25万 km^2，多年平均年径流量291亿 m^3。秦、汉时期称马訾水，隋、唐时期称鸭绿水，辽、金时期开始称鸭绿江。

鸭绿江源于中国与朝鲜边境白头山南麓。主河道沿中、朝两国边界曲折南流，经集安市区，在右岸支流浑江河口以下入辽宁省，过丹东市注入黄海。

临江以上为上游，沿江两岸山岭连绵，海拔500～1 500 m。河床坡度极陡。因受地形影响，降雨不均，夏多冬少，汛期年降雨870 mm。长白县城以上，多高山峡谷，森林茂密，坡降陡，水流急，谷宽50～150 m，水能资源丰富。临江至水丰为中游，水量增加，坡度变缓，谷宽200～2 000 m。水丰至入海口为下游河段，河谷开阔，两岸有低山丘陵和较窄平原，江心多沙洲。江中岛屿近200个，以文安滩为最大。丹东附近江宽5 km，流到东沟分两支入黄海。支流受构造控制，多与干流成直交。源头至河口总落差2 440 m，流域地势东北部高，西南部低。

鸭绿江主要支流在朝鲜境内有虚川江、长津江、慈城江、秃鲁江和忠满江等；中国境内有浑江、蒲石河和瑷河等。

鸭绿江流域水能资源开发较早，可开发的水能资源约250万kW。1937年开始建设水丰水电站，1941年发电；1955年成立中朝鸭绿江水力发电公司，双方合营水丰发电厂并进行了恢复改建；1959年中朝共同兴建的云峰水电站于1965年发电；经中朝鸭绿江干流规划推荐的太平湾水电站1982年由中方开始建设，1985年发电；渭源（亦叫老虎哨）水电站1978年由朝方开始建设，1984年发电。鸭绿江干流上现已建成4座大中型水电站，总装机容量188万kW（包括水丰水库两侧的扩建电站），占可开发水能资源的77%。此外，在中国境内支流浑江上建成了以桓仁水电站为龙头的梯级电站，在朝鲜

境内支流秃鲁江上也建成了秃鲁江水电站。

鸭绿江水系示意图

据《辽史》记载，辽太祖耶律阿保机于太祖九年（公元915年）曾到过丹东地区，在鸭绿江上钓鱼。辽国皇帝每年带领贵族们外出渔猎是契丹族的一种风俗。辽道宗耶律洪基曾在黑山猎得一虎，在一片欢腾之中，道宗命皇后即兴赋诗一首，皇后萧观音脱口而出："威风万里震南邦，东去能翻鸭绿江。灵怪大千俱破胆，哪教猛虎不投降。"

中国近现代史上的一些重大事件也是内涵丰富而独特的鸭绿江文化的组成部分。近百年中，鸭绿江畔曾发生过三次改变中国乃至世界政治格局的战争，即甲午战争、日俄战争、抗美援朝战争。"雄赳赳，气昂昂，跨过鸭绿江。保和平，卫祖国，就是保家乡……"当年，中国人民志愿军就是从这里出发，抗美援朝，保家卫国，成为最可爱的人的。

26. 钱塘江

——潮涌钱江，天下奇观

钱塘江，古称浙江、渐江、曲江、罗刹江、之江等，是中国东南沿海地区主要河流之一，也是浙江省最大的河流。干流从西向东贯穿皖南和浙北，在浙江海盐县澉浦附近入杭州湾，汇入东海。钱塘江自北源源头至入海口全长688 km，流域面积55 558 km^2。流域地跨浙、皖、赣、闽、沪5省(直辖市)，其中，86.5%在浙江省境内，占浙江省总面积的47.2%。

钱塘江由南、北两源汇流而成。北源称新安江，发源于安徽省休宁县境内怀玉山脉主峰六股尖东侧，沿程接纳横江、练江、进贤溪、武强溪和寿昌江等支流；南源为兰江，发源于安徽省休宁县南部的青芝埭尖北坡，沿程纳江山港、乌溪江、灵山港、金华江(婺江)等支流。新安江和兰江在浙江省建德市汇合后称富春江。沿程纳分水江、渌渚江和壶源江，至萧山市闻家堰小砾山，纳浦阳江后始称钱塘江，再纳曹娥江后，于上海市南汇县与宁波市之间注入东海。

自富春江水电站以下受潮汐影响，为河口区。其中，浦阳江口以上为河流段(近口段)；浦阳江以下至海盐县澉浦镇长山闸与慈溪市西三闸的连线为径流与潮流共同作用的过渡段(河口段)；再下为以潮流作用为主的潮流段，为河口湾，通称杭州湾。

钱塘江流域水量丰富，水资源总量446亿m^3，且河道落差大，蕴藏着丰富的水力资源。水能资源理论蕴藏量282.44万kW，可开发水电装机容量211.65万kW。河口潮汐水力资源为472万kW。

钱塘江开发历史悠久，公元8世纪70年代，已修筑有土质海塘御潮。清朝康熙、乾隆年间进一步发展为鱼鳞大石塘，沿用至今。新中国成立以来，钱塘江水系共兴建了新安江、富春江、湖南镇等大中型水电站。其中，设计装机容量66.25万kW、库容178.2亿m^{3}的新安江水电站是新中国修建的第一座大型水力发电工程，目前增容后装机容量达到81万kW，而且水库集雨区内无工业污染，溪流清澈如鉴，水质达到国家Ⅰ类水体标准，饮用口感清纯，是我国最好的天然饮用水源地之一，属国家一级水资源保护区。“半亩方塘一鉴开，天光云影共徘徊。问渠哪得清如许，为有源头活水来。”南宋理学家朱熹的《咏方塘》诗句既富有深刻的哲理，又让人领略到钱塘江上游地区塘渠、溪流清澈如鉴，映出天光云影的一幅山水风景图画。

钱塘江水系示意图

钱塘江流域内文化、旅游资源极为丰富。在新安江水库蓄水形成的千岛湖，湖区内原有山头变成上千岛屿，形成碧波蓝天、群岛螺浮的独特景观。其中蜜山岛林木茂密、泉水甘洌；桂花岛石景百态、桂香遍野；铁帽山岛陡壁悬崖、形若铁帽；还有建有海瑞祠的龙山岛和鸟岛、蛇岛、猴岛、鹿岛等等。湖周多奇石异景与溶洞，其中以赋溪石林、羡山半岛、灵霄洞、仙姑洞、方腊洞等最为著称，是国家级著名风景名胜区。富春江自古享有“天下佳山水，古今推富春”的美誉。位于钱塘江下游的杭州西湖以其秀丽的自然风光、众多的名胜古迹、深厚的历史文化积淀驰名中外。受江面束窄、河床隆起的影响，钱塘江河口段形成的“壮观天下无”的涌潮——钱江潮，更是举世闻名的天下奇观。

江南才子甲天下。钱塘江流域不仅诞生过夏衍、郁达夫、叶浅予等众多近现代文化名人，也是三国时吴国创建者孙权、东汉时期思想家王充、唐朝女农民领袖陈硕真等著名历史人物的故乡。

27. 闽江

——蜿蜒在八闽大地的玉带

闽江是中国东南沿海水量最大的河流，由源出武夷山的建溪、富屯溪、沙溪三大源流在福建省南平市先后汇合而成干流，流至福州以东注入东海。通常以沙溪为正源，河长 559 km，流域面积 60 992 km^2。

南平以上为闽江的上游，长 328 km；南平至闽侯为中游，长 165 km；闽侯至河口为下游，长约 66 km。

闽江支流众多，流短坡陡。主源沙溪发源于武夷山脉杉岭山南麓；源头至渔潭为水茜溪，河段长 59 km；渔潭至宁化称东溪，河段长 13 km；宁化县城下游，支流武义溪汇入后起，至永安，称九龙溪，河段长 131 km，其间有罗口溪、文川溪等汇入；永安至沙溪口称沙溪，河段长 125 km，有桂口溪、渔塘溪、东溪等汇入；沙溪在沙溪口纳富屯溪后称西溪，至南平河段长 20 km；西溪于南平与建溪汇合后始称闽江，河段长 231 km，沿途接纳的主要支流有尤溪、古田溪、大樟溪等，于长门注入东海。

闽江水系示意图

闽江流域水资源、水能资源丰富。全流域多年平均年降水量 1 710 mm，年径流量约为 586 亿 m^3，水量与黄河流域的水量相近。径流量年际变化相对不大，但年内分配很不均匀。闽

江流域水能资源理论蕴藏量 632 万 kW，可开发水电装机容量 463 万 kW。

闽江流域已建水利水电工程主要有水口、沙溪口等大型水电站。其中，水口水电站总装机容量 140 万 kW，是华东地区最大的水电站；沙溪口水电站总装机容量 30 万 kW。

闽江流域的先民把蛇作为图腾崇拜。《说文解字・虫部》析“闽”为“东南越，蛇种”。“闽”字正是闽越族蛇图腾崇拜的重要标志。这种蛇图腾崇拜的民间信仰习俗早在秦汉以前就有，至今一些地方还有蛇王庙。

由于福建省“八山一水一分田”的地形特点，闽江自古就是该省十分重要的交通运输通道，早在先秦时代，闽江就有水上航运活动。水上交通促进了整个流域政治、经济、文化的发展。

闽江上游生态环境优越，林木生长迅速，树木种类繁多，有“绿色金库”之称。武夷山是驰名中外的国家级旅游胜地，自然风光秀丽，人文名胜众多。九曲溪、大王峰、铁板鬼、玉女峰、天游、朱熹学堂和狐狸洞等令人流连忘返。座落在闽清县坂车镇坂中村的四乐厝轩，建于清乾隆十九年（1754 年），占地 24 500 m^2，建筑面积 19 352 m^2，是福建省最大的古民居，闽江中下游一直流传着这样的童谣：“四乐厝，四乐厝，鸟都飞不过。”

闽江口依山傍海，地势险要，景色秀美，四季如春，自然、人文景观星罗棋布，犹如一颗镶嵌在闽江边上的明珠，交相辉映。这里还是著名的“马江海战”古战场的所在地，曾经演绎了令人荡气回肠的历史一幕。琅岐岛风景名胜区以滨海田园风光游特色而闻名。青芝山近海傍江，有其独特的自然岩景，有“山一而洞百”之说。这里的 108 景均由奇石、异洞、峰峦、流泉等组成。山中有不少古代摩崖石刻，还有前国民政府主席林森的别墅“啸余庐”和藏骨塔。

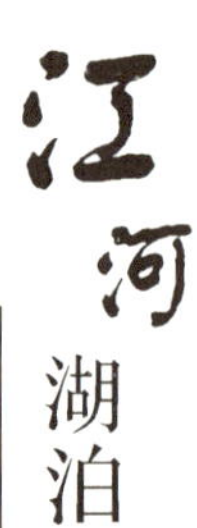

28. 怒江

——流经东方大峡谷的河流

怒江是我国西南地区五大国际河流之一，发源于青藏高原唐古拉山南麓(与长江源头一山之隔)，流经西藏自治区和云南省，于云南省潞西县流出国境，出境后称萨尔温江，经缅甸流入印度洋。怒江—萨尔温江干流全长3 240 km，流域总面积32.5万km^2，其中我国境内长2 020 km，流域面积13.78万km^2。

河源至嘉玉桥为上游河段，长818 km，天然落差2 013 m；嘉玉桥至泸水为中游河段，长785 km，天然落差2 372 m；泸水至南信河口为下游河段，长410 km，天然落差283 m。

怒江水系大于5 000 km^2 的支流有6条，即下秋曲、索曲、姐曲、玉曲(伟曲)、枯柯河(猛波罗河)、南定河。南定河是在缅甸汇入怒江的。汇入怒江的小支流比较多，由于这些众多的小支流河流比较短、流域面积小、落差集中，加之有融雪补给，枯水量比较稳定，适宜兴修中小型水电站。

怒江流域地势呈南北狭长形。受地形及大气环流影响，气候比较复杂，上游气候高寒，冰雪期长；中游山高谷深，垂直气候特征显著，变化复杂；下游地势较低，受西南海洋季风影响，炎热多雨。该流域多年平均降雨量为900 mm。

怒江径流丰沛、稳定，落差大。全流域多年平均径流量2 520亿m^3，我国境内年径流量710亿m^3。

怒江干流落差达4 840 m，水能资源很丰富，理论蕴藏量约4 474万kW，可开发水电装机容量3 200万kW，其中干流约3 000万kW，占94%，干流水能资源至今尚未开发。已开发的水电站全部集中在支流，装机容量仅占技术可开发量的1%。流域内矿产资源极其丰富。

怒江流经的怒江州地处中国西南横断山脉峡谷，属于欧亚板块和印度板块结合部，区域内雪山连绵高耸，江河奔腾咆哮，形成世界上罕见的高山大峡谷群，被誉为“东方第一大峡谷”，并成为怒江、澜沧江、金沙江“三江并流”的世

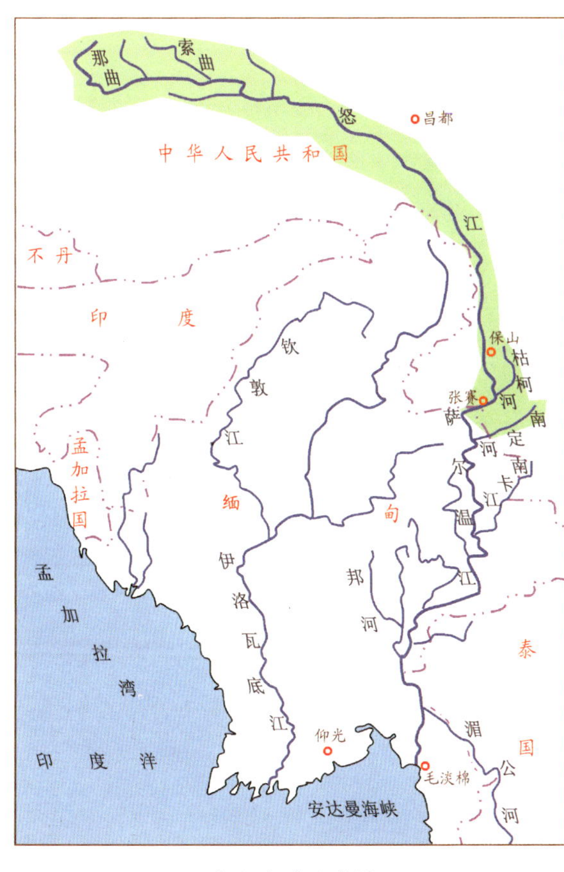

怒江水系示意图

界自然遗产所在地。怒江大峡谷最深处在贡山丙中洛一带，达 3 500 m。怒江大峡谷平均深度 2 000 多 m，全长 800 多 km，而美国著名的科罗拉多大峡谷全长不过 440 km。怒江大峡谷山高、谷深，形成比较完整的垂直气候带，对于动植物的生长特别有利，成为我国三大生物物种聚集中心之一，拥有 77 种国家级保护动物和 34 种国家级保护植物。

怒江大峡谷居住着傈僳、怒、独龙、白、普米、藏等 12 个风情各异的民族，还有米俄洛新石器遗址、吴符岩画等文物古迹，留下稻作与祭仪文化遗迹。这一区域在半个世纪前仍停留在原始民族社会的解体期，保留着刀耕火种生活的原始遗迹。民间信仰和口承文学资源丰富。多种少数民族的语言、文字、音乐、绘画、建筑、服饰、宗教信仰、生活习俗各具特色、相互交融，是待发掘的民族文化“富矿”。

29. 澜沧江

——亚洲流经国家最多的河流

澜沧江系国际河流，流经中国、缅甸、老挝、泰国、柬埔寨和越南，在越南胡志明市附近注入南海，是亚洲流经国家最多的河，亦是世界第六大河，全长约 4 900 km。在中国境内长度为 2 161 km。出境后名为湄公河。全流域面积 81 万 km^2，中国境内流域面积 16.74 万 km^2。

澜沧江发源于唐古拉山北侧的扎纳日根山脉查加日玛峰(藏语，意为“多彩的山”)南坡、莫云滩深处的扎曲，位于海拔 5 224 m 的拉赛贡玛的功德木扎山上，属于青海省玉树藏族自治州杂多县境内。

昌都以上为上游，昌都至四家村为中游，四家村以下为下游。澜沧江水系支流众多，流域面积大于 1 000 km^2 的支流有 41 条。主要支流有：子曲、昂曲、盖曲、麦曲、金河、漾濞江、西洱河、罗闸河、小黑江、威远江、南班河、南拉河等。

澜沧江水资源丰富，出境处多年平均年径流量约 640 亿 m^3。河流落差大，水能资源丰富，在我国境内水能资源可开发量约 3 000 万 kW。

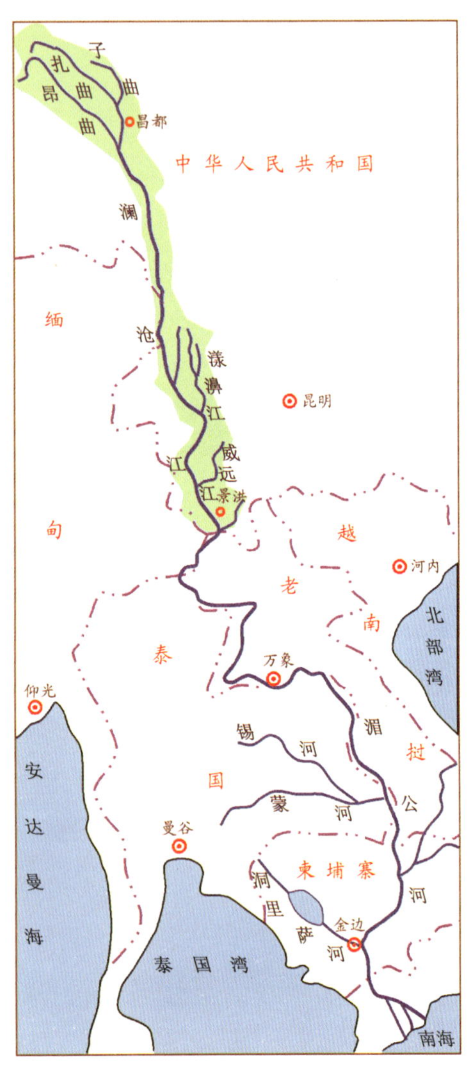

澜沧江水系示意图

云南境内澜沧江干流初步规划了15个梯级水电站，利用落差1 655 m，总装机容量约2 259万kW。其中漫湾水电站一期工程125万kW，于1995年全部建成投产；大朝山水电站装机容量135万kW，2003年建成投产。在建的小湾水电站装机容量420万kW，糯扎渡电站装机容量550万kW也将陆续建成。

澜沧江畔以西的卡若村有西藏境内发现的文化堆积丰富、遗址保存完整的新石器时代遗址，与黄河上游甘、青地区的古文化及云南境内的元谋文化有千丝万缕的联系，它既是藏文化的起源，也是中西文化交流的研究对象，同时也说明昌都先民在4 500年前的新石器时代晚期已生活在这片富饶的澜沧江畔。傣族大部分都生活在澜沧江两岸，境内外都有分布。他们的语言属壮侗语族的壮傣语支，其文明发展和澜沧江有很大关系。傣族属于古代越人族属，秦汉时期，傣族先民建立了“掸国”，至公元8～13世纪，傣族地区先后隶属于云南南诏蒙氏政权（彝族、白族）和大理段氏政权，有饰齿文身习俗，因此曾被称为“黑齿蛮”、“绣脚蛮”。明代傣族地区任命傣族头领为世袭土司，向封建领主制发展。汉文化的不断注入，再加上边民之间的友好往来，使得傣族跨境生活融融。由于紧邻佛国印度和受东南亚文化的影响，所以傣族世代信佛，普遍信仰小乘佛教。“泼水节”是澜沧江——湄公河流域南传佛教国家庆祝佛历新年的传统节日，一般在每年的4月中旬举行。节日中人们泼水嬉戏，用飞溅的水花相互祝福。或许是世代种植水稻的原因，他们崇拜水，称澜沧江为“众水之母”。

30. 雅鲁藏布江

——世界上海拔最高的河流

雅鲁藏布江横贯西藏高原南部，被藏族视为“摇篮”和“母亲河”。于巴昔卡附近流出国境后，改称布拉马普特拉河，经印度、孟加拉国与恒河以及梅克纳河汇合后注入孟加拉湾。雅鲁藏布江—布拉马普特拉河自河源至河口全长约 3 100 km，中国境内 2 070 km。全流域面积 62.2 万 km^2，中国境内 33 万 km^2。以下雅鲁藏布江指中国境内的河段。

雅鲁藏布江源于喜马拉雅山北麓的杰马央宗冰川。从河源至里孜为雅鲁藏布江的上游段，水面落差 1 190 m，流域面积 2.7 万 km^2；里孜至派乡为中游段，水面落差 1 520 m，区间流域面积 16.4 万 km^2；派乡至巴昔卡为下游段，水面落差 2 725 m，区间流域面积 5 万 km^2。

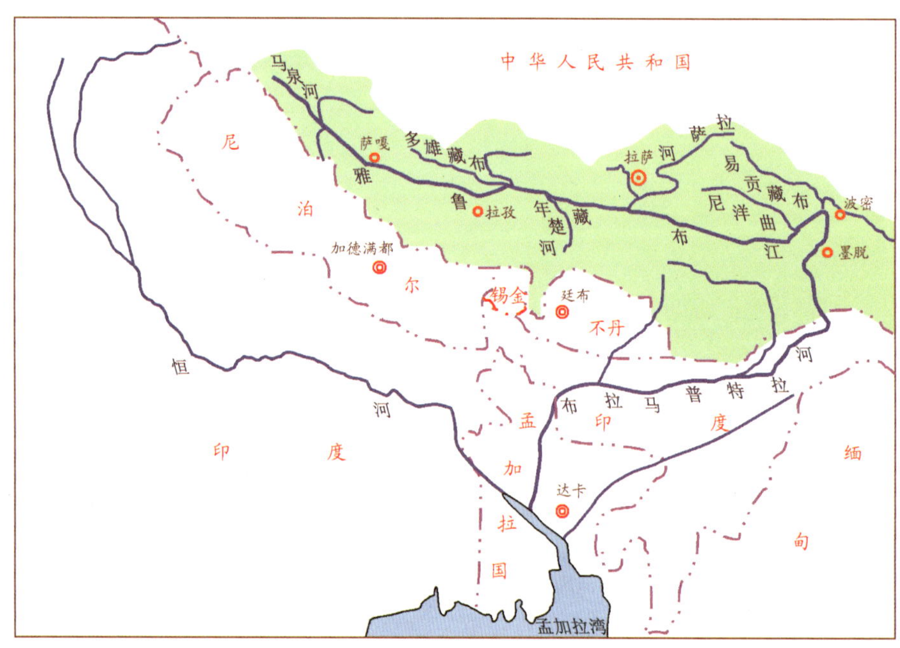

雅鲁藏布江水系示意图

雅鲁藏布江水系流域面积大于 100 km^2 的支流有 130 条，其中大于 1 000 km^{2}的有 64 条(包括二、三级支流)；大于 10 万 km^2 的有 5 条，即拉萨河、帕隆藏布、尼洋曲、多雄藏布和年楚河。

雅鲁藏布江的径流由降雨、融冰和地下水补给组成。水资源丰富，径流充沛，巴昔卡站多年平均年径流量 1 654 亿 m^3，约占全国水资源总量的 6.1%，次于长江和珠江。

雅鲁藏布江水能资源十分丰富，仅次于长江流域。水能资源理论蕴藏量为 11 350 万 kW，其中，干流水能蕴藏量为 7 910 万 kW，约占全流域水能蕴藏量的 70%。初步规划全流域水能资源可能开发量约 4 740 万 kW，其中干流约 4 640 万 kW，占流域可开发量的 95%。干流河段中，东部的下游河段水面坡降最大，落差最集中，水量也最丰富，天然水能蕴藏量占干流天然水能蕴藏量的 87%。全流域已建水电站总装机容量约 5 万 kW，仅占流域可开发量的 0.1%。

雅鲁藏布江上游人烟稀少，河水清澈见底，湖塘星罗棋布，是野生动物的世外桃源，一些珍贵动物如野牦牛、藏羚羊、岩羊、藏野驴、藏豺、高原狐、雪豹、鼠兔、旱獭、鸟类和鱼类在谷地悠然自得地生活。中游是西藏最重要、最富庶的农业区。下游绕行南迦巴瓦峰，形成巨大马蹄形峡谷，长 504.6 km，最深处 6 009 m，平均深度 2 268 m，超过美国科罗拉多大峡谷(深 1 800 m，长 440 km)和秘鲁的科尔卡大峡谷(深 3 203 m)。

雅鲁藏布江流域是我国西藏文明的摇篮，孕育出的远古文化源远流长。该流域的新石器时代文化以林芝、墨脱为代表。新石器时代晚期，西藏各地形成了许多部落。公元前 3 世纪左右，西藏历史上建立了部落奴隶制的博王国。聂赤赞普作为雅砻部落的首领第一次以赞普(意为王)的身份出现在汉、藏交流史上。最值得纪念的是文成公主和蕃、金城公主西嫁与《唐蕃会盟碑》三件大事。这些史实充分说明了汉、藏人民及其文化各具特点又相互影响融合的血肉联系。藏族普遍笃信佛教，流域内寺庙林立，无论是在峡谷溪涧之旁，还是在深山野岭之中，都可听到悠悠的古刹钟声。在众多的寺庙中，布达拉宫和扎什伦布寺是最有代表性的。雅鲁藏布江流域富饶美丽，它滋润着两岸肥沃的土地，在这块土地上，藏族人民创造出绚丽多彩的文化，这是我们多民族国家文化瑰宝中的重要组成部分。

31. 塔里木河

——中国最长的内陆河

塔里木河是中国最长的内陆河,位于新疆维吾尔自治区塔里木盆地北部。若从最长的源流叶尔羌河算起,总长约 2 350 km,干流段长 1 321 km,流域面积约 102 万km^2。

上游源流有阿克苏河、叶尔羌河、和田河,三条河流于阿瓦提县的肖夹克附近汇合,始称塔里木河。塔里木河主要源流叶尔羌河发源于喀喇昆仑山脉海拔 7 464 m 的特力木坎力峰东南麓,西流折北,再折向东,入塔里木河干流。在公元 5 世纪至 6 世纪时,塔里木河曾经分南北两河流入罗布泊。塔里木河现在的水网形势大致是在 17～18 世纪形成的。

沿塔克拉玛干沙漠北缘由西向东,从肖夹克到英巴扎为上游;英巴扎到卡拉为中游;卡拉以下到台特马湖为下游。上游河道比较顺直,很少汊流;中游地势平坦,河道弯曲,土质松散,泥沙沉积严重;下游由于平原型河流沿途水量不断消耗,所以水量不断减少,1970 年后英苏以下河道断流,塔里木河无水流入台特马湖,该湖于 1974 年后干涸。

现塔里木河流量主要来自阿克苏河、和田河、叶尔羌河以及孔雀河(人工输水)。历史上喀什喀尔河和渭干河曾有一定水流注入塔里木河,现在其尾闾早已干枯断流。上述河流之间仍有着地表或地下的、天然的或人为的联系,故而称塔里木河流域时,一般包括塔里木干流流域、叶尔羌河流域、阿克苏河流域、和田河流域、渭干河流域及孔雀河流域。流域内干旱少雨,日照强烈,冷热剧变,风沙较大。

历史上塔里木河的水量十分丰富,但由于自然条件和人类活动等因素的影响,河流来水量逐渐减少,至 20 世纪后期,干流起点阿拉尔断面多年平均来水量仅 36.2 亿 m^3,干流下游大西海子断面断流。

1958 年以后,该流域修建了支流克孜勒河的西克尔水库、叶尔羌河的小海子水库和上游水库以及塔里木河干流的胜利水库、大西海水库等 5 座大型水库。目前干支流共有大中型水利工程 45 座,为流域内的灌溉、发电及工

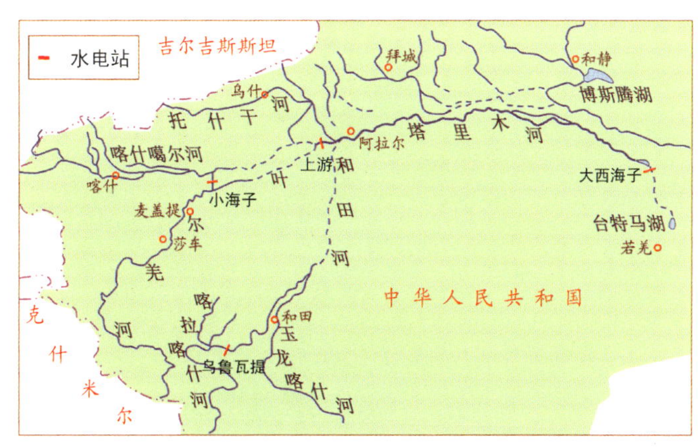

塔里木河水系示意图

业、生活用水提供了较好的引水条件。随着当地由原先主要以捕鱼、游牧和种植少量“闯田”为主的原始生产方式转入大规模的农业垦殖方式，由于过度引水、水土浪费等原因，流域自然生态系统平衡遭到破坏。近年来，塔里木河正在实施综合治理工程，以实现科学安排引水和生态用水，并开始在博斯腾湖水多时向台特马湖应急性输水，结束了下游河道断流近 30 年的历史，台特马湖复现水波荡漾的情形，河道两侧植被形成的“绿色走廊”正在恢复，但形成稳定的水源流量尚需时日。

塔里木河蜿蜒在一望无垠的塔克拉玛干沙漠边缘，充满神秘色彩。在过去的 2 000 多年中，它创造了令人叹为观止的绿洲文明：丝绸之路、楼兰古城、尼雅遗址、龟兹文化。古龟兹国（今库车县）是古丝绸之路上的重镇，历史上中西文化在这里交汇，孕育出举世闻名的龟兹文化，以独特的礼佛与乐舞而蜚声中外。唐朝中期，安西都护府移置龟兹，成为西域政治、经济、军事、文化、商贸的中心。希腊、伊朗、印度、波斯都在这里和中原文化相汇合。而盛唐时期佛教的兴盛，也使龟兹成为中外闻名的西域佛教中心，漫长的历史在这里留下了大量石窟、壁画以及龟兹乐舞。

32. 黑河

——中国西北地区第二大内陆河

黑河古名弱水，是我国西北地区第二大内陆河，发源于南部祁连山区，全长约 821 km，位于河西走廊中部，流域范围涉及青海、甘肃、内蒙古 3 省(自治区)，总流域面积约 14.3 万 km^2。

黑河出山口莺落峡以上为上游，河道长 303 km，两岸山高谷深，河床陡峻，气候阴湿寒冷，植被较好，年降水量 350 mm，是黑河流域主要产流区。莺落峡至正义峡为中游，河道长 185 km，两岸地势平坦，光热资源充足，但干旱严重，年降水量仅有 140 mm，人工绿洲面积较大，部分地区土地盐碱化严重。正义峡以下为下游，河道长 333 km，除河流沿岸和居延三角洲外，大部分为沙漠戈壁，年降水量只有 47 mm，气候非常干燥，属极端干旱区，风沙危害十分严重，为我国北方沙尘暴的主要来源区之一。

黑河径流主要靠降水和融冰化雪补给，多年平均年径流量为 36.3 亿 m^3。随着用水的不断增加，黑河部分支流逐步与干流失去地表水力联系，形成东、中、西三个独立的子水系。其中，西部子水系包括讨赖河、洪水河等，归于金塔盆地；中部子水系包括马营河、丰乐河等，归于高台盐池—明花盆地；东部子水系即黑河干流水系，包括黑河干流、梨园河及其左右小沟小河组成。

新中国成立以来，黑河流域修建了大量的水利工程，为当地工农业生产创造了良好条件，其中包括大中小型水库近百座以及黑河流域中游张掖地区、酒泉地区和嘉峪关市的走廊部分修建的灌溉供水干支渠道数千千米。

黑河自古战略地位十分重要。沿河主要城市张掖市，古称甘州，位于河西走廊中部，以“张国臂掖，以通西域”而得名。汉武帝元鼎六年(公元前 111 年)置张掖郡。西汉时期霍去病曾在此大破匈奴，后成为古丝绸之路上的重镇。因水土宜人、物产丰富，而被誉为“金张掖”。张掖市名胜古迹众多，人文景观奇特，古建筑造型各异，其中隋代木塔、明代镇远楼、黑水国遗址等古

迹享誉中外，而保存完整的西夏大佛寺，更以其精湛的建筑艺术和现存全国最大的室内卧佛而名扬海内外。1985年，张掖市被国务院公布为历史文化名城。

黑河流域内的居延文化遗址位于内蒙古阿拉善盟额济纳旗的额济纳河流域。这里既有属于新石器时代的彩陶和细石器的遗存，也有秦汉以来的长城烽燧和防御性古城遗址，还有屯田河渠遗址以及不同时期、不同形制的墓葬和宗教寺庙遗址。夏商之际，羌人部落在黑河流域游牧；春秋至秦时，有乌孙人和月氏人逐水草而居；西汉初年，匈奴南下，占据河西，到汉武帝元狩二年（公元前121年）春，骠骑将军霍去病扬武功于塞上，驱匈奴于极边，黑河流域才有汉族移民垦荒屯田。因处于少数民族争夺的地域，汉至明朝始终战乱不断，安宁只是时断时续。在唐代，为防突厥侵扰，曾在居延筑大同城，现今城址犹存。唐诗中“但使龙城飞将在，不叫胡马度阴山”中所写的“龙城古道”，又叫居延古道。而今，著名的酒泉卫星发射中心及东风航天城也坐落在黑河边，在我国已经发射的国产卫星中，有30多颗都是从这里发射升空的。

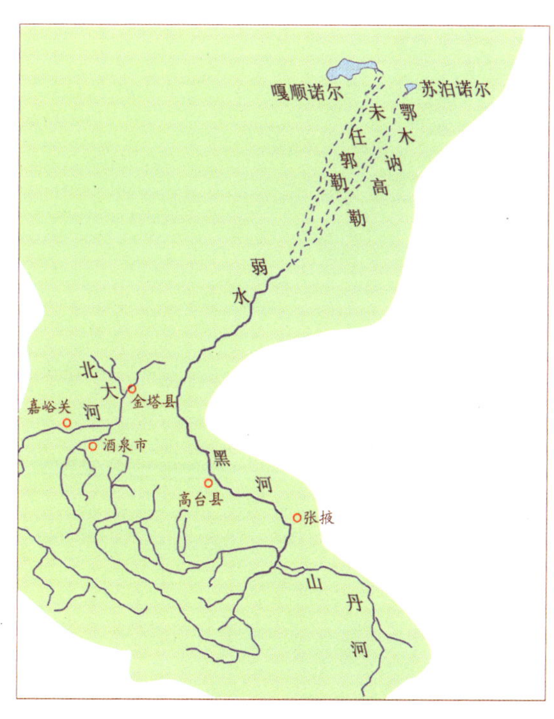

黑河水系示意图

33. 额尔齐斯河

——中国惟一流入北冰洋的河流

额尔齐斯河是一条跨国河流，为我国惟一流入北冰洋的河流，河流全长 4 248 km，总流域面积 164.3 万 km^2。其中，我国境内河长 633 km，流域面积约 5.37 万 km^2。

额尔齐斯河发源于我国新疆维吾尔自治区富蕴县阿尔泰山南坡，沿阿尔泰山南麓向西北流，在哈巴河县以西进入哈萨克斯坦国，注入斋桑泊，出湖后继续往西北，进入俄罗斯后，在汉特—曼西斯克附近汇入鄂毕河，为鄂毕河的最大支流，最后注入北冰洋。

额尔齐斯河（境内，下同）干流沿着阿尔泰山南麓流动，在上源库依尔特斯河与支流卡依尔特斯河相汇合后始称额尔齐斯河。在其向西流行过程中，先后接纳了喀拉额尔齐斯河、克兰河、布尔津河、哈巴河、别列则克河、阿拉克别克河等支流。这些支流都是从右岸注入，左岸几乎无支流汇入，形成典型的梳状水系。其中，支流克兰河下游地势低洼，形成大片苇湖沼泽。布尔津河是最大支流，河源友谊峰海拔 4 374 m，有冰川发育，上游河谷有阿克库勒及喀纳斯两个高山湖。支流哈巴河在新疆境内长 150 km，河口地势低洼，亦有苇湖沼泽。支流阿拉克别克河，河源在哈萨克斯坦境内，中下游则为中哈两国的国界线。

额尔齐斯河流域雨雪丰沛，随着海拔的升高，年降水量逐步由阿尔泰山山前平原的 200 mm 左右上升至友谊峰附近的 1 000 mm，其中，降雪量占有较特殊的地位。阿尔泰山地的冬雪，从 11 月至翌年 3 月历时 5 个月，降雪量平均约为 270 mm。在多雪的年份，山区积雪的厚度可达 3～5 m；在少雪的年份，积雪厚度小于 1 m。每年春季解冻时，季节性的积雪大量融化形成了春汛，使额尔齐斯河成为我国以春汛为主的河流之一。

额尔齐斯河水量丰沛，多年平均年径流量达 119 亿 m^3。位于干流南岸与乌伦古河间的高台地非常缺水，急需灌溉。作为新疆主要渔业基地的乌伦古湖，近年来因入湖水量日益减少，湖面大大缩小，为保持湖泊不致干涸，

需要从额尔齐斯河加大补水。另外，开发阿勒泰地区，还要扩大夏孜街等地的农田，也需要从额尔齐斯河引水。至于克拉玛依—乌尔禾油田的长期缺水问题，更需要引额尔齐斯河水解决。

额尔齐斯河水能资源也很丰富，理论蕴藏量约为 80 万 kW。各支流在出山前都流经峡谷段，著名的有哈拉通沟、群库尔、克拉他什等，都有较好的开发条件。目前仅开发可可托海等电站，尚有较大的开发潜力。

额尔齐斯河也是一条饱经历史沧桑的河流。13 世纪中叶，一代天骄成吉思汗率领蒙古铁骑统一了斡难河流域后，便兵至额尔齐斯河流域，在额尔齐斯河休整。清代初期，为平定准噶尔贵族的叛乱，清政府曾数度在额尔齐斯河进行过屯垦。清末民初时期，沙俄政府又数次窥觑额尔齐斯河的渔业资源和两岸大片沃土，但都被我军民一一粉碎。

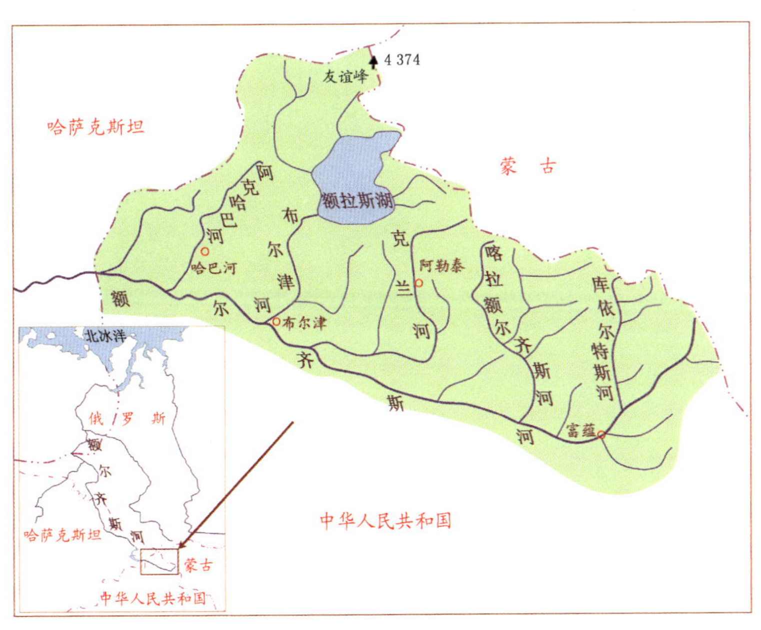

额尔齐斯河水系示意图

额尔齐斯河沿河两岸风光壮美，布尔津河和哈巴河两河河床中心滩林立，阡陌相连，绿树成荫，呈现一派“大漠水乡”的壮丽图景。“金山南面大河流，河曲盘桓赏素秋，秋火暮天山月上，清吟独啸夜光球。”元朝长春真人丘处机路经阿尔泰额尔齐斯河时写下的这首诗，生动描写了阿尔泰山和额尔齐斯河的美丽风光，表达了对金山银水的无限情思。

国内湖泊

34. 鄱阳湖

——落霞与孤鹜齐飞，秋水共长天一色

鄱阳湖是我国最大的淡水湖泊，地处长江中下游南岸，江西省的北部。古代曾有过彭泽、彭湖、官亭湖等多种称谓。湖岸线长约 1 200 km，湖体面积约 3 583 km^2，平均水深 8.4 m，最深处 25.1 m 左右，容积约 276 亿 m^3。

以松门山为界，鄱阳湖分为南北两部分。北面为入江水道，长 40 km，宽 3～5 km；南面为主湖体，长 133 km，最宽处达 74 km。

鄱阳湖承纳赣江、抚河、信江、饶河、修水五大河水，水系多年平均年径流量为 1 525 亿 m^3，经调蓄后，由湖口注入我国第一大河——长江，每年流入长江的水量超过黄、淮、海三河水量的总和，是一个季节性、吞吐型的湖泊。

鄱阳湖水系流域面积 16.22 万 km^2，约占江西省面积的 97%，占长江流域面积的 9%。受湿润的东南季风影响，鄱阳湖多年平均年降雨量在 1 000 mm 以上，从而形成"泽国芳草碧，梅黄烟雨中"湿润的季风型气候，成为著名的鱼米之乡。

鄱阳湖多年平均水位约为 12.86 m。随水量变化，鄱阳湖水位升降幅度较大，1998 年曾达到 22.59 m，1963 年低至 5.90 m。由于水位变幅大，所以湖泊面积变化也大，具有天然调蓄洪水的功能。汛期水位上升，湖面陡增，水面辽阔；枯期水位下降，洲滩裸露，水流归槽，湖面仅剩几条蜿蜒曲折的水道，呈现"枯水一线，洪水一片"的自然景观。

鄱阳湖是长江干流重要的调蓄性湖泊，具有调蓄长江洪水和保护生物多样性等特殊的生态功能，在维系区域和国家生态安全方面发挥着重要作用，是我国十大生态功能保护区之一。同时，作为国际上具有重要地位的湿地，鄱阳湖已被世界自然基金会划定为全球重要生态区之一。湖区烟波浩淼、水草丰美，湖中有大量长江流域的珍贵鱼类漫游，每年还有许多珍贵的鸟类栖息在此，是目前世界上最大的越冬白鹤群体所在地和最大的鸿雁群体所在地，鸿雁数量达数万只以上。保护区栖息着数十种国家级保护动物。

历史上低洼的鄱阳盆地曾经分布着人烟稠密的城镇，随着湖水的不断南侵，盆地内的鄱阳县城和海昏县治先后被淹入湖中，而与海昏县邻近、地势较高的吴城却日趋繁荣，成为江西四大古镇之一，历史上曾有“淹了海昏县，出了吴城镇”之说。

历史上鄱阳湖曾是从北方进入江西的惟一水道，而发生在鄱阳湖上的文人轶事更是难以胜数，并留下了许多脍炙人口的名篇佳作。“虹销雨霁，彩彻区明。落霞与孤鹜齐飞，秋水共长天一色。渔舟唱晚，响穷彭蠡之滨；雁阵惊寒，声断衡阳之浦。”唐代诗人王勃在《滕王阁序》中的名句，向人们呈现了一个碧波荡漾、水天一色、渺无际涯的鄱阳湖；一个浮光跃金、舟发鸟翔、云水茫茫、气象万千的鄱阳湖。宋代诗人苏轼在《李思训画长江绝岛图》中的佳句，“山苍苍，水茫茫，大姑小姑江中央”，描写的也是鄱阳湖的风景。千百年来，鄱阳湖哺育着江西人民，也以她瑰丽的姿色吸引着众多的国内外游人。

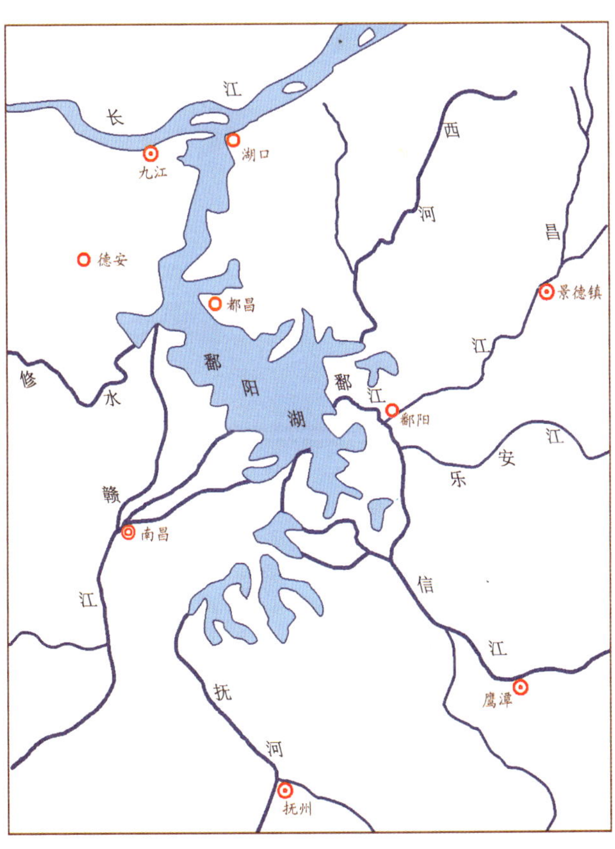

鄱阳湖水系示意图

35. 洞庭湖

——控楚带吴

洞庭湖是中国第二大淡水湖泊，是长江中游重要的吞吐型湖泊。湖区位于荆江南岸，湖南省的北部，跨湘、鄂两省，流域面积约 26 万 km^2。一般情况下，湖面面积约 2 740 km^2，蓄水量 178 亿 m^3。

洞庭湖区河网密布，水系复杂，东、南、西三面有湘江、资水、沅江、澧水等汇入；北有松滋、太平、藕池、调弦（1958 年堵口）四口接纳长江来水，形成不对称的向心水系。洞庭湖素有“长江之肾”之称，它对入湖水流进行调蓄后，再由岳阳城陵矶注入长江，进而调理长江和湘、资、沅、澧四水的正常运行。

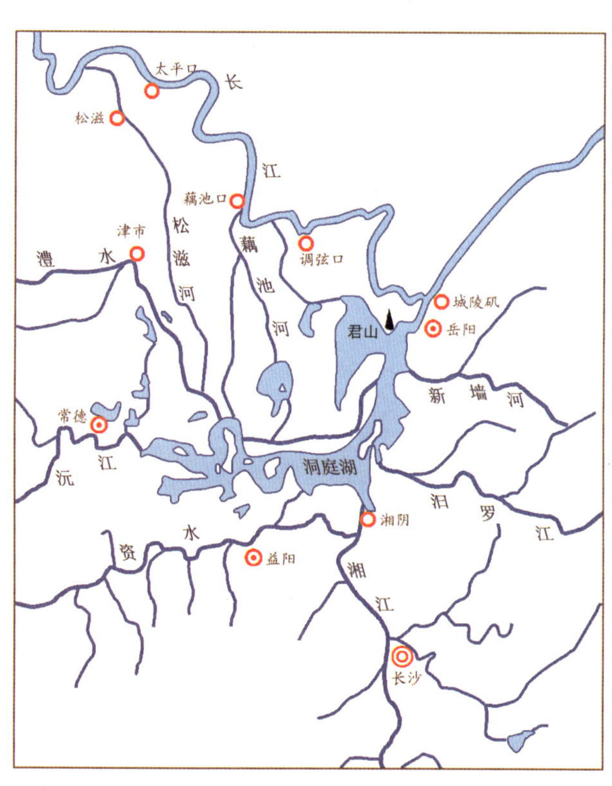

洞庭湖水系示意图

洞庭湖是燕山运动断陷所形成的外围高、中部低平的碟形盆地。盆缘有桃花山、太阳山、太浮山等 500 m 左右的岛状山地突起，环湖丘陵一般在海拔 250 m 以下，滨湖岗地由低于 120 m 的侵蚀阶地及低于 60 m 的基座和堆积阶地组成；中部由湖积、河湖冲积、河口三角洲和外湖组成的堆积平原，大多在 25～45 m，呈现水网平

原景观。分为西、南、东洞庭湖。

洞庭湖区多年平均年降水量 1 100～1 400 mm，由外围山丘向内部平原逐渐减少。洞庭湖水量充沛，年径流变幅大，年内径流分配不均，汛期长而洪涝频繁，素有“洪水一大片，枯水几条线”，“霜落洞庭干”之说。

据记载推测，唐宋时期洞庭湖面总面积达 17 900 km^2，有“洞庭天下水”之誉。但是，始于唐宋的围湖造田使洞庭湖逐渐萎缩，到明清时期，湖面已缩减至 6 270 km^2；至 1932 年，“浩浩汤汤，横无际涯”的洞庭湖只剩下 4 700 km^2；1995 年，洞庭湖面积仅剩 2 632 km^2，大大降低了湖泊的调蓄能力，垸内洪涝灾害严重。1998 年的特大洪水，使洞庭湖调蓄能力不足的问题显露出来。湖南省随即开始了大面积的退田还湖工程，现已使洞庭湖面积扩大了 500 km^2，今后还将进一步把洞庭湖的水面恢复到新中国成立时的 4 350 km^2。

经过 20 世纪 50～70 年代大规模开展的以治水为中心的农田基本建设，洞庭湖区已成为我国重要的商品粮基地和淡水渔区之一。近年来正在建立洞庭湖湿地自然保护区，以监测及保护湿地的生态环境，使洞庭湖作为维系生物物种等的生态功能得到完善。此外，湖区有通航河道 147 条，通航里程达 3 276 km。

洞庭湖地区的名胜古迹众多，如岳阳楼、君山、杜甫墓等。其中，天下名楼之一的岳阳楼自三国东吴的鲁肃筑台阅兵以来，迄今已有 1 700 多年的历史。

在我国著名湖泊中，有关洞庭湖的名言名句可能是最多的。例如，“洞庭西望楚江分，水尽南天不见云。日落长沙秋色远，不知何处吊湘君。”出自李白的《陪族叔刑部侍郎晔及中书贾舍人至游洞庭》。在韩愈的《岳阳楼别窦司直》中，有“洞庭九州间。厥大谁与让？南汇群崖水，北注何奔放”的描绘。而“气蒸云梦泽，波撼岳阳城”的诗句，则出自孟浩然诗《临洞庭湖赠张丞相》，也脍炙人口。范仲淹的《岳阳楼记》更是无人不知，其中的“巴陵胜状，在洞庭一湖。衔远山，吞长江，浩浩汤汤，横无际涯；……至若春和景明，波澜不惊，上下天光，一碧万顷”，将洞庭湖的壮丽景色生动地呈现在人们面前。

36. 太湖

——典雅灵秀，包孕吴越

太湖古称震泽，又名五湖，为我国第三大淡水湖，水域面积约为 2 292 km^2，在水位 2.99 m 时的库容为 44.23 亿 m^3，是平原水网区的大型浅水湖泊，平均深度约 1.89 m。太湖流域总面积约 36 500 km^2，其中，山区丘陵面积占 16%，河湖水面占 16%，平原占 68%。太湖流域在行政区划上分属江苏、浙江、上海、安徽三省一市。此流域的地势特点是：西南高、东北低，四周略高、中间略低，形似碟子。

太湖周围分布着淀泖湖群、阳澄湖群、洮滆湖群等，恰似众星拱月一般。而纵横交织的江、河、溪、渎，将太湖及其周围的大小湖荡串连起来，形成了极富特色的江南水乡。

太湖西南部上游来水，主要有来自浙江天目山脉的东、西苕溪和来自苏皖界山和茅山山脉的荆溪等。东、西苕溪在湖州汇合后，主流由长兜港、小梅口注入太湖，其余分散由吴兴、长兴“七十二港”入太湖，另有一部分通过塘水路直接东泄。荆溪正流由宜兴大浦口注入太湖，洮湖、湖州地区来水则由宜兴百渎流入太湖，另有一部分经京杭大运河直接东泄。出湖主要经浏河、吴淞江、黄浦江等注入长江。

太湖流域的开发治理已有几千年的历史。通过大量水利工程的修建与不断完善，形成了集吞、吐、蓄、排等功能于一体，可以兼收灌溉、排水、通航和水产之利的湖泊河网系统，使得太湖流域较早地成为我国经济发达、物产丰饶的地区之一。

太湖流域河网调蓄容量大，水位比较稳定，利于灌溉和航运，一般年份灌溉水源都可满足，遇特殊干旱年份需从长江引水。现已在通江河口陆续增建翻水站，引江入湖。太湖对城乡供水有重要作用，沿湖无锡、苏州等城市可直接取用，而且黄浦江以太湖为源，清水长流，对冲淤、冲污、冲咸和上海城市用水有着重要意义。另一方面，随着太湖流域经济的快速发展，大量废污水排放入湖，恶化了太湖水质。2007 年更是出现了蓝藻爆发问题，引起

了全社会的广泛关注。因此，加大太湖水污染防治的力度，已是刻不容缓。

太湖以优美的湖光山色和灿烂的人文景观闻名中外，是我国著名的风景名胜区。碧波万顷的水面，加上周围群山和湖中小岛，融典雅、灵秀于一体，使人心旷神怡。

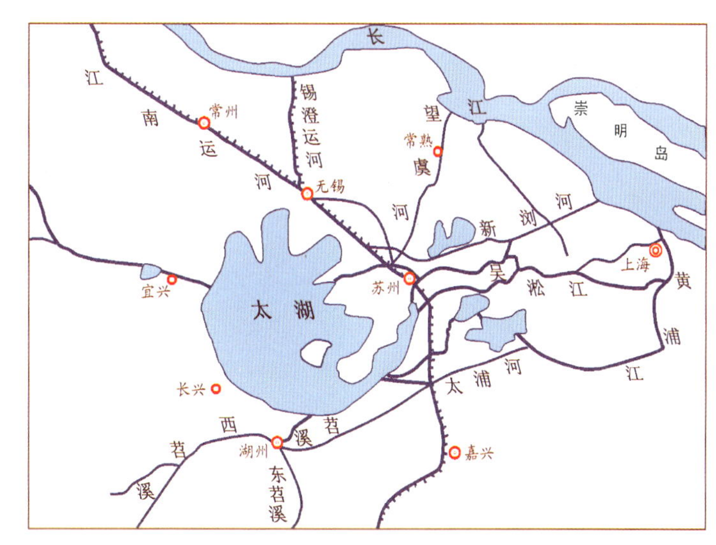

太湖水系示意图

太湖流域为吴越文化发源地，区内有阖闾城遗址，无锡蠡园、鼋头渚，苏州东、西洞庭山等文化遗迹。吴、越二国在《春秋》、《左传》、《国语》等史书中都有记载。考证发现，西周时期，苏州、无锡一带属越文化，不同于商周文化，而南京、屯溪等地却是周文化与土著文化结合的吴文化，当地的土著应属淮夷的一支。吴、越文化的疆域泾渭分明。到了春秋时期，越文化曾对吴文化进行强势渗透和同化，而吴国也进入太湖地区，于春秋晚期占有姑苏并以此定都。吴与越彼此争战不休，带来卧薪尝胆的传说：吴兵入侵，会稽沦陷。越王勾践及大夫范蠡等被虏为人质，他们忍辱负重，骗取吴王夫差信任获得释放。后用美人计，献西施给吴王，致其不理朝政，越最终攻吴取胜。灭吴之后，范蠡携西施隐居，曾泛舟西湖。李白的《西施》诗曰：“一破夫差国，千秋竟不还”即指此事。

37. 洪泽湖

——洪福齐天，恩泽浩荡

洪泽湖是我国第四大淡水湖，古称破釜塘，位于淮河中游，江苏省中西部。水面面积约 2 000 km^2，平均水深 1.5 m，水深一般在 4 m 以内，是一个发育在冲积平原的洼地上的浅水型湖泊。隋大业十二年(616 年)，隋炀帝杨广乘龙舟下江南时，一路干旱，因行舟困难而不悦，到破釜塘时喜逢大雨，水涨船高，舟行顺畅，自认洪福齐天，恩泽浩荡，一时兴起，将破釜塘改名为洪泽浦。唐朝后改称洪泽湖。

洪泽湖原是古淮河中下游右岸的一些湖泊洼地，秦汉时期，被称为“富陵”诸湖。宋建炎二年(1128 年)，黄河入泗夺淮，造成淮河尾闾淤塞。明永乐年间(1403—1422 年)，为实行“蓄清刷黄济运”，开始筑堤蓄水连通各湖泊洼地，初为土堤，万历年间改为石堤。一些堤段建有滚水坝泄洪。经明清两代不断修建，屡遭冲毁，屡毁屡建，形成长堤。清咸丰元年(1851 年)，三河口礼坝启放时被洪水冲垮，从此淮河来水经洪泽湖由礼坝缺口入江，形成一个夏满冬涸的过水性湖泊。1950 年起先后建成了三河闸、二河闸、高良涧进水闸等工程，形成水库。

洪泽湖在汛期防洪限制水位 12.5 m 时，容积约为 31 亿 m^3，兴利水位 13 m 时，库容 42 亿 m^3，校核洪水位 17 m 时，相应库容 135 亿 m^3。

入湖河流集中在湖的西部，有淮河、濉河、汴河和安河等，以淮河来水最大，占入湖总水量的 70%以上。出湖通道有三条：一是由三河经高宝湖注入长江；二是出高良涧闸，经苏北灌溉总渠入海；三是出二河闸，经淮沭河入海。洪泽湖为一“悬湖”，湖底高出东部苏北平原 4～8 m，全凭南北 67 km 多长的大堤屏障保护。

洪泽湖大堤宛如一座水上长城，彰显着洪泽湖独特的治水文化。东汉时曾建土堤 30 里，始称“高家堰”。石堤从明万历年间始建，经历明、清两个朝代共 171 年，才筑成最后的规模。在堤线上建有“仁、义、礼、智、信”五个滚水坝以泄洪水。据史料记载，大堤多次溃决，在 1575—1855 年的 280 年间，

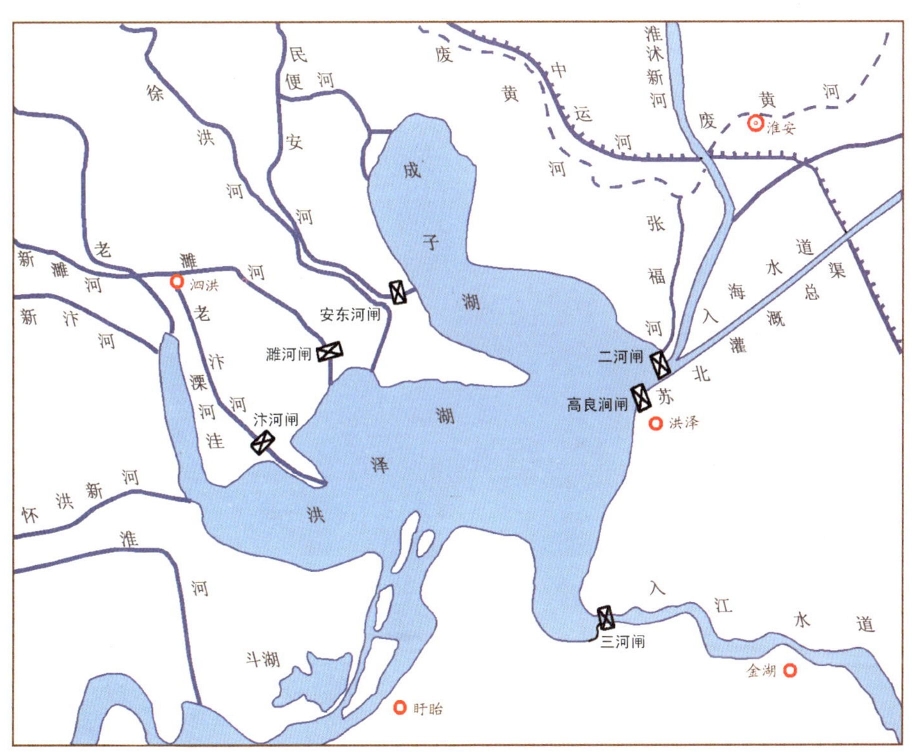

洪泽湖水系示意图

就决口140余次。有诗形容洪泽湖水直抵黄河南堤的水患之恶："河淮莽交注，悍急争东奔"，"秋水每时至，一望无平原"，"流离不复返，赋役日以繁"。康熙年间，洪泽湖大堤建成时，曾铸九牛二虎一鸡用以镇水，分置在洪泽湖大堤各险工要段。如今铁牛仅存五头，牛身铭文曰："惟金克木蛟龙藏，惟土制水龟蛇降，铸犀作镇奠淮扬，永除错垫报吾皇。"康熙、乾隆皇帝均多次亲临查看水情，康熙帝曾作"红灯十里帆樯满，风送前舟奏乐声"，写出了一时治住水患、歌舞升平的景象。乾隆帝亦作"石闸万年固，清江千里通。神尧复神禹，矢笔载鸿功"。比康熙帝为尧，自己为禹，对祖孙二帝治水功绩进行自我颂扬，但水患终未根除。新中国成立后，在毛泽东"一定要把淮河修好"的号召下，经过几十年的建设，如今洪泽湖大堤已基本建成为"固若金汤"的"水上长城"。

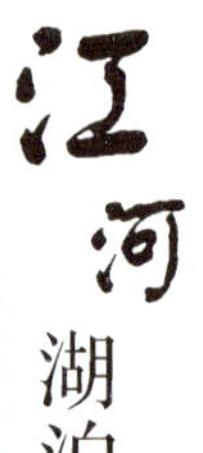

38. 巢湖

——何曾蓄笔砚，景物自成诗

巢湖，又称焦湖，为我国五大淡水湖之一。位于安徽省中部，沿岸为合肥市、巢湖市、庐江县所包围。东西长约 55 km，南北宽约 21 km，水域面积约 750 km^2，流域面积约 9 130 km^2，湖泊蓄水量为 18 亿 m^3。

巢湖的形成，主要是受海西期淮阳运动的影响，地层发生强烈褶皱，使巢湖四周隆起形成山地，中间沉降陷为湖泊。成湖以后，由于接受了周围洪水带来的大量泥沙淤积，湖面变小，湖水变浅，成为一个浅水型湖泊。平均水深 2～3 m，最深 5 m。

入湖河流以杭埠河、丰乐河、南淝河为主流。这些河流源于山丘区，集水面积较大，约占整个巢湖流域面积的 70%。河道具有流程短，比降陡，汇

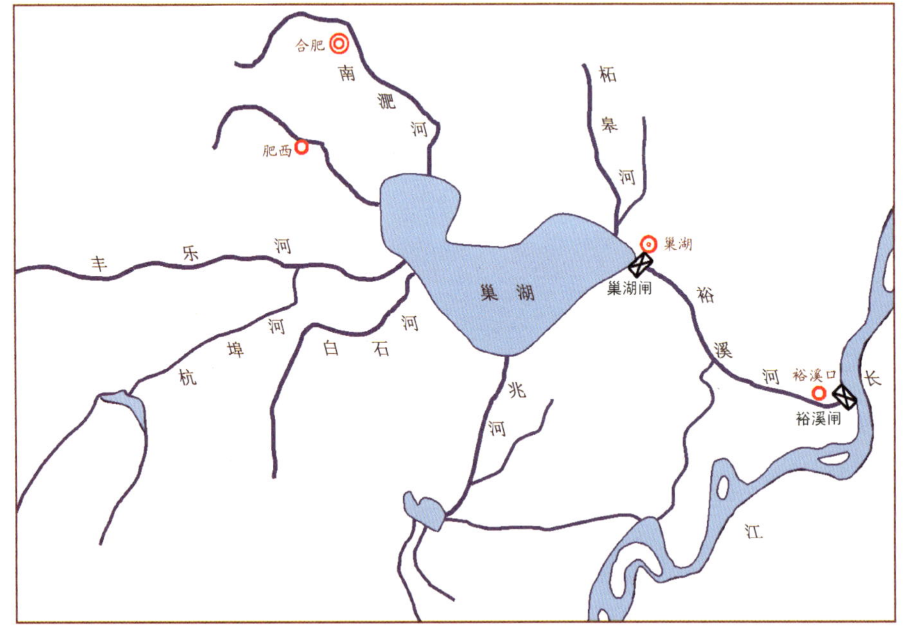

巢湖水系示意图

流快等特点。来水穿过湖周圩区进入巢湖，经调蓄后，出巢湖闸经裕溪河注入长江。汛期若长江水位过高，裕溪河受顶托倒灌时，裕溪闸、巢湖闸将关闭，拒江倒灌。

巢湖多年平均水位为 8.02 m(巢湖闸水位站，黄海基面)，多年平均径流量约 30 亿 m^3。巢湖湖水比较浑浊，透明度较低。湖泊多年平均水温为 16.1℃，一般年份的冬季，均有岸冰出现，严寒的冬季，也会出现全湖封冻的现象。

1960 年建成了巢湖闸，1967 年建成裕溪闸(包括节制闸、船闸和鱼道等)，保护巢湖流域 14.67 万 hm^2 低圩农田免受长江洪水的威胁。巢湖四周诸河来水，仰赖巢湖容蓄，防洪压力很大，为了缓解巢湖及裕溪河的防洪问题，1986 年冬开始进行牛屯河分洪道建设，分洪流量 460～615 m^3/s。随着周边的发展，枯季湖水入不敷出，1978 年建成引江灌巢工程，枯水季节倒灌入湖。

沿湖周围名胜古迹很多，如姥山、中庙、四顶山、半汤温泉、王乔洞、银屏仙人洞、银山猿人遗址、神墩文化遗址、楚歌岭等。姥山是巢湖中最大的湖心岛，不仅风景秀美，而且留下许多文人墨客脍炙人口的佳句。北宋宰相、《资治通鉴》的编纂者司马光登姥山诗云："湖岛映微寒，荷菱连水天。"写出了入秋天高气爽、杨柳青蒲、果实累累的景色。山上的文峰塔，初建于明崇祯年间，因战乱而辍工，清光绪四年(1878 年)，李鸿章倡捐，委江苏补用道吴毓芬续建三层才完工。李鸿章题"文光射斗"四字，并作《姥山塔碑记》一文刻之于石。塔内还藏有两广总督李瀚章题写的"举头近日"，台湾首任巡抚刘铭传题写的"中流一柱"等匾额。人立塔上，只觉风声呼啸，铜铃叮当，如立云端。倚窗远望，但见烟波浩淼，渔帆点点，姑、鞋二礁如在雾中。塔刹上镶嵌有李鸿章全像。李鸿章发迹前，曾在其恩师曾国藩的指点下，集结淮军在湖上操练，并留下了一首气势磅礴的七言绝句："巢湖好比砚中波，手把孤山当墨磨。姥山塔如羊毫笔，够写青天八行书。"宋代著名爱国诗人陆游曾对巢湖山水叹到："何曾蓄笔砚，景物自成诗。"这山水之胜，林壑之美，令人流连忘返。

39. 滇池

——云贵高原明珠

滇池位于昆明市西南的西山脚下，是著名的度假观光和避暑胜地。滇池古名滇南泽，又名昆明湖，距昆明市约 20 km。湖面呈南北向分布，湖体略呈弓形，形似弦月，南北长 39 km，东西宽 13.5 km，平均宽度约 8 km。湖岸线长约 200 km；湖面面积约 300 km^2，居云南省首位，湖水最大深度约 8 m，平均深度约 5 m，蓄水量约 15.7 亿 m^3，是中国第六大内陆淡水湖。

滇池的形成受第三纪地壳运动的影响，属于高原石灰岩断层陷落湖，海拔 1 886 m，被誉为“高原明珠”。东北部有一天然沙堤，长4 km，将滇池分为南北两部分，称为外湖和内湖。湖底有很厚的淤泥，属富营型湖泊，近百年来已处于“老年型”湖泊状况。滇池周围有大小数十个山峰，山环水抱，天光云影，构成一幅美丽的天然画卷。

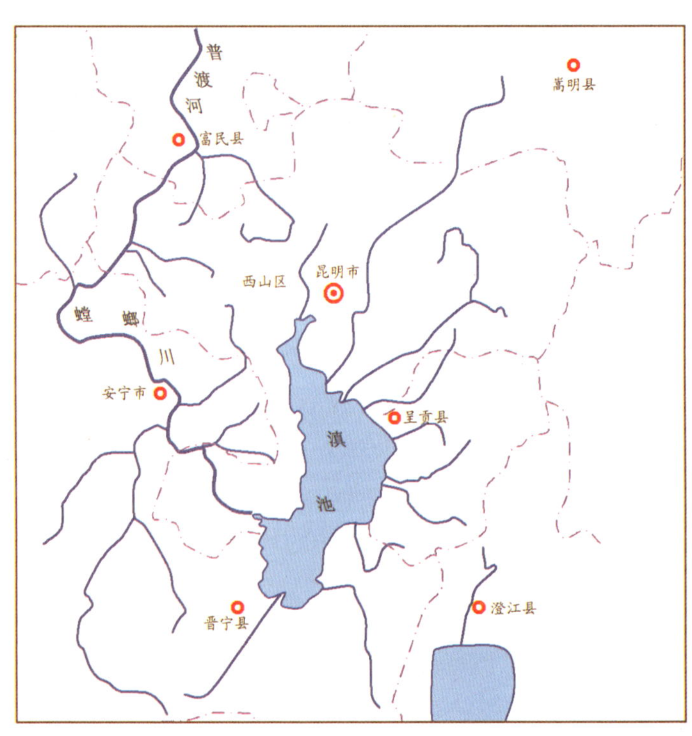

滇池水系示意图

滇池东南北三面有盘龙江等 20 余条河流汇入，上游河流主要有盘龙江、宝象河、新河、运粮河、马料河、大青河、洛龙河、捞鱼河、梁王河等。湖水由西面螳螂川流出，经普渡河而入金沙江。

滇池名称的由来，

最常见的说法是晋人常璩《华阳国志·南中志》中说:“滇池县,郡治,故滇国也;有泽,水周围二百里,所出深广,下流浅狭,如倒流,故曰滇池。”第二种说法是寻音考义,认为“滇颠也,言最高之顶”,或彝族“甸”即大坝子。第三种说法认为来源于民族称谓,《史记·西南夷列传》记载:“滇”是最大的原住民部落名称,楚将庄跻进滇后,变服随俗称滇王,故有滇池名。

关于古代云南滇池的水利活动,据记载,西汉末年文齐任益州太守,发动当地群众在滇池一带“造起陂池,开通溉灌,垦田二千余顷”;元代赛典赤·赡思丁和张立道修松花坝、南坝闸,疏浚海口,成就显著;明代改建可启闭的石闸等;清代雍正年间云贵总督鄂尔泰及水利道副使黄士杰进行很多疏浚、修堤、建闸工程,著有《云南省城六河图说》。明、清几代人还开通横山隧洞(现名长山沟隧洞)进行灌溉引水。清代乾隆年间云南总督张允对滇池水利的特点有生动的记载:“滇省水利与别省不同,非有长川巨浸可以分疏引注,其水多由山出,势若建瓴;水高田低,自上而下。此则宜疏浚沟渠,使之盘旋曲折。再加木枧、石槽引令飞渡。间有田高水低之处,则宜车戽,至于近海临河低洼之处,则当疏通水口,以资宣泄。”这些都说明云南滇池数百年前已能灌溉良田万顷,水利作用明显,难怪有“高原江南”之美誉。

目前,滇池最为社会所关注的是污染和环境生态遭破坏的问题。滇池处在城市下游,是昆明市各种废水的惟一接纳场所;周边没有江河,不像太湖可以引长江水、西湖可引钱塘江水来治理。滇池水质污染自 20 多年前开始,尤其是 20 世纪 90 年代后,富营养化日趋严重,蓝藻大量滋生,水质为劣五类。国家和云南省相继投入大量经费对滇池进行污染治理,虽缓解了生态环境的恶化,但是要想获得根治还任重而道远。

40. 洱海

——湖形如耳，浪大如海

洱海，在古代文献中曾被称为“叶榆泽”、“昆弥川”、“西洱河”、“西二河”等。洱海位于大理市区北，属澜沧江水系，西傍云南省西部的点苍山东麓，以湖形如耳、浪大如海而得名。南北长 41.5 km，东西宽 3～9 km，面积 251 km^2。汇水面积 2 565 km^2，湖水从西洱河流出，与漾濞江汇合注入澜沧江。洱海湖光山色，交相辉映，属国家重点风景名胜区。

洱海为高原构造断陷湖，平均水深 10.5 m，最深处达 20.5 m，水面高程 1 972 m。北起洱源县江尾乡，南止于大理市下关镇，形如一弯新月，是一个风光明媚的高原淡水湖泊。面积虽比滇池小，但它的蓄水量却比滇池大，相当于滇池的两倍，平均容水量为 28.2 亿 m^3。

洱海地区气候温和，年平均气温 15.7℃，最高气温为 34℃，最低气温为 －2.3℃，湖水不结冰。年平均降水量 1 000～1 200 mm。湖面除接受大气降水外，主要靠河流补给。北有弥苴河和弥茨河注入，东南汇波罗江，西纳苍山十八溪水，水源丰富。

洱海是白族祖先最主要的发祥地。考古发现，在洱海及其周围的山坡台地上发现众多新石器时代、青铜器时代遗址，如著名的海东金梭岛、双廊玉几岛等新石器遗址；出土大量生产生活用的石器、陶器、青铜器、山字形格剑、铜柄铁刃剑等，可推断古代白族先民冶炼铸造青铜器直至铁器。白族作为共同体是在大理国时期形成的，在秦汉至宋代主要分布于云南腹地平坝地区，是在不同历史时期称为“滇”、“滇僰”、“叟”、“爨”、“白蛮”等名称的族体同化了外来汉族而形成的民族共同体。

洱海西岸约 2 km 是大理县城。大理始建于公元 764 年，是一座历史悠久的古城。唐代南诏国和宋代大理国政权均建都城于此。公元 937 年，大理白人段思平以“宽徭役”为号召，联合滇东 37 部蛮举行起义，建立了号称“大理国”的封建领主制政权。“大理”政权实行了“更易制度，捐除苛令”的改革措施，推动了洱海地区社会经济的发展。大理国王不断向宋王朝称臣纳贡

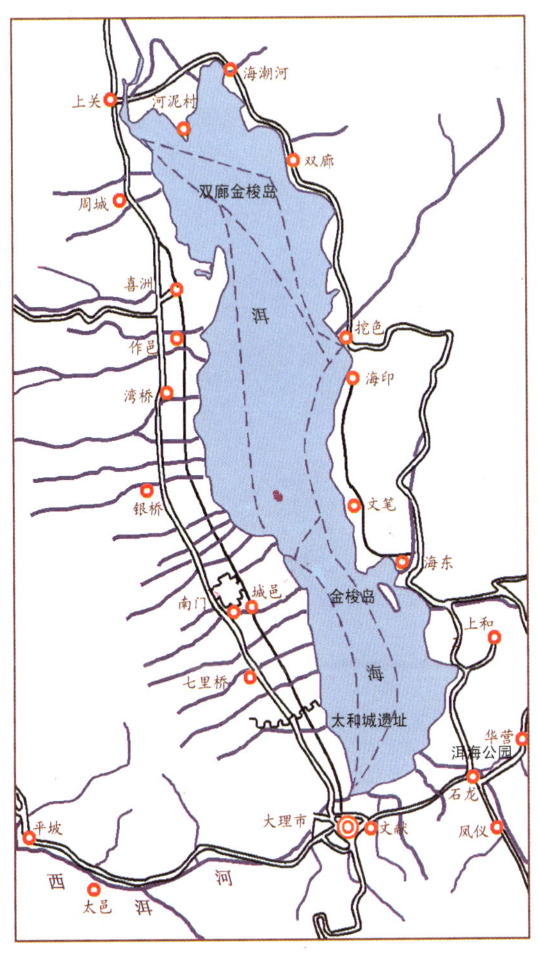

洱海水系示意图

和要求互市，宋王朝曾册封白王为“云南八国都王”等封号，加强了云南与内地的经济文化交流。“大理”政权存在300多年，为白族以洱海地区为中心形成内部统一创造了条件。

白族自称“白子”，其首领称“白王”，其史书称为“白史”。白族人使用白语并通晓汉语。自唐代开始，白族曾经使用过以汉字为基础的方块白文，以记录白语。由于汉族和白族的交往，白族人长期学习汉族文化，所以白语里含有大量汉语词汇，汉文很早就成为白族通行的文字。全国人民对白族的了解恐怕要归功于20世纪50年代一部著名电影《五朵金花》的放映。

洱海西有点苍山（又名苍山、灵鹫山），东有玉案山，湖光山色十分秀美，有“水光万顷开天镜，山色四时环翠屏”之誉。南诏清平官杨奇鲲的一首诗作中描写它“风里浪花吹又白，雨中岚影洗还清”；明代诗人冯时可在《滇西记略》中说，洱海之奇在于“日月与星，比别处倍大而更明”。这说明洱海历史上水质特别纯净，空气极为清新，使得水天相映，月光更加明亮。

41. 洪湖

——江湖连接五百里，柳拂湖堤千万家

洪湖是湖北省最大的淡水湖，位于风景优美的江汉平原，跨洪湖市与监利县。东南面是奔腾不息的长江，距长江约 4 km。湖面面积约 344 km^2，湖岸平直，湖底平坦；平均水深约 1.9 m，最大水深约 2.2 m；长约 23 km，最大宽约 21 km，平均宽约 15 km。

洪湖系古云梦泽分化解体后的残留湖之一。雏形始于公元前 2500～前 900 年，东湖与西湖彼此分离，公元前 400 年湖面迅速扩大，东西湖连成一片，以后曾干涸变成沼泽。19 世纪后，湖面再次扩大，形成如今的洪湖。20 世纪 50 年代，洪湖面积曾达 760 km^2。由于不断围湖造田，大部分中小湖泊如大同湖、大沙湖已经消失，因而湖泊面积锐减。

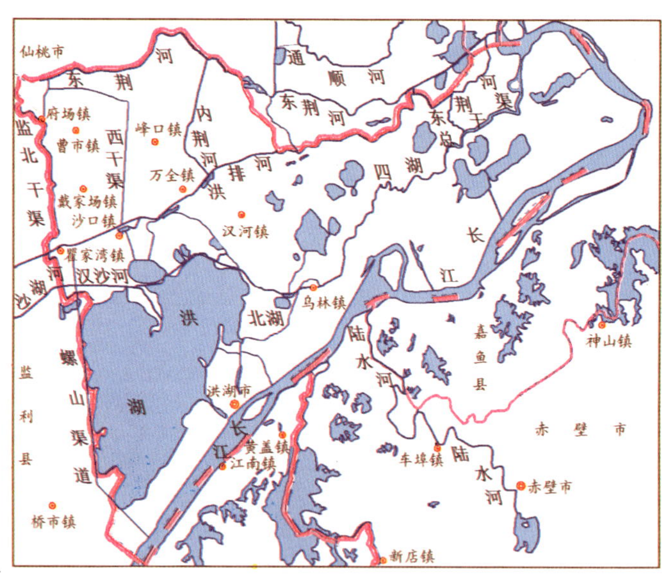

洪湖水系示意图

洪湖位于北亚热带湿润季风气候区，历史上从洪湖以下沿长江（此段又称内荆江）两岸，大小湖泊星罗棋布，汛期江湖相通，洪水茫茫一片。洪湖的治理重点为洪涝灾害，主要通过培修江河堤防，合堤并垸，提水灌排等措施，保障本地区和武汉三镇的防洪安全。

洪湖是一个以调蓄为主，兼具灌溉、渔业、航运、供水等多功能的湖泊，

蓄水容量约 6.58 亿 m^3。湖水呈淡绿色，大部分湖面碧波荡漾，清澈见底，是鱼类、莲子等水产品高产区，也是野鸭飞雁等候鸟栖息、觅食、过冬的理想场所，具有水面辽阔、水草茂盛、鱼虾丰富的特点。

过去不断围垦、过度捕捞导致水面缩小、水质下降、水草濒临枯竭、鸟类和鱼类资源急剧减少。近年来建立了湿地自然保护区，发展生态农业。从2006 年起，每年定期实行封湖禁渔，以保护生态。目前，洪湖的开阔水域水质明显好转，部分水域水质已由治理前的Ⅲ—Ⅳ类上升到Ⅱ—Ⅲ类，水草覆盖率恢复到 80％左右，到洪湖越冬的鸟类种群数量由治理前的 2 万多只增加到 30 多万只，成为中国湿地保护的一个亮点，被世界环境基金会世界生命湖泊大会授予“生命湖泊最佳保护实践奖”。

洪湖的自然人文美景，引得历代文人赞誉有加。“水落鱼可拾，船进鱼飞旋。”是南宋诗人范成大过马骨湖（约今洪湖）时发出的赞叹。宋代诗人陆游过此地时，称赞道：“牛声不断农夫出，捕鱼船只起樯干。”大诗人苏轼也曾留下对洪湖的赞美诗：“玉沙三月飞桃花，牌楼店铺斗繁华。江湖连接五百里，柳拂湖堤千万家。”

歌剧电影《洪湖赤卫队》自上映后，一直深受人们的喜爱，那革命英雄人物形象、壮观的洪湖荷花荡美景，伴随着悠扬的歌曲《洪湖水，浪打浪》：“洪湖水呀，浪呀么浪打浪啊，洪湖岸边是呀么是家乡”，成了一代人心中永恒的记忆。歌剧音乐主要来自于湖北天门、沔阳（洪湖原属该县）、潜江一带的民间音乐。在土地革命战争时期，洪湖苏区是湘、鄂革命根据地和中国工农红军红二方面军的诞生地。

42. 西湖

——浓妆淡抹总相宜

西湖位于杭州市中心，唐代以前曾称武林水、明圣湖、钱塘湖、西子湖等。因其位于古杭州城之西，自唐代起通称西湖。西湖三面环山，一面濒市。湖体轮廓近似椭圆形，湖面南北长 3.3 km，东西宽 2.8 km，湖水面积 5.68 km^2，绕湖一周约 15 km。平均水深 1.55 m，蓄水量在 850～870 万 m^3 之间。

西湖曾是与钱塘江相通的浅海湾，由于长期的泥沙淤塞而演变成泻湖，再承受山泉和溪流的补给，最终形成今日举世闻名的旅游胜地。湖面被孤山及苏堤、白堤两条人工堤分割为 5 个子湖区，即外湖、北里湖、岳湖、西里湖、南湖五个部分。子湖区间由桥孔连通，各部分的湖水不能充分掺混，造成各湖区水质差异。西湖底质有机质含量较高。

大部分径流补给先进入西侧 3 个子湖区，再进入外西湖；入湖河流大部分是短小的溪涧，主要补水河流为金沙涧、龙泓涧和长桥溪。西湖与钱塘江沟通后，每天引入钱塘江水约 30 万 m^3，西湖水由原来的一年一换变成每月一换，透明度由原来的不足 60 cm 提升到 120 cm。

自唐至清，都比较重视对西湖的疏浚和整治，这也是西湖能成为著名风景湖泊的重要原因。历代比较大的疏浚和整治共有 20 多次。唐代杭州刺史李泌，始导西湖，凿六井，解决因濒海生活用水咸苦的问题。后杭州刺史白居易复浚并筑堤，蓄水灌溉农田千顷，堤成后撰《钱塘湖石记》一文，刻石立碑于湖边。宋代时，西湖葑积为田，漕河行舟不通，六井近于废塞，时任杭州知州的苏轼奏请朝廷募民疏浚茆山河、盐桥河，造堰闸，以蓄湖水，通漕运，并修六井，还募民种菱于西湖内，防止葑草再生，并将所售菱款作治湖之用，浚湖挖出的葑泥筑成苏堤以通行人。明代杭州知府杨孟瑛奏请疏浚西湖，工部拨款，疏浚挖出的葑泥，在里湖堆筑长堤（即杨公堤），西湖始复唐宋之旧。清代浙江巡抚阮元疏浚西湖堆筑阮公墩。1985 年建引水工程从钱塘江取水，从根本上防止了水质的恶化。

在以西湖为中心的园林风景区，分布着多处风景名胜、文物古迹。尤以形成于南宋的西湖十景最为著名，分别为苏堤春晓、平湖秋月、断桥残雪、雷峰夕照、南屏晚钟、曲院风荷、花港观鱼、三潭印月、柳浪闻莺、双峰插云。湖中有孤山、小瀛洲、湖心亭、阮公墩四岛。

“水光潋滟晴方好，山色空濛雨亦奇，欲把西湖比西子，浓妆淡抹总相宜”。这首由北宋大文豪苏轼留下的赞美诗，生动地描述了杭州西湖湖光山色相映、如诗如画的美丽景色，成为脍炙人口的千古绝唱。由于诗人将西湖比作西子，从此西湖又有了西子湖之雅称。

西湖不仅擅山水之胜，林壑之美，还有历史上著名的民族英雄岳飞、于谦、张煌言埋骨于此处青山绿水之间，被称为“西湖三杰”。西湖还承载着厚重的历史文化底蕴和精神遗产。发生在西湖边上的爱情故事——梁祝和白蛇传，早已为人们耳熟能详。西湖与灿烂的中国历史文化紧紧联结融合在一起。

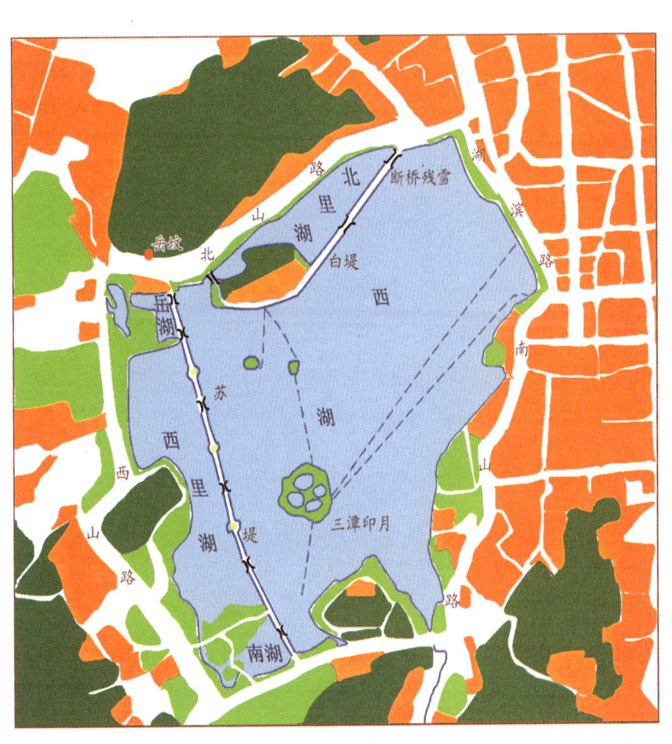

西湖水系示意图

43. 白洋淀

——北地西湖

白洋淀又名西淀，地处河北省中部，它是由白洋淀等140多个大小淀泊组成的淡水湖群的总称。白洋淀是华北地区最大的内陆淡水湖泊，总面积约366 km^2，正常蓄水量约4亿 m^3。

白洋淀是在经过由海而湖、由湖而陆的不断演变后形成的洼地湖，系由古白洋淀淀泊经长期泥沙淤积分化解体后形成的残迹湖，是华北地区少有的内陆淡水湖。上游有潴龙河、孝义河、唐河、府河、漕河、萍河、扬村河、瀑河及白沟引河九条河流，故有“九河下梢”之称。下通津门的水乡泽国，史称西淀。

明弘治(1488—1505年)之前，白洋淀已淤为平地，“地可耕而食，中央为牧马场”，因此也有“雍奴泽”之称。正德十二年(1517年)扬村河决口始成泽国，形成九河入淀之势。以后人们看到淀水“汪洋浩淼，势连天际”，故改称白洋淀。

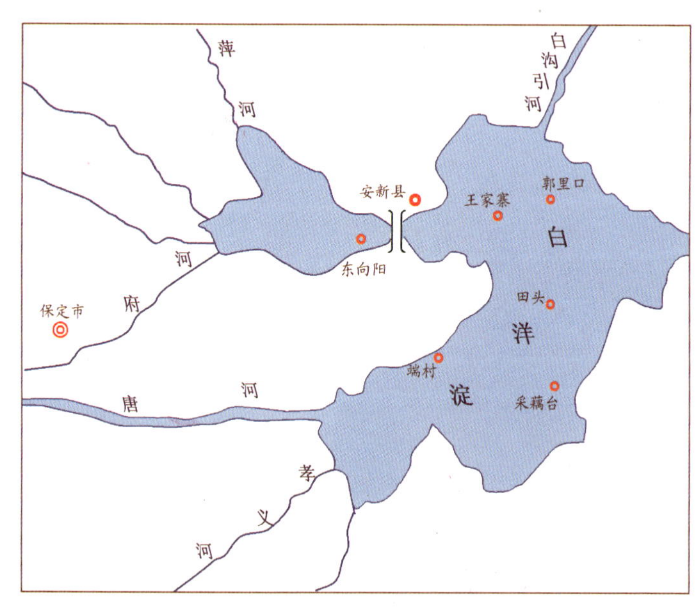

白洋淀水系示意图

淀区三分陆地，七分水面，水面大部分在安新县境内，少部分在雄县境内。淀区包括数十个村落、数千条沟壕、十多万亩芦苇，分

成了100多个大小不同、形状各异的淀泊，其中白洋淀面积最大，是整个淀区的命名淀。淀周有堤堰280多km。白洋淀属暖温带季风气候，年平均气温12℃，年降水量550 mm。白洋淀水面面积随水位涨落而剧烈变化，当水位在海拔5～5.5 m时，全淀干涸；水位升到10 m时，蓄水6亿多m^3，最适宜的水位是7～9 m。

白洋淀物产丰富，盛产鱼虾、菱藕和“安州苇席”。淀中自然形成千亩荷花，每年的农历5～8月份，粉、白两种荷花盛开，香气四溢。淀内叠叠荷塘、莽莽芦荡，渔村星罗棋布，沟壕纵横相连，形成了白洋淀的特色景观。

由于水源不足、水体污染、泥沙淤积、过度开发等原因，20世纪80年代后，白洋淀一度出现干淀，生态功能衰退，淀内生物物种遭到严重破坏。近年来，通过实施“引岳济淀”和“引黄济淀”等措施，引岳城水库和黄河水向白洋淀调水，终于使白洋淀生态功能逐步恢复。

白洋淀自古就有“北地西湖”之称。清代康熙帝、乾隆帝数十次巡幸淀区，兴建行宫，游览围猎。康熙帝曾赋诗一首：“平波数顷似江声，风阻湖边一日程。可笑当年巡幸远，依稀吴越列行营。”乾隆帝诗曰：“万柳踧长堤，江乡景重题。谁知今赵北，大似向杭西。”他们都把白洋淀比作江南或西湖。

当代著名作家孙犁的名篇《荷花淀》，在文学艺术界影响很大，并形成了一个文学流派——“荷花淀派”，荷花淀即白洋淀。而作家徐光耀的《小兵张嘎》，穆青的《雁翎队》，孙厥、袁静的《新儿女英雄传》等文学作品以及所改编成的电影，则热情讴歌了白洋淀人民英勇抗日的不屈精神。

44. 微山湖

——齐鲁明珠

微山湖位于山东省西南部的微山县与江苏交界处。南连历史名城——徐州，北接孔孟之乡——曲阜、邹城，东邻煤城枣庄，西近汉高祖刘邦的故乡——沛县。从北到南排列着四个相互联贯的湖泊：南阳湖、独山湖、昭阳湖和微山湖，总称南四湖。湖区最大面积约 1 266 km^2，占全省淡水水域面积的 45%，是山东省最大的湖泊。南北长 126 km，东西宽 5～25 km，中部最窄处称为湖腰。流域面积达 31 700 km^2。京杭大运河贯穿其中，是我国重要的“黄金水道”。

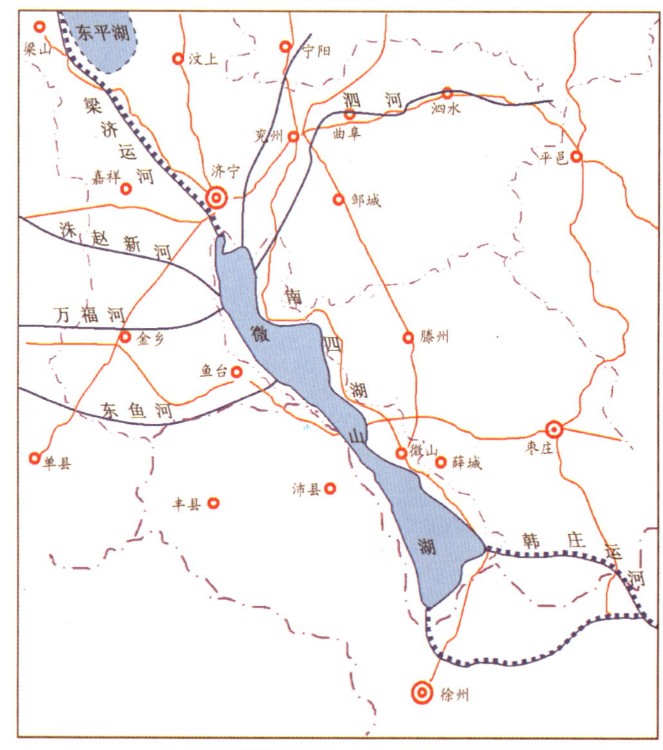

微山湖水系示意图

微山湖的形成首先是因大地的运动、鲁中山区的阻拦，再因黄河夺泗夺淮淤积，逐渐演变成河流堰塞型浅水湖泊。元代以前，微山湖是古泗水流经的一片平原洼地，后经泥沙淤塞逐渐形成河迹洼地湖。再经明代万历年间黄河南泛夺泗、夺淮以及京杭大运河开挖，遂使湖盆呈现北西—南东向延伸，南、北

两端较开阔，中段略狭窄，状如哑铃的现今南四湖形态。

湖区属于暖温带、半湿润季风区大陆性气候，年平均气温13.7℃。年平均降水量湖西约700 mm，湖东750～850 mm，降雨年内分配不均匀，汛期较集中，形成春旱夏涝晚秋又旱的特点。

湖区的水利工程包括湖东中小型水库共二百多座；湖西平原采取洪涝分治、高低水分排的措施，对水系进行较大的调整，开挖了东鱼河、洙赵新河、梁济运河三条防洪排涝骨干河道，治理中型河道十余条；湖畔兴建了湖西大堤；湖腰建成了拦湖大坝，坝上兴建节制闸和船闸，将湖一分为二，坝北为上级湖，面积602 km^2，坝南为下级湖，面积664 km^2。上级湖允许最高水位36.50 m，兴利水位34.20 m；下级湖允许最高水位35.00 m，兴利水位32.50 m。湖出口处兴建了韩庄节制闸枢纽工程；湖内挖深槽。

微山湖景色秀丽，被誉为“齐鲁明珠”。历史上，文人墨客留下许多吟诵微山湖的诗篇。清高宗乾隆皇帝在路经微山湖时，曾赋七绝一首《韩庄观湖》：“韩庄水气照楼台，雨后斜阳岸不开，人在长亭深处好，风帆一一眼中来。”清朝诗人赵执信则是这样赞誉微山湖的：“湖上人家无赖秋，门前水长看鱼游。当窗莫晾西风网，时有行人来缆舟。”

微山湖地区是抗日战争时期有名的铁道游击队的根据地。铁道游击队凭借当地特有的地形，以兖州、滕州、枣庄等广阔的城乡为基地，沉重地打击了日寇，保卫了家园，激励了人民的抗日斗志。陈毅元帅曾经写下“横越江淮七百里，微山湖色慰征途。鲁南峰影嵯峨甚，残日扁舟入画图”的著名诗句，描写微山湖区游击队保家卫国的场景。“西边的太阳就要落山了，微山湖上静悄悄……”影片《铁道游击队》中那熟悉的旋律既可使人受到爱国主义教育，又给人以美的享受。

45. 镜泊湖

——中国最大的典型熔岩堰塞湖

镜泊湖是中国最大的典型熔岩堰塞湖，位于黑龙江省牡丹江市西南面。汉称湄沱河，唐代曾称阿卜隆湖、呼尔金海、忽汗海。明始呼镜泊湖，清称为毕尔腾湖。湖区为崇山峻岭，周围有火山群、熔岩台地等。镜泊湖南北长约45 km，东西为狭长形，最宽处达6 km。湖面海拔约350 m，湖水南浅北深，最深处62 m，最浅处只有1 m，水面约90 km^2，蓄水量约16亿 m^3。

镜泊湖底曾是牡丹江上游的古河道。大约1万年以前，这一带历经五次火山喷发，由玄武岩熔岩阻塞河流形成了高山熔岩堰塞湖。

全湖分为北湖、中湖、南湖和上湖四个湖区。由西南至东北走向，蜿蜒曲折，呈S型，湖岸多港湾，湖中大小岛屿星罗棋布。湖床南部多为腐泥，北部多为砂岩。

湖区气候温和、湿润，年平均气温为4.5℃，有利于林木生长。湖区年降水量约600 mm，大部分雨量集中于夏季。入湖河流计30余条，较大者有大夹吉河、松乙河，多为山溪性河流，呈向心状汇入湖中，控制流域面积约12万 km^2。在湖的南部，牡丹江及其入湖支流的河口有扇形三角洲发育，地势低洼，河汊纵横，水草丛生。

湖区环境幽雅恬静，呈现秀丽的湖光山色，山中有湖，湖中有岛。有气势轩昂的大孤山，有精巧别致的“珍珠门”，还有吊水楼瀑布、城墙砬子、老鸹砬子、地下熔岩隧道、“地下森林”、唐代渤海国上京龙泉府的遗址等风景点。

镜泊湖不仅风景宜人，而且蕴藏丰富的资源。镜泊湖是一个天然的大水库，多年平均入湖径流量约为32亿 m^3，水量较为丰富，现已建成两座采用压力隧道引水的发电站，为牡丹江、佳木斯、鸡西和延边等地的经济社会发展提供了重要的能源保障。镜泊湖水电站始建于1937年，1978年进行了扩建。电站平均水头达56 m，总装机容量为9.6万 kW。

镜泊湖水域辽阔，水质适宜，水产资源丰富，出产的银鲫最为名贵，鱼体大，肉嫩而鲜美。湖区的山中特产种类繁多，如山桃、松子、元枣、冬蘑、猴头

镜泊湖水系示意图

蘑、木耳等。药用植物特产有天麻、山参等。此外湖区林木资源十分丰富，黑土层深，腐殖质含量高，树木生长迅速。湖区还是天然野生动物园，珍禽异兽可谓举目可见，并盛产鹿茸、貂皮等名贵产品。

历史上，镜泊湖地区是古满族人生活的地方。满族先民在周朝称肃慎，西汉及晋称挹娄，北魏称勿吉，隋唐称末曷，宋元称女直，明称女真。满族为女真人的一支。清朝初期，抗击沙俄的名将满族人萨布素就出生于镜泊湖所在的宁安县。他任黑龙江将军达 18 年之久，在抵抗沙俄侵略的斗争中建立了赫赫战功，著名战例有“雅克萨之战”。同时，他也为治理黑龙江、建设中国东北边疆作出了贡献。

46. 兴凯湖

——中俄界湖

兴凯湖位于黑龙江省鸡西市东部，为中俄界湖，北部属中国，南部属俄罗斯。水域面积约为 4 380 km^2，东西方向宽 60 km，南北方向长 140 km。中国所属面积为 1 080 km^2。湖水从东北方向外泄，经松阿察河流入乌苏里江。

史书记载，兴凯湖在唐代称为湄沱湖，因湖形如“月琴”，故金代有“北琴海”之称，清代改为兴凯湖。“兴凯”是满语，意为“水从高处往低处流”之意。

兴凯湖系地堑式断陷，积水成湖。环湖多沼泽地及湖岗，西北岸较陡峻。湖面海拔 69 m，最大深度达 10 m，湖岸为细软沙滩，湖水清洁，无污染，湖水透明度 1.5～2.0 m。

兴凯湖由大、小两湖组成，其北面是小兴凯湖，面积约为 403 km^2，又名达巴库湖，是大兴凯湖在退缩过程中，由浪成沙堤封堵而成的一个子湖。小兴凯湖温柔恬静，鱼跃鸟飞，帆影点点。中间的天然沙岗上林木葱茏，十分秀美。沙岗长约 90 km，最宽处约 1 km，有鹿、貂、鼠、山鸡等动物繁衍生存。沙岗上有两座泄洪闸，老闸在西，新闸在东，相距 10 km，用于调节小兴凯湖水位。大兴凯湖总储水量约 240 亿～260 亿 m^3，烟波浩淼，水天一色，横无际涯，气势磅礴，素有“绿宝石”的美誉。

在中国境内注入小兴凯湖的河流有承紫河、小黑河、金银库河、大西河、小西河；注入大兴凯湖的有白泡子河、梨树沟河、红眼哈大泡子。在俄罗斯境内有 8 条河注入大兴凯湖。湖东北角有一条狭窄的水道——松阿察河，先流向东南，后转北注入乌苏里江。

兴凯湖是一座集防洪、蓄水、排涝、灌溉及旅游等多功能于一体的天然水体，也是国家级自然保护区，主要保护对象为湿地生态系统和珍禽。兴凯湖地处东北亚候鸟主要通道上，共有 100 多种鸟类，其中国家一级鸟类 5 种，分别为丹顶鹤、东方白鹳、白尾海雕、金雕、虎头海雕。湖中共有鱼类数十种，是黑龙江省主要水产养殖基地之一。其中最著名的鱼类是大白鱼和白

虾。大白鱼是兴凯湖特产，被列为我国四大淡水名鱼之一。兴凯湖的植物资源共有数百种，兴凯湖赤松、兴安桧柏等属于国家二级保护植物。湖滨平原已辟为兴凯农场，土质肥沃，水渠交织，盛产粮食和经济作物。

兴凯湖畔是肃慎人的故乡，满族祖先的发祥地。兴凯湖畔的“新开流”考古遗迹发现，早在6 100年前就有满族祖先——肃慎人在此过着渔猎生活。他们创造的“新开流文明”与同时期中原黄河流域的“仰韶文明”同属于新石器文明。已经出土的“新开流文明”的文物甚多，且能全面系统地反映古代肃慎人的渔猎劳动、艺术雕刻、宗教信仰、民俗礼仪等多方面的文明，包括人工驯养鱼鹰之骨骼、图腾崇拜物——用鹿角雕刻的鱼、萨满教的象征——陶塑人首像等。肃慎后裔经历代迁徙发展，其中一支“女真”部于公元1115年建立了第一个满族政权——金，形成了满族共同体，最终建立了中国封建社会最后一个朝代——满清王朝，为伟大的中华文明做出了不可磨灭的贡献。

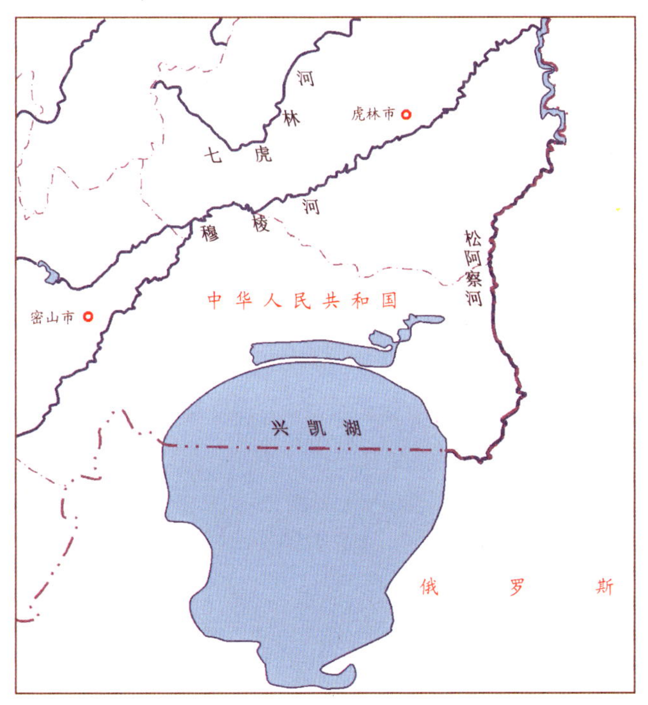

兴凯湖水系示意图

47. 青海湖

——中国第一大内陆湖泊、最大的咸水湖

青海湖，古称“西海”、“鲜水”、“鲜海”、“仙海”、“卑禾羌海”。蒙语称“库库诺尔”，藏语称“错温波”，均意为“青色的海”。青海湖位于青海省东北部的大通山、日月山、青海南山之间，离西宁 100 多 km。湖泊长 109 km，最大宽度 67 km，面积约 4 340 km^2。湖面海拔约 3 194 m，最大水深 27.0 m，平均水深 17.9 m，湖水容积约 739 亿 m^3。它既是中国最大的内陆湖泊，也是国内最大的咸水湖。

青海湖成湖时为构造断陷湖，构造运动切断了其与黄河水系的联系，由外流淡水湖变为内流咸水湖。由于气候趋于干燥，气温升高，导致水位下降，湖面逐渐缩小。据记载，北魏时青海湖的周长号称千里，唐代为八百里，清乾隆时减为七百里，目前为 300 余 km。青海湖可能正在从单一的高原大湖泊分裂为“一大数小”的湖泊群。人类活动的加剧，特别是在青海湖周边盲目开荒，破坏了注水河流的水源，也是青海湖萎缩加快的原因之一。为了保护青海湖，青海省已经实施了封湖育鱼、退耕还林还草等生态建设工程。

青海湖水补给来源是河水，其次是降水和地下水。流域年平均降水量约 300～400 mm。湖水年均补给量为 34.93 亿 m^3，湖区风大蒸发快，湖水平均年蒸发量 39.30 亿 m^3，平均年净损失 4.37 亿 m^3。湖周大小河流有 70 余条，呈明显的不对称分布。西北岸河流多，东南岸河流少。青海湖每年获得径流补给主要是布哈河、沙柳河、乌哈阿兰河和哈尔盖河，这 4 条大河的年径流量达 16.12 亿 m^3，占入湖径流量的 86%。布哈河是流入湖中最大的一条河，年径流量 11.2 亿 m^3，约占入湖径流的 60%，发源于祁连山支脉的阿木尼尼库山。

青海湖四周雪山环绕，辽阔的草原，皑皑的白雪，蔚蓝色的天空，飘动的朵朵白云，风景壮丽。湖中有沙岛、海心山、鸟岛、海西山和三块石五个岛屿，是令人神往的游览胜地。

青海湖鱼类资源十分丰富。盛产的无鳞湟鱼，学名裸鲤，肥大硕长，为

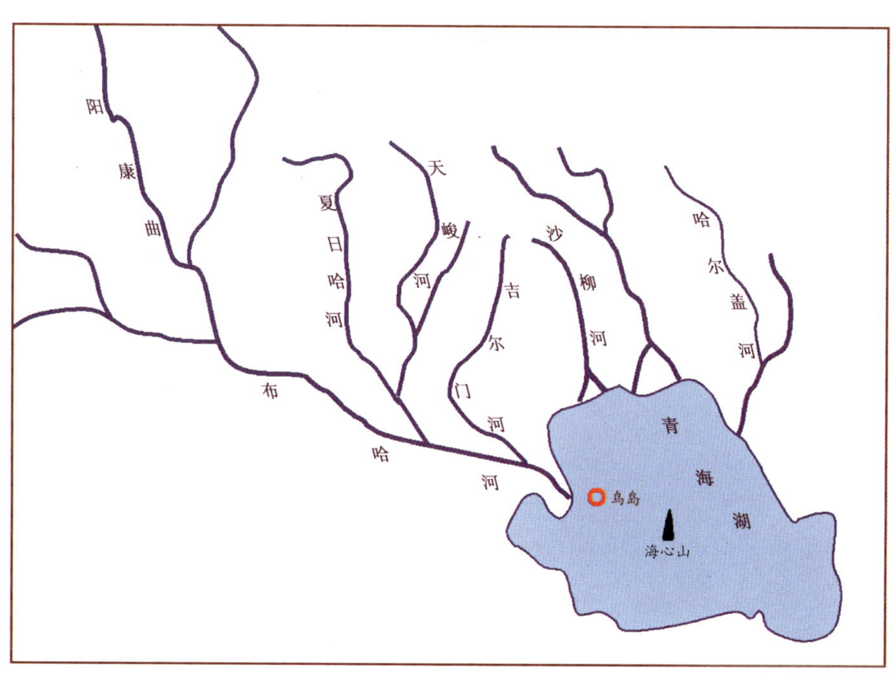

青海湖水系示意图

著名经济鱼种。湖区鸟禽有100多种，是我国高原内陆地区水禽候鸟栖息、繁衍和越冬的重要区域之一。每年4月，来自我国南方云贵一带及印度洋的斑头雁、鱼鸥、棕头鸥和其他数十万只候鸟在湖中岛上筑巢栖息，遮天蔽日，声闻数里之外，实为青海湖一大奇观。每到产卵季节，岛上鸟蛋遍地，故又称为"蛋岛"。青海湖地区素有"鸟类王国"之美誉，作为世界著名的湿地自然保护区，青海湖地区除了有黑颈鹤、大天鹅等列为国家重点保护的野生动物之外，这里还是极度濒危动物——普氏原羚的惟一栖息地。此外，青海湖周边地区还有雪豹、藏野驴、黑颈鹤、玉带海雕等国家一类保护动物。

青海湖畔有着辽阔的天然牧场，是我国各民族聚集的地方，除汉族外，还有羌族、藏族和蒙古族等。早在汉代以前，羌族先祖就在青海湖一带放牧。唐代这里是将士守卫的边塞区域。唐代著名诗人王昌龄曾游边塞，作诗云："青海长云暗雪山，孤城遥望玉门关。黄沙百战穿金甲，不破楼兰终不还。"描写了湖水、白云、雪山所构成的壮丽景观及将士卫国戍边的豪迈之情。

48. 呼伦湖

——呼伦贝尔草原上的明珠，中国北方第一大湖

呼伦湖又称达赉湖。“呼伦”为突厥语，“达赉”为蒙古语，均意为海。北齐称大泽，唐称俱伦泊，元称阔夷海子，清称库木湖。呼伦湖位于内蒙古自治区东北部，是内蒙古第一大湖。湖身呈斜长方形，湖面海拔为 545.33 m，湖长 93.0 km，最大宽度 41.0 km，平均宽度 25.2 km，湖面面积达 2 339.0 km^2。呼伦湖的平均水深约 5.92 m，最大水深约 8.0 m，蓄水量 138.5 亿 m^3。呼伦湖与邻近的贝尔湖两湖名字合在一起，便成了美丽草原的称号——呼伦贝尔。

呼伦湖碧波万顷，像一颗晶莹硕大的明珠镶嵌在呼伦贝尔草原上。随着构造运动和气候的变迁，其范围曾不止一次地扩大与缩小。当湖面缩小时成为完全的内陆洼地或者不连续的小湖泊；当湖面扩大时，它就成为一个吞吐性湖泊。入湖河流有蒙古国流入的克鲁伦河和从南面中蒙边境上贝尔湖流入的乌尔逊河，湖水最终泄入额尔古纳河。

由于呼伦贝尔草原属于北方温带半干旱区，气候寒冷干燥，冬长夏短，多风沙，所以一片茫茫草原中的呼伦湖，每年从 11 月上旬即封冰，至次年 5 月初才解冻，冰层厚可达 1 m 以上，是我国封冻期较长的一个湖泊。

呼伦湖在古生物学史上曾经有过辉煌的记录。古文献记载的珍禽异兽有“駃騠”、“騊余”，湖滨则是其栖息繁衍的天然苑囿。近年来，在扎赉诺尔煤层中，挖掘出大批骨器、石器、陶片及猛犸象、披毛犀、原始牛、东北野牛、转角羚羊等古生物化石。其中，1980 年出土的猛犸象化石十分完整与珍贵。

呼伦湖周边地区是中国北方游牧民族的历史摇篮。据考古研究，出现在中国历史上的大多数游牧民族：鲜卑人、契丹人、女真人、蒙古人都是在这个摇篮里长大的。东汉时，鲜卑与东汉“通驿使”。此时，鲜卑人已经走出森林，生活在海拉尔河、伊敏河、根河、额尔古纳河流域以及达赉湖畔，并发展为强大的部落联盟。岭西逐渐成为乌古烈和塔塔儿人的驻地，岭东成为契丹人的势力范围。成吉思汗先祖蒙兀室韦部在额尔古纳河流域日益成长壮

大起来后，于公元8世纪西迁到斡难河、土拉河、乌尔逊河发源地的肯特山地区，最终统一了北方蒙古高原。统一的、强大的蒙古民族也就在这一历史时期形成。

呼伦贝尔也是萨满文化的起源地之一。萨满文化因“萨满”而得名，“萨满”其涵义为“因兴奋而狂舞的人”。萨满文化产生于原始氏族社会，它最突出的特征是自然崇拜、图腾崇拜和祖先崇拜。萨满文化内容丰富多彩，具有鲜明的民族特色和地域特色，其精华是中华民族传统文化的瑰宝。萨满文化是世界北半球原生态文化之源。

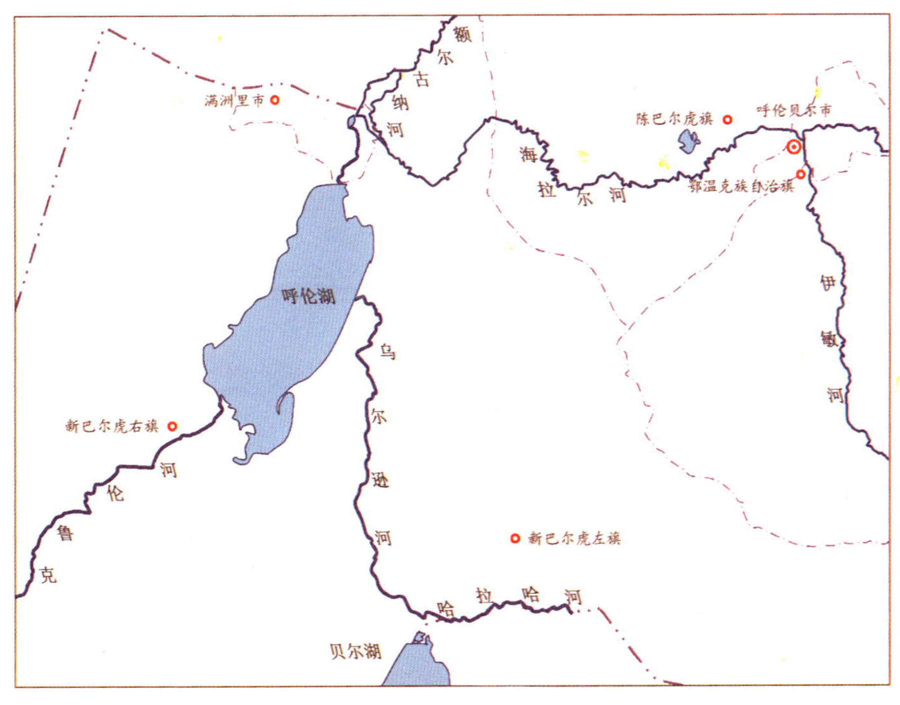

呼伦湖水系示意图

49. 贝尔湖

——呼伦贝尔高原的碱性内陆湖泊

贝尔湖位于呼伦贝尔高原的西南部边缘，属于内蒙古新巴尔虎左旗（也叫西旗），是中国与蒙古的界湖。该湖为淡水湖泊，湖水清澈。湖面形状呈椭圆形，湖长 40 km，宽 20 km，面积约 608.78 km^2。湖面大部分在蒙古人民共和国境内，仅西北部的 40.26 km^2 为我国所有。贝尔是蒙古语“布伊尔”的转音，是“腰子”（肾脏）的意思。

贝尔湖是哈拉哈河的尾闾湖泊，又是乌尔逊河的上游湖泊，主要集纳自东南流来的哈拉哈河水，出湖经乌尔逊河流入呼伦湖。贝尔湖成为两条河的吞吐调节湖泊。

贝尔湖湖水较深，深度一般在 9 m 左右，湖心最深处可达 50 m 以上，蓄

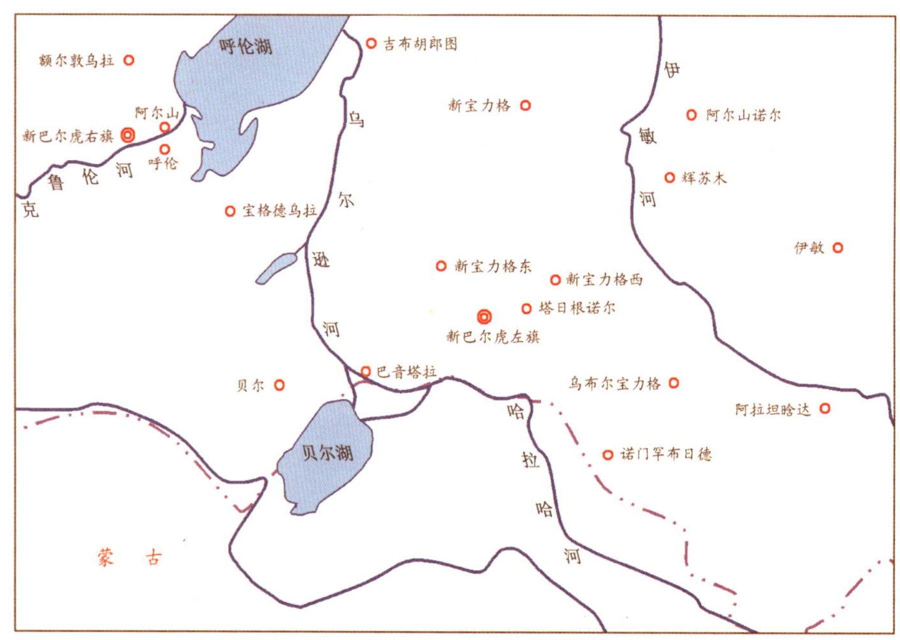

贝尔湖水系示意图

水量约55亿m^3。湖水矿化度为0.28 g/L，pH值为8.2，呈弱碱性。湖底以砂砾石为主，盛产多种鱼类，主要有鲤、鲇、白鱼、红鳍鱼和狗鱼等，是良好的天然渔场，其中鲤鱼以大、肥、香而享有盛名。湖周围为优良牧场。湖中有雁岛，栖息着很多鸟类。

贝尔湖到呼伦湖中间还有一块湿地"乌兰泡"，是著名的鸟类保护基地。乌兰泡又称乌兰诺尔。乌尔逊河分成两支汇成乌兰泡，是乌尔逊河的牛轭湖。水多时乌兰泡的面积可达75 km^2，枯水时成为沼泽。乌兰泡水生植物非常茂盛，生长着大片芦苇塘，饵食丰富，是沉附性鱼类最理想的产卵场所，也是鸟类的乐园。

贝尔湖中的雁岛是鸟类集中栖息的地方，是百鸟的自由王国。褐色白腹的大雁、黄褐色的水鸭、美丽潇洒的丹顶鹤以及海鸥、鸳鸯等都无忧无虑地在这里栖息、飞翔和觅食。白天鹅玉翎雪白，一尘不染，鹅冠似火，神态优雅，婀娜多姿，令人赞叹不已。

贝尔湖东边是一望无际的呼伦贝尔大草原。相传蒙古民族主要发祥于这里。大约唐代末叶的时候，分布在大兴安岭北段有一蒙兀室韦部。蒙兀即蒙古，原属于森林狩猎部落，从额尔古纳河游牧西迁，进入呼伦贝尔草原后，游牧畜牧业很快发展起来。草原丰美的牧草、肥沃的土地和清澈的甘泉养育了蒙古民族。辽、金统治时期，铁木真的祖辈做了蒙古部首领，属于辽、金的部下。蒙古部与其他部落及金朝经常征战不休。1206年，铁木真蒙古部逐步统一了蒙古高原上的各个部落，在东起兴安岭，西至阿尔泰山，南至戈壁沙漠，北达贝加尔湖的广大地区，建立起蒙古族历史上第一个军事奴隶制国家，奉铁木真为大汗，尊号成吉思汗("成吉思"是"强大"的意思)。这一霸业的开创或许与呼伦贝尔大草原基地的优越自然环境不无关系。蒙古灭亡了金、宋后，建立了元朝，在欧亚大陆开创了世界前所未有的扩张霸业和版图。1368年，最后一位元朝皇帝元顺帝放弃大都，带着残部逃到呼伦贝尔——蒙古族最初的发祥地，但朱元璋紧追不放，派兵一直打到贝尔湖边。元朝大帝国终于瓦解，蒙古族人退出了中国皇朝历史的舞台。

50. 岱海

——高原仙湖

岱海是内蒙古高原上的三大内陆湖之一(仅次于呼伦湖、达里诺尔湖),位于内蒙古自治区凉城县境内。湖面海拔 1 224 m,东西长约 20 km,南北宽 10 km,湖面面积约 149.4 km²,湖泊形状好似一个长冬瓜。岱海在历史上文字记载甚详。汉代称"诸闻泽",北魏叫"葫芦海",宋元时代称"鸳鸯泊",清代蒙古人称之为"岱根塔拉",后称岱海沿用至今。

岱海处于内蒙古高原的支脉蛮汉山与马头山之间,是四周环山的地堑型构造湖。因含沙量大,在入湖处多形成小三角洲。入湖大小河流 21 条,除

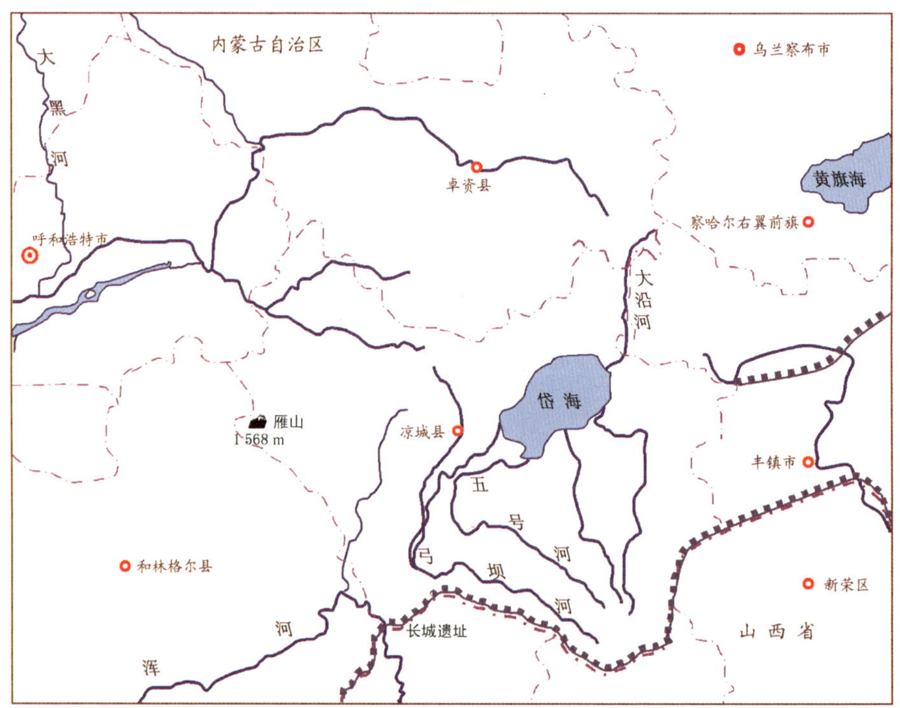

岱海水系示意图

弓坝河、五号河、苜花河、天成河、步量河等 8 条河流常年有水入湖以外，其余多为季节性河流。岱海为内陆咸水湖，蓄水量约 11.6 亿 m^3，平均水深 7 m，最深 17 m。20 世纪 30 年代以前，湖面较小，湖水含盐量较高，水的矿化度约 2.5 g/L，曾是熬盐沥碱的地方。1930—1960 年间，由于气候回暖，流域降水较多，湖面得以回升达到今日的规模。

岱海的湖水蒸发强盛。湖内没有经济鱼类，但能放养草鱼、鲤鱼、鲢鱼、鲫鱼。因湖水营养盐含量低、浮游生物的种类和数量少，故放养的鱼类生长缓慢，鱼产量很低。引进放养的团头鲂（武昌鱼）、河蟹生长良好。

岱海宛如一颗碧绿的翡翠镶嵌在连绵无尽的丘陵山地中，湖光山色，相映生辉，被誉为“塞外明珠”、“高原仙湖”。湖上“鸿鹜成群，风涛大作，浪高丈余，若林立，若云重”。湖的四周滩川广阔、林木茂盛，湖滨栖息着海鸥、天鹅、鸿雁等珍稀鸟类。岱海交通便利、地理位置优越，古往今来，多少达官贵人、文人墨客络绎不绝地前来观赏。

元代耶律楚材途经岱海时，写下诗句：“一鞭羸马渡天山，偶到云川暂解鞍。”耶律楚材是契丹人，是著名的政治家和学者，做过元朝中书令（宰相）。他追述随军生活的《西游录》是研究历史地理的重要著作，记载了我国西北和中亚西亚的见闻，对岱海地区的风土民情、气候物产多有记载。

在清代，五世达赖朝见清朝顺治皇帝后，返回时在岱海接受了顺治皇帝授予的满、汉、蒙、藏四种文字的金册与金印。金印全文是“西天大善自在佛所领天下释教普通瓦赤喇怛喇达赖喇嘛之印”。以后，达赖喇嘛在西藏政治上的地位得到确立。六世班禅去觐见乾隆皇帝时，曾率高僧 100 多人经过长途跋涉，到达岱海。乾隆命皇太子等人前赴岱海迎接六世班禅，并修筑避暑寺庙“三接庙”。如今，“三接庙”虽已破损，但遗址尚存。

51. 居延海

——弱水流沙“居延泽”

居延海是我国第二大内陆河流黑河的尾间淡水湖泊，又称“居延泽”，位于内蒙古自治区额济纳旗境北部，总面积约 300 km^2，是一个高原内陆湖泊。“居延”是匈奴语，《水经注》中将其译为弱水流沙，汉代时称其为居延泽，唐代起称之为居延海。

居延海的形成是额济纳河的洪水积存于下游冲积平地而形成的。额济纳河是居延海最主要的补给水源，古称弱水，发源于祁连山，是黑河下游河段的别称。自甘肃省西北部进入内蒙古自治区西部，然后分为两支，西支注入嘎顺淖尔(蒙古语，意思是苦湖)；东支注入苏泊淖尔(蒙古语，意思是母鹿湖)。两湖合称居延海，靠近巴丹吉林沙漠。两湖之间相距约 35 km，平均水深 1.5 m。湖面上碧波荡漾，湖畔芦苇丛生，湖中生长着鲤鱼、鲫鱼、大头鱼、草鱼等鱼类，天鹅、大雁、鹤、水鸭等常来此栖息。

依托黑河干流和居延海形成的额济纳绿洲，曾是西北边疆一道天然的绿色屏障，同时也是西北、华北的生态屏障，削弱了沙尘暴的东进。西居延海自 1961 年干涸，一直被白茫茫的碱漠和荒沙覆盖，大片干涸的湖底沉积物成为沙尘暴东进的来源之一；东居延海干涸多次，到 1992 年彻底干涸。居延海的干涸一方面由于额济纳河来水量逐年减少所致，另一方面又与上游过度截流用水有关，由此引发居延海绿洲萎缩、地区生态环境急剧恶化。2002 年后实施连年补水措施，东居延海水面面积达到 38.5 km^2，蓄水量达到4 720 万 m^3，湖泊重现碧波荡漾、鸟飞鱼肥的景象。

古居延海水域辽阔，鸟飞鱼游，周围胡杨遍地，林草丰美。富庶的物产和重要的地理位置，养育了历代生活在这里的人民，也成为额济纳土尔扈特部落繁衍发展的摇篮。居延海地区在中华文化发展史上，特别是在西北地区民族交往历史上具有重要的地位。据《史记·卫将军骠骑列传》记载，西汉的骠骑将军霍去病，于公元前 121 年战胜匈奴驻守居延，居延开始纳入汉王朝管辖。汉武帝时期，为了巩固边疆的防御体系，在黑河流域修建了一系

列的关城，并派专人管理，士兵驻守，以随时掌握匈奴的动静，防止匈奴入侵。《史记·匈奴列传》中记载："（汉）使强弩都尉路博德筑城居延泽上。"汉代在酒泉、张掖北置居延、休屠二都尉，设郡立县；自西汉起，这里创造了令后人景仰的居延文化；宋朝时期，这里在西夏国的统治之下，发展了绚丽的西夏古代文明；清代曾演绎顽强的土尔扈特人万里东归的传奇历史。居延海也是穿越巴丹吉林沙漠和大戈壁通往漠北的重要通道，被誉为"草原丝绸之路"，即从河套西行，经居延海，至哈密、吐鲁番等地再西行。在宋、辽、金、西夏等战乱对峙时期，其他线路均难以通过，居延海通道曾为东西交流和贸易往来起过非常突出的作用。

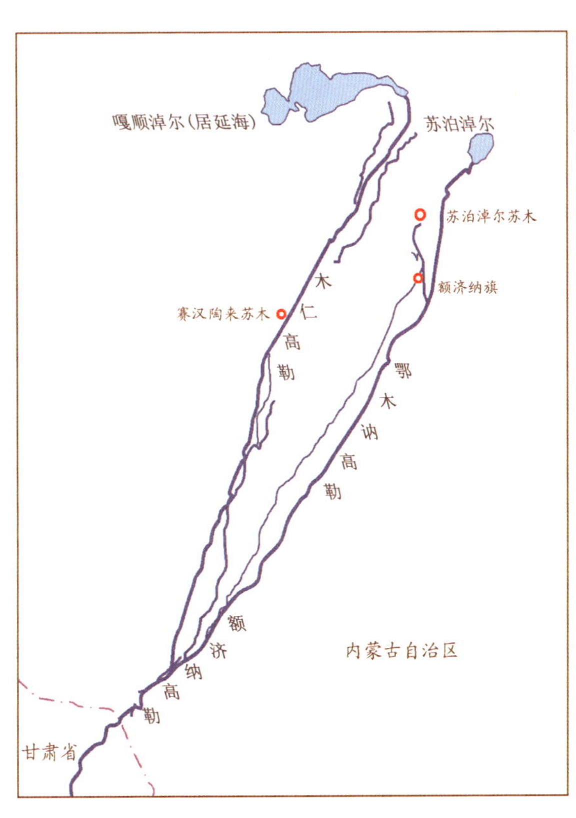

居延海水系示意图

唐代大诗人王维曾于居延海湖畔驻足，并写下著名的《塞上作》一诗："居延城外猎天骄，白草连天野火烧。暮云空碛时驱马，秋日平原好射雕。"读来仿佛居延风情跃然眼前。

52. 玛旁雍错

——圣湖之母

玛旁雍错位于西藏自治区普兰县内，冈底斯山主峰——冈仁波齐峰和喜马拉雅山纳木那尼峰之间，藏语意为“不败、胜利”之称。它是中国湖水透明度最大的淡水湖泊，是世界上多个宗教认定的圣湖，在诸多古经书中，它都被称为“圣湖”之王，也是亚洲乃至整个世界最负盛名的湖泊之一。玛旁雍错亦称马法木错，曾称玛垂错。湖泊呈“鸭梨”形，北宽南窄，长轴方向长26 km，短轴方向长 21 km。湖面海拔 4 588 m，平均水深 46 m，最大水深 81. 8 m，面积 412 km^2。

玛旁雍错是世界上海拔最高的淡水湖之一。曾与拉昂错相通，后由洪积、冰水堆积物堵塞而演化为内流湖。玛旁雍错湖水碧波荡漾，透明度14 m。湖水矿化度 400 mg/L，属淡水湖，含有硼、锂、氟等微量元素。以融雪、雨水补给为主，也有部分泉水补给。湖岸线平直，周长 83 km。东岸和东南岸阶地发育。湖泊周围多温泉。在洪积平原和山麓洪积扇上，为以沙生针茅为主并混生有羽状针茅、紫花针茅的荒漠草原；湖滨阶地上发育了以华扁穗草、细叶西伯利亚蓼、藏北蒿草、青藏苔草等组成的沼生植被沼泽化草甸。湖区以牧为主，湖中产玛法木尻鱼与裸鲤。

玛旁雍错得名于 11 世纪在此湖畔进行的一场宗教大战，它在藏语中意为“不可战胜的湖泊”。藏传佛教噶举派在与苯教的争斗中获胜后，便把已经沿用了很多世纪的“玛垂错”改名为“玛旁雍错”，即“永远不败之碧玉湖”。

许多宗教典籍和传说中都曾记载描述过玛旁雍错。在印度的神话中，玛旁雍错是湿婆大神(Brahma)用意念形成的，因为这里是湿婆大神和他的妻子——喜玛拉雅山的女儿乌玛女神沐浴的地方，所以湖水成了圣水。《大藏经·俱舍论》中记载，印度往北过九座大山，有一大雪山，雪山下有四大江水之源。佛经中说的大雪山就是神山冈仁波齐，而四大江水之源指的就是圣湖之母玛旁雍错。佛教徒认为，玛旁雍错是最圣洁的湖，是胜乐大尊赐与人间的甘露，圣水可以清洗人们心灵中的烦恼和孽障。它是佛教、印度教、

苯教所有圣地中最古老、最神圣的地方。沿湖而建的佛寺甚多，现存 8 座。

圣湖有四大浴门：东为莲花浴门，南为香甜浴门，西为去污浴门，北为信仰浴门。楚古寺周围被尊为圣洁的浴场。圣湖四面还有四水之源：东面是马泉河，北面是狮泉河，西面是象泉河，南面是孔雀河。以天国中的马、狮、象、孔雀四种神物命名的这四条河，分别又是南亚著名的恒河、印度河、萨特累季河和雅鲁藏布江的源头。佛教经典中把玛旁雍错称为“世界江河的母亲”，大唐高僧玄奘在《大唐西域记》中称之为“西天瑶池”。

玛旁雍错作为圣湖之王的地位，即便仅对一般旅游观光客来说，也是无可置疑的。印度著名领袖圣雄甘地的骨灰曾撒入了玛旁雍错，由此可以看出印度人对玛旁雍错的敬仰之情。

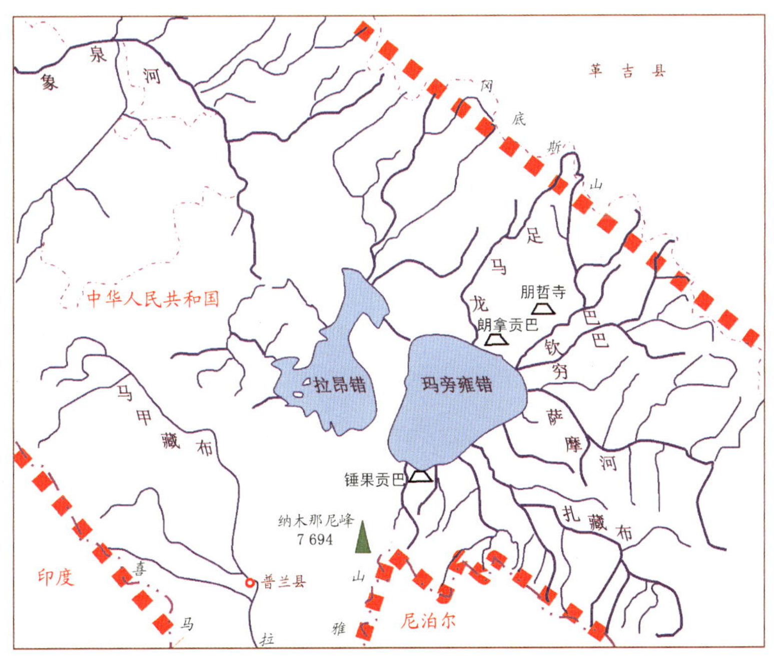

玛旁雍错水系示意图

53. 纳木错

——世界上海拔最高的大湖

纳木错为藏语，蒙语称为腾格里海，均意为“天湖”、“神湖”之意，是我国第二大咸水湖，也是世界上海拔最高的咸水湖。湖面呈天蓝色，湖水清澈透明，是藏传佛教的著名圣地之一。位于西藏拉萨市当雄县和那曲市班戈县之间。湖面海拔 4 718 m，从湖东岸到西岸全长 70 多 km，由南岸到北岸宽 30 多 km，总面积为 1 900 多 km^2。据报道，最新探测到纳木错湖水最深处达 125 m，远远超出之前记载的 37 m。

纳木错是第三纪末和第四纪初的喜马拉雅运动凹陷而形成的巨大湖盆，后因西藏高原气候逐渐干燥，纳木错面积大为缩减，现存的古湖岸线有三道，最高一道高出现在的湖面 80 余 m。

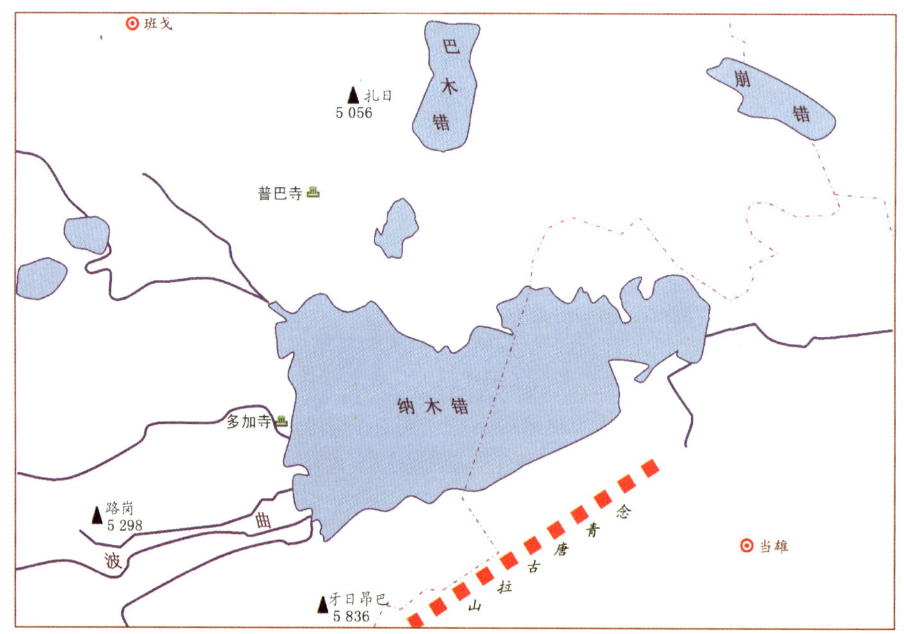

纳木错水系示意图

纳木错湖水的水源主要来自三个部分:一部分是流域内的冰川——念青唐古拉山的冰雪融水;另一部分是流域内冻土层的融化;还有就是降水。据报道,近 30 年来,湖水不断上涨,由 1 920 km^2 扩大到 1 980 km^2。主要原因是冰川融水,另外,沿湖有不少大小溪流注入。纳木错蓄水量约为 768 亿 m^3。

纳木错的东南部是直插云霄、终年积雪的念青唐古拉山的主峰,北侧依偎着和缓连绵的高原丘陵,广阔的草原绕湖四周,而天湖则像一面巨大的宝镜镶嵌在藏北草原上。草原上,牧民的牛毛帐篷与蓝天、碧湖、白雪、绿草及五颜六色的山花交相辉映,组成一幅大自然美丽、动人的画面,令人心旷神怡。

纳木错湖中有五个岛屿兀立于万顷碧波之中,佛教徒们传说它们是五方佛的化身,凡去神湖朝佛敬香者,莫不虔诚地顶礼膜拜,其中最大的是良多岛,面积为 1.2 km^2。此外还有五个半岛从不同的方位凸入水域,其中扎西半岛居五个半岛之冠。这些岛上怪石嶙峋,峰林遍布,地貌奇异多彩,巧夺天工。每当清晨,周围群山若隐若现,太阳升起,云消雾散,清风拂面,浩瀚无际的湖面荡起涟漪。而此时的念青唐古拉山的主峰格外清晰,牧场一片浅绿,山体红黑间杂,峰顶白雪皑皑,主峰犹如一个威武战士守护着纳木错。

公元 12 世纪末,藏传佛教达隆噶举派创始人达隆塘巴扎西贝等高僧,曾到湖上修习密宗要法,并始创羊年朝圣纳木错之举。每当藏历羊年,来自西藏当地和青海、四川、甘肃、云南等地的数以千计的善男信女,不惜长途跋涉,来此朝圣,他们手持经轮,口中念念有词地依顺时针方向绕湖一周,进行着信徒们特有的仪式,以寻求灵魂的超越。纳木错湖畔玛尼堆遍布。玛尼堆多为白色石头的堆积,用于祈福,有的刻上佛经或佛像,成为玛尼石,更赋灵气。教徒们经过这里时,总会垒上一块石头。

世界海拔最高的大湖,远离世俗的污染,保持着天然纯粹的原始风貌,是信徒心目中的圣地,也是各方游客向往的地方。

54. 羊卓雍错

——西藏三大“圣湖”之一

羊卓雍错位于雅鲁藏布江南岸、山南地区浪卡子县境内，当地人通常简称为“羊湖”。羊卓雍错藏语意为“上面牧场的碧玉之湖”，与纳木错、玛旁雍错一起被尊称为西藏三大圣湖。湖面海拔 4 441 m，面积 678 km^2，平均水深 30 多 m，最深处达 59 m。水源来自周围的雪山，蓄水量约 150 亿 m^3。

羊卓雍错是高原堰塞湖，大约上亿年前，冰川泥石流堵塞河道而形成。形状很不规则，湖岸曲折蜿蜒，并附有空姆错、沉错和纠错等三个小湖。湖群原为单体外流湖，连接墨曲流入雅鲁藏布江，后退缩成为内流湖，并分为若干小湖。湖中山地突兀，有十多个小岛，岛上牧草肥美，野鸟成群。它的水源来自周围的雪山，没有出水口，雪水的融化与湖水的蒸发达到一种动态的平衡。

羊卓雍错与雅鲁藏布江仅一山之隔，最近距离仅 6 km，山南边湖面海拔约 4 441 m，山北面江面海拔只有约 3 570 m，它们之间的水面高差达 800 多 m。利用这一湖泊修建而成的羊卓雍错电站是一座抽水蓄能电站。它引水穿过海拔 5 374 m 的岗巴拉山至雅鲁藏布江南岸，形成 840 m 的落差，在拉萨电网负荷高峰时放水发电，电网负荷低谷时则利用富余电力抽水入湖。电站建于上世纪 80 年代末期，总装机容量 9 万 kW，电力供应拉萨、山南和日喀则 3 个地区。

羊卓雍错盛产高原裸鲤，光滑无鳞。羊卓雍错还是藏南最大的水鸟栖息地，湖里的小岛是天然蛋场。水鸟有天鹅、黄鸭、水鸽、水鹰、鹭鸶和沙鸥等。湖泊周围有数万顷的天然牧场，野生动物种类较多，其中国家一类保护动物有：野驴、黑颈鹤、豹等；二类保护动物有：藏雪鸡、獐、水獭、猞猁、灰鹤等。

羊卓雍错之美、之奇在于山中有湖，湖中有岛，岛中有庙，这些又有神秘而动人的故事相配。鹿母鹿子岛上的圆布多寺，属藏传佛教宁玛派，相传公元 16 世纪创建，距今已有 500 多年的历史，主供莲花生大师等佛像。寺庙旁

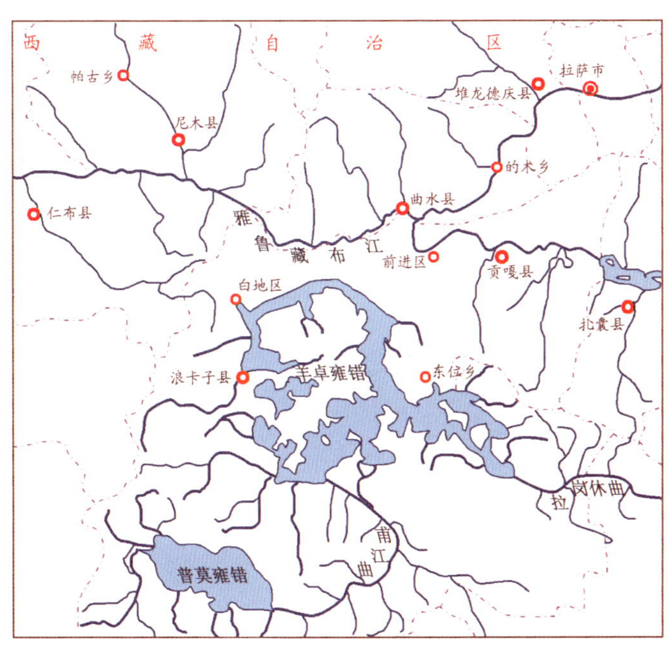

羊卓雍错水系示意图

边湖中有莲花生大师手印。公元747年(唐玄宗天宝六年),莲花生大师应藏王之邀入藏,相传一路降伏了许多恶魔。相传莲花生曾在此处修行数月之久,并降伏了夜叉岗娃桑布。莲花生原是8世纪左右的北印度乌仗那国(今巴基斯坦)的密教大师,以咒术降魔而闻名。莲花生曾于当时印度密教的中心地之一孟加拉国修学,他博通大小乘教法。莲花生不但是宁玛派的始祖,同时也是藏密的开祖。后世传承宁玛派者,以头戴红帽为特征,所以又叫"红派"。西藏的寺院中都供奉有莲花生大师的画像或塑像,被尊为西藏的圣守护者。

位于湖西南的桑顶寺,是西藏凤毛麟角的由女活佛主持的寺庙。多杰帕姆女活佛转世传承制度已延续了十二世,产生于公元15世纪,是藏传佛教女活佛中形成较早、承袭时间最长、转世体系已制度化的女活佛之一。女活佛被认为是金刚亥母的再现,备受信徒敬仰。

55. 拉昂错

——“高原鬼湖”

拉昂错位于西藏普兰县境内，与淡水的圣湖玛旁雍错仅一路相隔，亦称“拉阿措”、“兰夏措”、“郎噶地”、“拉噶池”、“兰加克湖”。海拔 4 573 m，面积 268 km^2。与旁边清冽甘爽的玛旁雍错湖水相比，拉昂错的湖水苦涩难咽，鱼草难觅，人、牛羊和野生动物都不愿光顾，空寂苍凉，没有生机，被人称作“鬼湖”。

拉昂错与玛旁雍错一起位于印度河、郎钦藏布和雅鲁藏布江的源头附

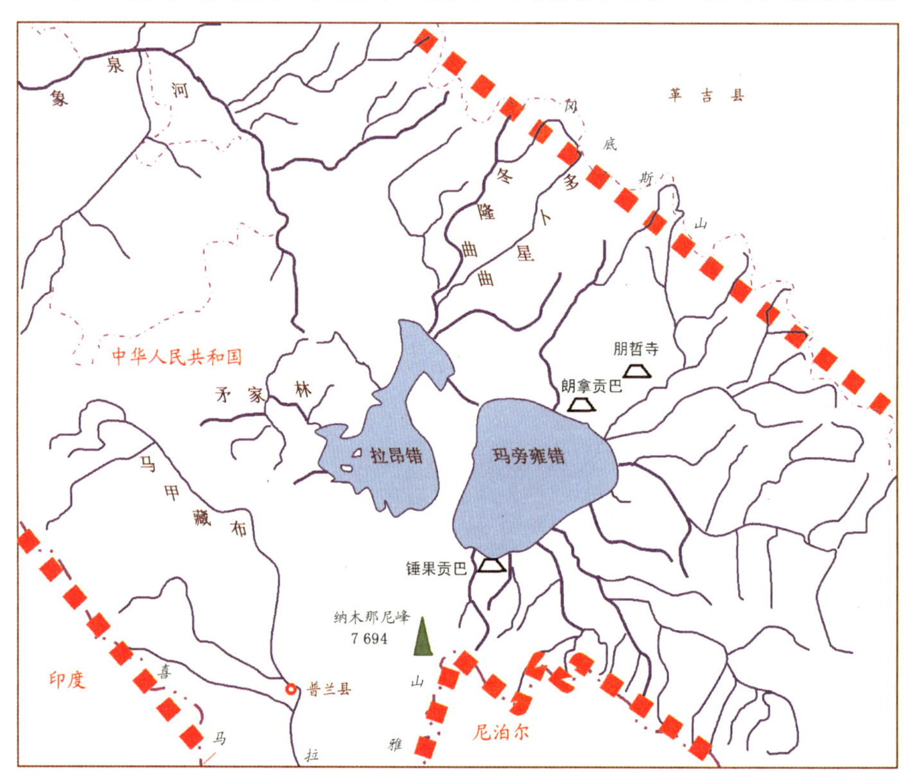

拉昂错水系示意图

近，曾经是印度河支流象泉河流域的外流淡水湖，因气候趋于干旱，都演变成内流湖，拉昂错进一步成为咸水湖。两个湖被一条狭长的小山丘所分开，有一条水道从北边连接两湖，但水道已经干涸。信徒期望并相信总有一天会有水从玛旁雍错流进拉昂错，同时会有一条金色的鱼和一条红色的鱼游进拉昂错，这样拉昂错的水以后就会变得像玛旁雍错一样清甜了。其实偶尔在特殊的年份，水大的时候，的确有水在水渠里流动。

湖区为干燥的高原气候，年平均降雨量小于 250 mm。昼夜温差极大，6月气温夜间可能低于 0℃，白天可能通常在 21℃～24℃，甚至高达 30℃。冬天很冷，极端低温－27.5℃。

湖水水源来自北面的冈底斯山和南面的喜马拉雅山主山脊的径流。拉昂错北面是冈仁波齐峰(6 714 m)，南面是楠达——德微山。

拉昂错的景色非常壮美，湖边有色彩古怪迷离的暗红色小山，卵石滩像白亮亮的带子镶在湖边，湖里有一个暗红色小岛。湖水呈深蓝色，无风三尺浪，发出如雷贯耳的波浪拍击声。拉昂错与玛旁雍错的关系恰好是咸对甜、弯对正、鬼对神，就像月亮对太阳，相反又相伴，十分和谐地存在着。

鬼湖拉昂错与圣湖相邻，两湖之间的地带是进出普兰县的必经之路。站在拉昂错湖南岸，越过波光粼粼的蔚蓝色湖面远看，神山冈仁波齐峰显得更加圣洁雄伟，沁人心魄。冈仁波齐峰被藏传佛教认为是世界为之旋转的宇宙中心。冈仁波齐峰是冈底斯山脉的主峰，藏语意为雪的宝贝。南侧断层降落到象泉河谷地和玛旁雍错与拉昂错湖盆。海拔 6 000 m 以上冰雪覆盖，披着数十条现代冰川，以冰斗冰川和悬冰川为主，南坡冰川多于北坡，寒光映着湖光，不愧是佛教圣山，透出庄严神圣之感。

与神山冈仁波齐峰遥遥相对的是远远坐落在湖东边方向的纳木那尼雪峰，海拔 7 694 m，远观它通体晶莹剔透，有一种泰山压顶的迫人气势。藏民称之为“圣母之山”或“神女峰”。

拉昂错也被宗教信徒所敬畏，每每信徒在朝拜玛旁雍错时，也不忘向拉昂错做诚挚的祷告。

56. 班公错

——世界上最长的裂谷湖之一

班公错位于中印边境，是我国与克什米尔(印度实际控制区)的界湖，位于西藏自治区阿里市日土县境内。“班公”是印度语，意即一块小草地。藏语又称错木昂拉仁波，意为“长脖子天鹅”，或称歌木克拉喇令错，意为“明媚而狭长的湖泊”。湖泊无出流，属高原内陆湖泊。

班公错是世界最长的裂谷湖之一，属于构造断陷湖。湖泊两岸地层不连续，北岸至今仍保留有明显的断层崖，同时沿东西向尚有多处呈线性排列的温泉出露等，说明湖中有大断层通过。古班公错面积较大，但自第四纪以来，由于高原气候趋干，湖面不断缩小，在湖东岸残留的古湖岸线或湖阶地多达 9 级，其中最高一级古湖岸目前已高出湖面达 80 m。

班公错位于高山之间的槽谷内，东西方向长约 159 km，是我国最长的湖泊；宽度多在 2～5 km 之间，最宽处约 15 km，最狭处仅 40 m。总面积为 604 km^2，其中在我国境内 413 km^2。湖泊水深 41.3 m，容积 74 亿 m^3。湖面海拔 4 242 m。整个湖的流域面积约 28 714 km^2。湖泊分东段、中段和西段，两端水体开敞，中段水体狭长。

湖水补给主要依赖湖泊四周山地的冰雪融水。湖的南北有著名的喀喇昆仑山系和冈底斯山系，山颠云雾缭绕，冰雪皑皑。湖区降水稀少，蒸发强烈，多年平均降水量仅 60.4 mm，而年蒸发量却高达 2 465.3 mm。由于湖泊形状十分狭长，故因各地补给水量的多寡不同，湖水的咸淡也不一样。因为东段湖水补给量大，所以自东向西不断咸化。根据矿化度的不同，东段属淡水，中段、西段属咸水。全湖淡水储量约占 63%，咸水约占 37%。

因周边有喀喇昆仑山脉和冈底斯山脉的余脉形成的屏障，阻挡了冷空气的侵入，所以斑公湖盆地内相对较暖和，最暖月平均气温在 10℃以上。

湖区生机勃勃，湖中盛产高原特有的鱼类，如西藏裂腹鱼、西藏裸裂尻鱼等。高原鱼类具有生长缓慢、繁殖能力低等突出的生物学特点，在开发利用时，须加强科学管理，限定捕捞规模，注意资源的保护。湖中心有著名的

鸟岛，丰富的鱼类和湖滨丰盛的水草，吸引来红嘴鸥、斑头雁、棕头鸥、黑颈鹤、凤头潜鸭、蓝点颏等一二十种成千上万的鸟类到湖中的小岛上栖息。一到春夏产卵季节，数以万计的地中海中头鸥等鸟类便来此繁殖。岛上鸟窝鸟蛋遍地皆是，犹如卵石布地。湖滨周围的高山草场是优良的牧场。偶尔在湖边也会出现罕见的野马群等野生动物。

位于中国与印控克什米尔交界处的班公错，东段和中段三分之二的面积属中国领土范围，余下西段三分之一的面积则属于印控克什米尔。湖水在中国境内的部分是淡水，而且水量充足，水质洁净，水草丰美，而在克什米尔境内的部分却是咸水，寸草难生。湖水碧蓝深邃，透明度大，像一条狭长的蓝宝石镶嵌在层峦叠嶂的群山之中。班公错美在大自然的真实纯粹，如同一只美丽自由的天鹅。

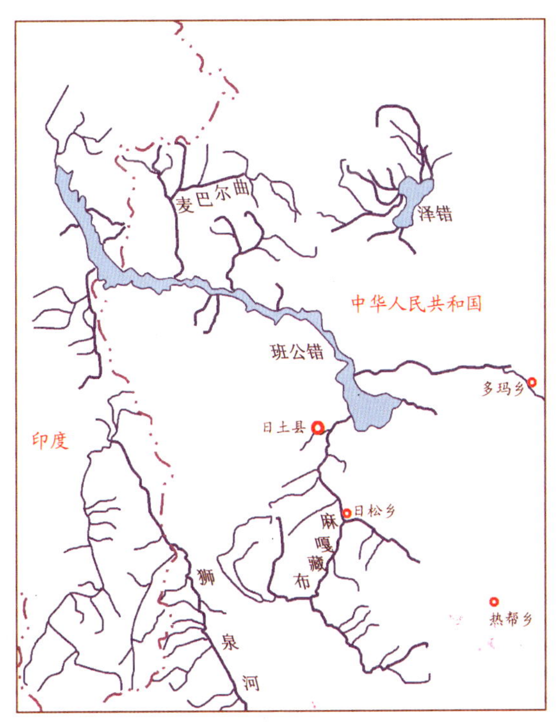

班公错水系示意图

57. 玛纳斯湖

——准噶尔盆地的咸水湖

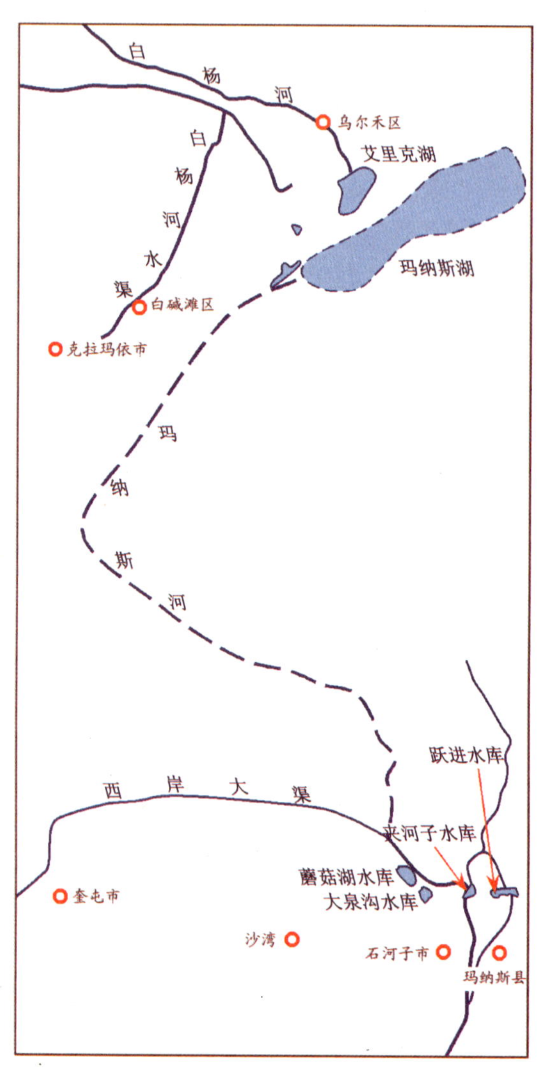

玛纳斯湖水系示意图

玛纳斯湖位于新疆维吾尔自治区准噶尔盆地西部，习惯上指玛纳斯、艾兰、艾里克等湖群的总称，为玛纳斯河的尾闾。湖泊长约 60～70 km，宽 15～20 km，面积约 550 km^2，平均深度 6 m，是一个咸水湖。

清乾隆年间出版的《西域图志》称其为“额彬格逊淖尔”，清嘉庆年间出版的《西域水道记》称其“阿雅尔淖尔”，此名一直沿用至 1951 年出版的地图，1953 年版《中华人民共和国分省新图》改称“帖勒里湖”，至 1962 年出版的《中华人民共和国分省地图集》才改称“玛纳斯湖”。

玛纳斯湖为该湖群中最大的湖，形似鞋底，周围地势平坦，湖体受玛纳斯河等的水量补给变化而游移变动。湖面海拔 257 m。湖水补给源有玛纳斯河、金沟河、宁家河等，更早还有呼图壁河，有

时还接纳准噶尔西部山地南部河流的洪水。20世纪50年代以来，由于玛纳斯河中游大规模开垦，河水引入灌区，湖水逐渐干缩，湖区绝大部分已结晶成盐，仅西南角偶有洪水入湖。

位于玛纳斯湖西南的艾兰湖，早已干涸，地表有盐结晶。据19世纪末外国考察者记载，当时艾兰湖有水，湖东岸曾有长约70 km的霍尔河(蒙古语，意为咽喉河)，1940年已干涸。

在玛纳斯湖西北约10 km处的艾里克湖，补给水来自白杨河，由乌尔禾盆地穿过峡口而入；湖盆三面环山，西南开敞，东面受单面山阻隔，从地形与构造来看，与玛纳斯湖似无联系。

玛纳斯湖之东还有达巴松淖尔，为早已干涸之盐湖，已作盐场利用。

自玛纳斯河中游修建大量截水引水工程以后，除发生特大洪水有水流入湖区外，河水断流不再流入玛纳斯湖。

20世纪70年代初，玛纳斯湖曾完全干涸，但自从80年代起，石河子玛纳斯河流域管理处管辖的夹河子水库逐年有计划地向下游玛纳斯湖注水，使玛纳斯湖生态环境逐步得到恢复，1998年，重新形成湿地，2005年，湖面面积为123 km^2。

20世纪90年代末，石河子垦区引进滴灌技术，建成了中国最大的膜下滴灌基地。1999年以来，石河子垦区将每年滴灌节约的2亿m^3水全部输向玛纳斯河，使玛纳斯湖重现生机。现在，玛纳斯湖湿地已被列入国家重要湿地名录，常有成百上千只的白鹭、野鸭在玛纳斯湖湿地飞翔、嬉戏，欢快觅食的牛羊点缀在湿地周围的草场上，甚是壮美。位于准噶尔盆地的我国第二大沙漠——古尔班通古特沙漠是新疆北疆沙尘暴的主要源地。玛纳斯湖湿地重新形成后，石河子、克拉玛依、乌鲁木齐等地的生态环境有所好转，沙尘暴的发生频率明显减少。

58. 博斯腾湖

——天山南麓的中国最大内陆淡水湖

博斯腾湖古称“西海”，唐代称“鱼海”，清代中期定名为博斯腾湖。博斯腾淖尔，蒙古语意为“站立”，因三道湖心山屹立于湖中而得名，维吾尔语称之为“巴格拉什库勒”，汉书《西域传》称“焉耆近海”，北魏郦道元在《水经注》中称为“敦薨浦”。博斯腾湖位于新疆中部巴音郭楞蒙古自治州境内，是焉耆盆地的东南面最低洼处，是我国最大的内陆淡水吞吐湖。它既是开都河的尾闾，又是孔雀河的发源地。

博斯腾湖的湖面略呈三角形。水位 1 048 m 时，湖面面积为 992.2 km^2，湖长 62.8 km，最宽处可达 35.2 km；最大水深 16.5 m 平均水深 8.08 m，蓄水量约 99 亿 m^3。

博斯腾湖西南部分布有大小不等的数十个小湖区，其中相对较大的湖泊，总面积 240 km^2，湖水最深 16 m，最浅 0.8～2 m。整个博斯腾湖区，雪山、湖光、绿洲、沙漠互相映衬，珍禽异兽，同生共荣，组成一幅丰富多彩的风景画卷。其中，大湖水域辽阔，烟波浩淼，水天一色，被誉为沙漠瀚海中的一颗明珠；小湖区苇翠荷香，曲径邃深，堪称“世外桃源”。

汇入博斯腾湖的水量主要来自西北的开都河、马拉斯台河等，多年平均入湖径流量为 26.8 亿 m^3，经西南部的孔雀河排出，平均每年出流量为 12.5 亿 m^3，穿铁门关峡谷，进入库尔勒地区，最后汇入罗布泊。在铁门关建有新疆最大的水电站。20 世纪 60 年代后，由于库尔勒地区工农业用水量不断增加，每年要求加大出湖水量，已引起博斯腾湖水位下降，湖面缩小，湖水矿化度逐年升高，今已演变成一个微咸水湖泊。原产的塔里木裂腹鱼（俗称尖头鱼）、扁吻鱼（俗称大头鱼）和长头鱼等资源已衰减。这里，造纸用的芦苇资源相当丰富，总面积 40 万 hm^2。

博斯腾湖远衔天山，横无涯际。随着天气的变化，时而惊涛排空，宛若怒海；时而波光粼粼，碧波万顷。夏季，湖中渔船与彩云映衬，群鱼共飞鸟逍波；金秋十月，苇絮轻飏，芦苇金黄，秋水凝重，飞雁惊鸿；冬季来临，冰封千

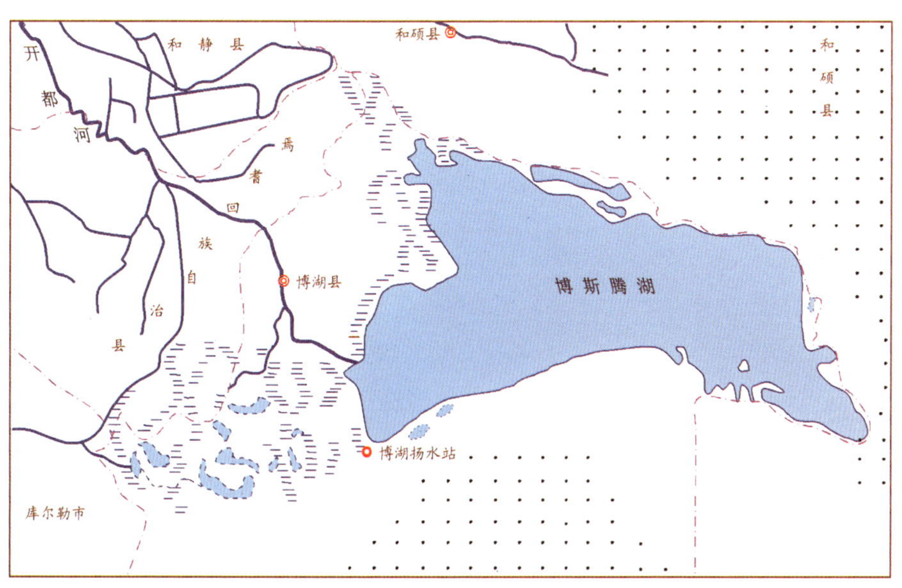

博斯腾湖水系示意图

里，湖面似银镜，一派北国风光。博斯腾湖除了迷人的景色之外，还有美丽的传说。相传很久以前，有一对恋人深深地相爱，小伙子名叫博斯腾，姑娘叫尕亚。天上的雨神要抢尕亚为妻，尕亚不从，雨神大怒，连年滴水不降，于是草原大旱。勇敢的博斯腾与雨神大战九九八十一天，终于使雨神屈服，但博斯腾却因过度疲惫而累死了。尕亚痛不欲生，眼泪化作湖水悲愤而死。此外，还有传说称，唐僧去西天取经时，在离此不远的流沙河受阻，西海龙王的三太子被唐僧等人执著取经的行为所感动，变作一匹白马，驮着唐僧去取经了。

59. 艾丁湖

——中国海拔最低的盆地上的月光湖

艾丁湖，又名觉洛浣，是一个内陆咸水湖，被称为中国的死海。位于新疆维吾尔自治区吐鲁番市东南，吐鲁番盆地最低洼处。艾丁湖是中国最低的地方，其海拔高程－155 m，是世界第二低地，仅次于约旦死海（－415 m）。艾丁湖，维吾尔语意为“月光湖”。湖水一般很浅，平均不到 0.8 m。水多的时候，湖东西长数十千米，总面积可达 100 多 km^2；水少时几乎变成沼泽地。

艾丁湖属中生代至新生代山间断陷形成的硫酸钠亚型卤水盐湖。吐鲁番盆地四周环山，面积约为 5 万 km^2，艾丁湖就在盆地腹心偏南的地方，由一个面积巨大的淡水湖泊演变而来。湖盆内为第四纪冲积、风积和湖积的沙砾石、粉沙粘土和盐类化学沉积物所覆盖。盐类矿床主要是石盐、芒硝和无水芒硝沉淀。湖水矿化度极高，尤其在夏秋季节，蒸发强烈，干涸时更高。

湖区属温带大陆性荒漠干旱气候，年降水量仅 5 mm，全年降水日数 2.7 天，最长连续无降水天数多达 425 天。由于盆地地势特别低凹，阳光照射后的地面辐射热量聚集，以致夏季气温极高，风蚀沙地的地表温度往往在 70℃以上，最高处在吐鲁番以西的一处沙地上，最高温度曾达到 82.3℃，故吐鲁番盆地素有“火洲”之称。高温造成了湖水大量而迅速的蒸发，年蒸发量达 2 540 mm。湖水主要依赖地下水补给，入湖河流除西部的阿拉沟河和向阳河外，其余均呈向心状渗漏于冲积、洪积层中，以地下水形式汇入。夏季的高温引起对流，使得天山以北夹带水汽的气流可能南下至盆地，形成对流性阵雨，所以也会出现洪水成灾的情形。

艾丁湖由三部分组成：周围一圈是湖积平原，宽约 0.5～1 km，含有大量盐类，强烈的蒸发使地表形成坚硬的盐地；中间一圈是盐沼泽，下面是淤泥；湖心是晶莹的盐晶。艾丁湖蕴藏着丰富的盐和芒硝，储量在 3 亿 t 以上，是重要的化工原料基地。附近还建有化工厂。

艾丁湖的景观甚为奇特、苍凉。除西南部可能残存很浅的湖水外，大部分是皱褶如波、覆盖银白色盐晶体的干涸泥沼，在阳光下闪闪发光。周围寸

草不生，荒无人烟，没有游鱼飞鸟。据说有时还会出现海市蜃楼。

总的来说，艾丁湖的水是逐年减少的。1949年，艾丁湖水较多，水面面积约152 km^2；1958年航空摄影测定面积约22 km^2；1990年，湖面跟沼泽地一般；1994年时，湖面面积还不足3 km^2；但是，1997年后出现了意外情况，美国出版的一本地理杂志封面刊登了一幅艾丁湖卫星图片，显示水面已经扩大，艾丁湖湖面奇迹般地扩展到75 km^2。据推断，湖面扩大应与1996年阿拉沟河大洪水以及几年的连续丰水有关。

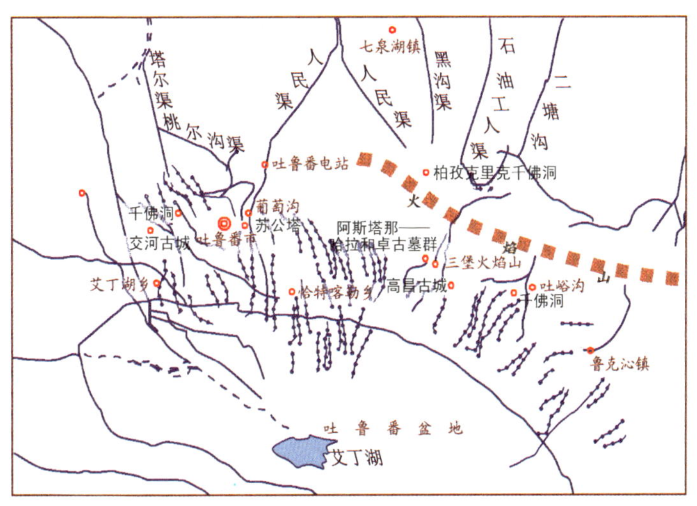

艾丁湖水系示意图

吐鲁番盆地是天山东部一块绿洲低地，艾丁湖是其最低点。著名的坎儿井是吐鲁番独具特色的地下引水工程。王国维的《西域井渠考》论证：每隔20～30 m挖竖井一口，掏挖地下暗渠彼此相通，竖井壁与暗渠壁均有水渗出，形成地下暗流，再将水引向千家万户、果园农田。吐鲁番盆地也是古西域文化的主要发祥地——丝绸之路的组成部分，文化底蕴深厚，历史遗存丰富，民族特色突出。汉至明初，这里的高昌古城是西域政治、经济、文化的中心。13世纪末，元王朝西北平叛时，高昌城毁于战火。此外，吐鲁番盆地中北部的一个小山，因其山岩呈红色，故名“火焰山”。《西游记》中孙悟空三借芭蕉扇的故事原型描写的便是这里。

60. 罗布泊

——西域巨泽

位于新疆塔克拉玛干大沙漠东部的罗布泊，是一块吸引着中外史地学者的充满神秘感的土地。这片干涸的盐泽曾是我国第二大内陆湖，面积约 2 400～3 000 km^2，海拔约 780 m。因地处塔里木盆地东部的古“丝绸之路”要冲，它的演变令世人瞩目，并且充满未解之谜。

罗布泊位于若羌县境东北部。因其所具有的鲜明特点或特定位置，曾有过泑泽、盐泽、涸海、蒲昌海、牢兰海、孔雀海等名称。元代以后，称“罗布淖尔”。“罗布”是地名，古维吾尔语意为聚水之地；“淖尔”系蒙古语，意为湖泊。“罗布淖尔”即“多水汇集之湖”。

古罗布泊诞生于第三纪末、第四纪初，距今已有 200 万年，面积约 2 万 km^2 以上。在新构造运动影响下，湖盆自南向北倾斜抬升，分割成几块洼地。罗布泊是位于北面最低、最大的一个洼地，曾经是塔里木盆地的积水中心。它接纳发源于天山、昆仑山和阿尔金山的河流而形成湖泊。

注入罗布泊的诸水，主要包括塔里木河、孔雀河、车尔臣河和米兰河等，同时也部分地受到祁连山冰川融水的补给，融水从东南通过疏勒河流入湖中。

先秦时的地理名著《山海经》中就有关于罗布泊的记载，书中称之为“泑泽”。1 世纪时的《汉书》描述它“广袤三百里，其水亭居，冬夏不增减”。到了清代，阿弥达在深入湖区考察后撰写的《河源纪略》卷九中载：“罗布淖尔为西域巨泽，在西域近东偏北，合受偏西众山水，共六七支，绵地五千，经流四千五百里，其余沙碛限隔，潜伏不见者不算。以山势撰之，回环纡折无不趋归淖尔，淖尔东西二面百余里，南北百余里，冬夏不盈不缩。”在清嘉庆年间出版、地理学家徐松所作的《西域水道记》中，插图标明塔里木河汇注孔雀河下泄罗布泊。清代末叶，罗布泊水涨时，仅有“东西长八九十里，南北宽二三里或一二里不等”，成了区区一小湖。1921 年塔里木河改道东流，经注罗布泊，至 20 世纪 50 年代，湖水面积又达到 2 000 多 km^2。然而到了 60 年代，

因塔里木河下游断流，使罗布泊渐渐失去水源补给，1972年全部干涸。

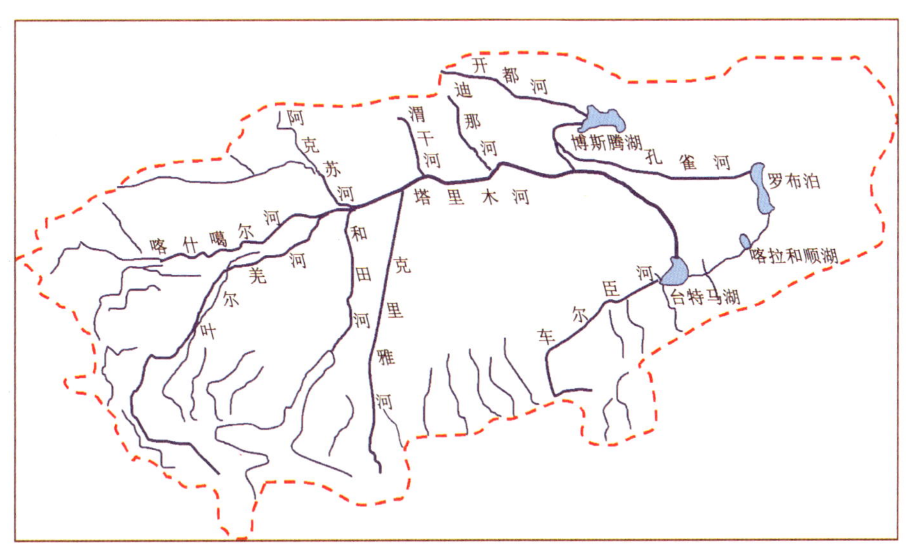

罗布泊水系示意图

历史上，罗布泊地区曾经有一个人口众多、颇具规模的古代楼兰王国。《史记·匈奴列传》记载，大约在公元前3世纪时，楼兰人建立了国家，当时楼兰受月氏统治。公元前126年，张骞出使西域归来，向汉武帝上书："楼兰，师邑有城郭，临盐泽。"虽然古楼兰王国一度繁华兴盛，但后来，这座曾经闻名中外的丝绸之路南支的咽喉门户，却无声无息地退出了历史舞台。而今，盛极一时的丝路南道已经黄沙满途，行旅裹足；烟波浩淼的罗布泊，也变成了一片干涸的盐泽。

"罗布泊"这个神秘的名字，曾经有多少人为之向往，同时又有多少探险家和研究者将自己的一生乃至生命都奉献给了这片荒无人烟的土地。

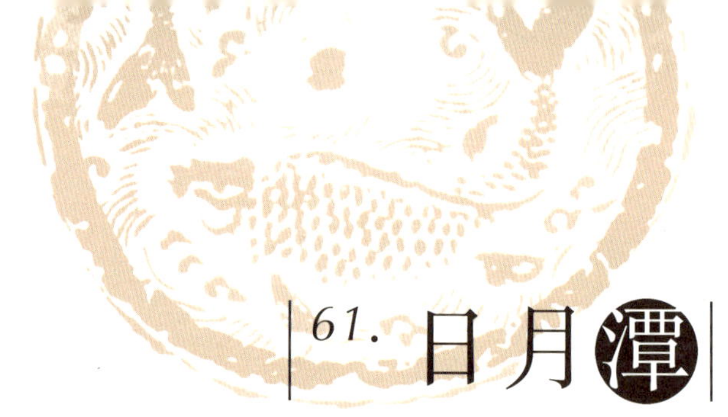

61. 日月潭

——宝岛明珠

日月潭，又名双潭、水社湖或龙湖等，坐落于台湾省西部南投县的丛山中，为台湾第一大湖泊。湖中有一孤岛——光华岛，以光华岛为界，潭水分为丹、碧二色。北半部为前潭，水色丹，形如日轮，故名日潭；南半部为后潭，水色碧，形弯似月，故名月潭，合称日月潭。

日月潭是玉山和阿里山之间的断裂盆地经积水而形成的一座高山天然湖泊，四周为高达千米的群山所环抱。群山林木葱郁，倒映于湖面，秀丽怡人，如在画中，被誉为“岛内仙境”，是台湾省八大胜景之一。

日月潭原本为天然湖泊。平均水深约 4 m，湖面海拔 726.8 m，最大水深 6 m，湖面面积 4.4 km^2。为了利用水能，1934 年于浊水溪上游的武界兴建水坝和电站，环潭四周建堤，使天然湖泊转变成水库型湖泊。电站建成后，潭边低地尽被水淹，湖水面积扩大了 70%，水域面积达到 7.73 km^2（满水位 8.4 km^2），湖面海拔增至 748 m，平均水深达 19.1 m，最大水深增至 27 m。湖形变得像枫叶，潭中小岛的面积也大大缩小。

日月潭四周青山环抱，层峦叠翠，山水映衬，湖面宛似一个巨大的碧玉盘。远远望去，潭中的美丽小岛像玉盘托着的一颗珠子，因而称珠仔岛。抗日战争胜利后，为了庆祝台湾光复，珠仔岛改名为光华岛。

日月潭是台湾原住民高山族的族群之一——邵族的居住地。邵族是台湾人口最少的原住民族群。根据邵族的口传历史，其祖先是追逐白鹿翻越阿里山而来的。

“双潭秋月”是台湾八景之一。每年中秋圆月当空时，高山族的青年男女扛着又长又粗的竹竿，带着彩球，来到潭边跳起古老的民间舞蹈。他们重演着征服恶龙的民间故事，把太阳和月亮顶上天，让日月潭永远享有日月的光辉。

日月潭水电站群是台湾最早建设、又陆续扩建成为该省规模最大的水电站群。经筑坝抬高水位，以隧洞从浊水溪引水建成日月潭水库，总库容 1.59 亿 m^3。第一发电厂又称大观电厂，为高水头引水式水电站，设圆筒形差动式调压井，利用日月潭与门牌潭之间的有效落差 304.85 m 发电，装有 5

台 2 万 kW 的水斗式水轮发电机组，总装机容量 10 万 kW，1919 年动工，1934 年建成发电。第二发电厂又称钜工电厂，利用大观电厂尾水渠与水里溪之间的有效落差 123.64 m 发电，装有 2 台 2.175 万 kW 的水轮发电机组，总装机容量为 4.35 万 kW，1937 年建成发电。这些电厂供电台北、台中、高雄等市。1980 年起，又以日月潭为上水库，水里溪上的明湖水库为下水库，修建了装机容量为 100 万 kW 的明湖抽水蓄能电站。下水库由一座高 57.5 m 的混凝土重力坝形成。明湖抽水蓄能电站的最大毛水头 321 m，厂房设在地下，装有 4 台 25 万 kW 机组，1981 年动工，1985 年建成。另一座以日月潭为上水库的明潭抽水蓄能电站 1987 年动工兴建，下水库在水里溪的车埕村附近，由一座高 61.5 m 的混凝土重力坝形成。上下水库间平均水头差 380 m，厂房位于地下，内装 6 台 26.7 万 kW 抽水蓄能机组，总装机容量达 160 万 kW。这些电站组成一个以日月潭为水源的水电站群，构成台湾省最大的水电供应基地。

日月潭水系示意图

叁
国外天然河流

62. 尼罗河

——孕育古埃及文明的世界流程最长的河流

尼罗河是世界第一长河，位于非洲东北部，是一条国际河流。发源于赤道南部东非高原上的布隆迪高地，干流流经布隆迪、卢旺达、坦桑尼亚、乌干达、苏丹和埃及等国，最后注入地中海。干流自卡盖拉河源头至入海口，全长 6 671 km，是世界流程最长的河流。支流还流经肯尼亚、埃塞俄比亚和刚果(金)、厄立特里亚等国的部分地区。

苏丹的尼穆莱以上为尼罗河上游河段，从尼穆莱至喀土穆为尼罗河中游，称为白尼罗河，最大的支流青尼罗河在喀土穆下游汇入。白尼罗河和青尼罗河汇合后称为尼罗河，属下游河段。尼罗河穿过撒哈拉沙漠，在开罗以北进入河口三角洲，在三角洲上分成东、西两支注入地中海。尼罗河主要支流有阿丘瓦河、加扎勒河、索巴

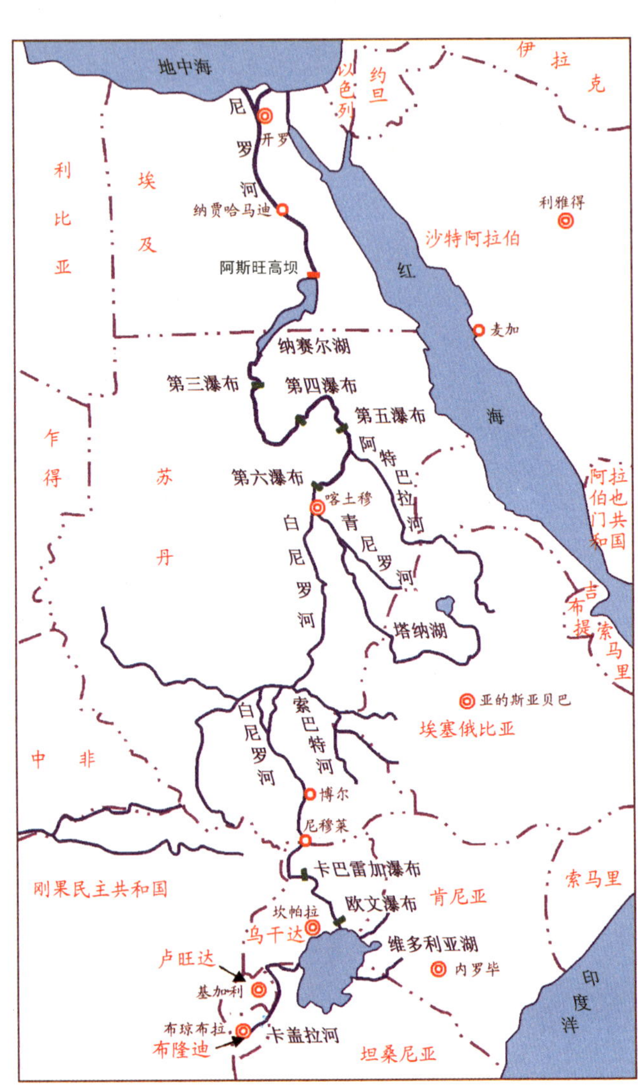

尼罗河水系示意图

特河、青尼罗河和阿特巴拉河等。

就全流域平均而言，尼罗河流域是水资源短缺的地区。流域面积约 287 万 km^2，占非洲大陆面积的 1/9 以上。入海口处多年平均年径流量 810 亿 m^3。水资源的利用以农田灌溉为主。

尼罗河上著名的阿斯旺大坝于 1960 年开工，1970 年工程全部竣工。大坝位于开罗以南 800 km 处，最大坝高 111 m，水库总库容 1 689 亿 m^3，有效库容 900 亿 m^3。水库在埃及境内被称为纳赛尔湖，在苏丹境内称努比亚湖。水电站总装机容量 210 万 kW。尼罗河每年可提供 740 亿 m^3 的稳定水量为埃及、苏丹所用，比建坝前增加了 220 亿 m^3。

尼罗河是古埃及文明的发源地。古埃及的文化遗产以尼罗河畔耸立的金字塔、尼罗河盛产的纸草、行驶在尼罗河上的古船和神秘莫测的木乃伊为标志。在埃及出土的一艘约公元前 4700 年的古船，长近 50 m，设备完好，足见当时航海及造船的技术与规模。公元前 4000 年，埃及人就发明了太阳历，将一年定为 365 天，可见当时埃及在天文学、数学方面的成就很高。神秘的木乃伊则体现了埃及人在医学方面的突出成就。尼罗河还使当地的人们产生了无与伦比的艺术想像力。坐落在东非干旱大地上那气势恢宏的神庙是多么粗犷，与旁边蜿蜒流淌的尼罗河形成强烈的对比。古埃及很多艺术品都既具有阳刚之气又不乏阴柔之美。相传，女神伊兹斯与丈夫相亲相爱，一日，丈夫遇难身亡，伊兹斯悲痛欲绝，泪如泉涌，泪水落入尼罗河中，致使河水猛涨，泛滥成灾。所以每年到了 6 月 17 日或 18 日，埃及人都为此举行盛大的纪念活动，称为“落泪夜”。从这个神话故事中，我们不难看出人们对尼罗河深深的感情。

63. 刚果河

——世界第二大河

刚果河又称扎伊尔河，是世界著名大河，流域面积和流量仅次于南美洲的亚马逊河，均居第二位。正源是赞比亚北部高原的谦比西河，干流流经赞比亚、刚果民主共和国和刚果共和国注入大西洋。全长 4 640 km，为非洲第二长河。

刚果河流域地处世界最大的盆地——非洲赤道地区著名的刚果盆地，周围为高原和山地。由河源至基桑加尼为上游，该河段自南向北流经高度不等的高原和陡坡地带，特点是水流湍急，湖泊、瀑布和险滩多。从基桑加尼至金沙萨为中游，流经地势低平的刚果盆地中部，支流众多，河网密布，河道纵坡平缓，水量丰富，水流平稳，河面展宽 4～10 km，有的地方可达 14 km，水深在 10 m 左右。因中游河水流速缓慢，形成许多辫状河道，河中有沙洲和岛屿，沿岸多沼泽和湖泊，有众多支流汇入。金沙萨向西南到大西洋岸为下游，先穿越峡谷地带，最窄处仅 200 余 m，形成一系列瀑布，组成世界著名的利文斯敦瀑布群，从马塔迪往下，河面变宽，水流分汊，河口处宽达数千米。刚果河河口没有三角洲，只有较深的溺谷，河槽向大西洋底延伸达 150 km，在河口以外数十千米范围内，形成广大的淡水洋面。这是非洲大河中惟一的深水河口，有利于航运的发展。

刚果河支流密布，流域涉及的国家有赞比亚、刚果民主共和国、中非、刚果、喀麦隆、安哥拉、卢旺达、布隆迪、坦桑尼亚。沿途接纳的主要支流，右岸有阿鲁维米河、乌班吉河、桑加河等；左岸有洛马米河、开赛河等。流域面积约 370 万 km^2。

刚果河是非洲水能资源最丰富的大河。流域年降雨量约 1 300～2 000 mm，河口年平均流量 39 000 m^3/s。其径流量比尼罗河大 16 倍。全流域有 43 处瀑布和数以百计的险滩及急流。流域水能资源理论蕴藏量约 3.9 亿 kW，居世界大河之首，可开发水电装机容量约 1.56 亿 kW。水能资源主要集中在上游及下游。上游段的基桑加尼瀑布总落差超过 60 m，是建设水电站的优

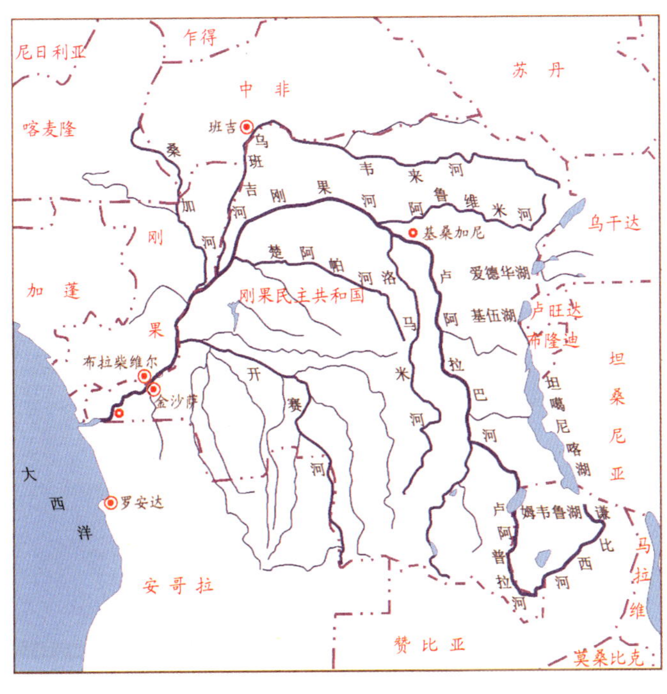

刚果河水系示意图

良坝址。下游金沙萨至河口河道窄、水流急，总落差 280 m，是非洲水能资源最为集中的地段，也是刚果民主共和国目前重点开发的地区。许多支流上也蕴藏着丰富的水能资源，由于地处偏远地区，至今尚未开发利用。此外，刚果河流域的森林资源和矿业资源也十分丰富。

在刚果河流经的主要国家中，以金沙萨为首都的刚果民主共和国，简称刚果(金)；而以布拉柴维尔为首都的刚果共和国，简称刚果(布)，13～14 世纪时它们都属于刚果王国。15 世纪起，葡、荷、英、法、比殖民者相继侵入。1884 年，帝国主义国家瓜分非洲的柏林会议将刚果河以东地区划为比属殖民地，以西地区划为法属殖民地。1960 年，两国均获得独立。然而，刚果(金)长期陷入政局动荡。当地居民民族很多，这些民族多数属于班图族系，少数属于苏丹族系，原始森林里还有少数俾格米人。班图人主要从事锄耕农业，在迁移扩散中吸取了畜牧、渔猎文化。

64. 底格里斯河

——孕育两河文明的西亚流量最大的河流

底格里斯河是西亚流量最大的河流，发源于土耳其埃拉泽东南方，托罗斯山麓的果勒秋克湖。自源头向东南，经迪亚巴克尔市，后经叙利亚东北边境进入伊拉克，继续向东南流经摩苏尔、巴格达等城市，至古尔奈，与幼发拉底河汇合，形成一条长193 km的感潮河段——阿拉伯河，至法奥附近注入波斯湾。底格里斯河流域与幼发拉底河流域统称两河流域，是古代“两河文明”的发祥地。

底格里斯河水系示意图

底格里斯河从源头到古尔奈，河长 2 045 km，流域面积 37.5 km^2，年平均流量 1 150 m^3/s，年径流量 366 亿 m^3。河水主要靠高山融雪和上游春雨补给。因沿山麓流动，沿途支流流程短、汇水快，常使河水暴涨，洪水泛滥，形成沿岸广阔肥沃的冲积平原，这是伊拉克重要的灌溉农业区。

底格里斯河较大支流有比赫坦河、大扎卜河、小扎卜河、阿贾姆河、迪亚拉河以及卡尔黑河等。

底格里斯河流域属于亚热带气候，北部较温和，南部炎热，冬季有积雪。流域降雨量北部山区多，年降雨量在 600～900 mm，南部少，中、南部降水仅约 150 mm。底格里斯河水资源和水能资源总体较丰富，主要集中于流域

上游。

土耳其境内的底格里斯河流域水资源和水能资源均较丰富，建有迪克尔坝、基拉尔基兹坝等。其中迪克尔坝为堆石坝，坝高 87 m，坝顶长 306 m，库容 5.95 亿 m^3，电站装机容量 11 万 kW。工程于 1993 年建成。

伊拉克境内有德尔本地汉坝、摩苏尔坝和杜坎坝等。德尔本地汉坝位于巴格达北部的支流上，始建于 1956 年，坝高 135 m，水库总库容 30 亿 m^3，电站装机容量 11.5 万 kW；摩苏尔坝于 1983 年建成，位于摩苏尔附近，为土石坝，坝高 131 m，水库总库容 125 亿 m^3，电站装机容量 103 万 kW，灌溉面积 10 万 hm^2；杜坎坝位于小扎卜河上，拱坝，最大坝高 116 m，水库总库容 68 亿 m^3。底格里斯河流域灌溉工程十分发达，早在 3 000 多年前，就在河流三角洲顶点建有奴姆鲁坝。

“两河流域文明”又称“美索不达米亚文明”，是指在两河流域间的美索不达米亚平原所发展起来的文明。当时文明的中心大概在现在的伊拉克首都巴格达一带，北部古称亚述，南部为巴比伦尼亚。巴比伦尼亚北部叫阿卡德，南部为苏美尔，是世界上文化发展最早的地区。这一带远古时期居住着许多种族，虽然为干旱区域，但下游土地肥沃，很早就发展了灌溉网络，形成以许多城市为中心的农业社会。

两河流域文明最早的创造者是距今约 6 000 年前来自东部山区的苏美尔人。约在 5 000 年前，苏美尔人有了自己的城邦。苏美尔人的显著成就是发明了一种文字——楔形文字，被两河流域的许多国家所使用。苏美尔人的神话传说中有关大洪水的故事，就是后来被犹太人改编后编入《旧约全书》中的诺亚方舟的故事。苏美尔人之后，阿卡德人、巴比伦人、亚述人以及迦勒底人继承和发展了苏美尔人的成就，使两河流域的文明成为人类文明史上重要的一页。

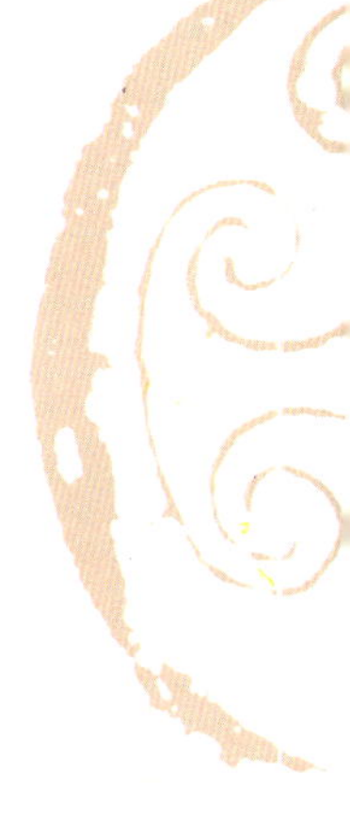

65. 幼发拉底河

——与底格里斯河齐名的两河文明发源地

幼发拉底河是“两河文明”发祥地的河流之一。该河流有两源:正源是卡拉苏河,发源于土耳其东北部的埃尔祖鲁姆市以北;另一源是穆拉特河,发源于土耳其中东部的内托罗斯山脉的北麓。两源在凯班水库相汇后流经叙利亚,再转向东南进入伊拉克,途经拉马迪三角洲、哈巴尼亚洼地、哈马尔湖,在巴士拉上游的古尔奈,与底格里斯河汇合成为阿拉伯河。从发源地到古尔奈,河流全长 2 750 km,是西亚最长的河流。流域面积 44.4 万 km^2,年平均流量 1 030 m^3/s,年径流量约 324 亿 m^3。

幼发拉底河主要靠高山融雪和山区降雨补给,水量较为丰富,但因沿途蒸发、渗漏及大量灌溉,至中下游流量骤减。入平原后,河流沿岸形成伊拉克重要的灌溉农业区。干流年径流量的 88%来自土耳其境内,12%来自叙利亚境内。每年四五月份水量最大。流域水能资源理论蕴藏量为 1 000~1 500 万 kW,其中大部分集中在土耳其境内。

上游高山峡谷地带水能资源得到了充分的开发,土耳其境内有凯班、卡拉卡亚、阿塔图尔克、芬迪克蒂和卡尔卡米斯等水电站;叙利亚境内有塔布瓜和蒂斯林等水电站;伊拉克境内有哈迪萨等水电站以及支流卡伦河上的卡伦 1 级(沙希德·阿巴斯普尔)水电站。总装机容量超过 800 万 kW。

流域内灌溉文明历史悠久,一些古代灌溉工程经改造后至今还在继续发挥作用。近年来,由于幼发拉底河和底格里斯河水量不断减少,而土、叙两国对水的需求却日益增长,因此,现在两国对幼发拉底河和底格里斯河水分配的矛盾非常严重。

两河流域是世界上文化发展最早的地区。从公元前 4000 年起,经历苏美尔人城邦、阿卡德王国、巴比伦王国、亚述帝国、迦勒底王国,于公元前 538 年被波斯帝国所灭。

苏美尔人发明了楔形文字,是早期文字中发展比较完备的文字。在苏美尔—阿卡德时代的太阴历历法很有特色,每个月 29 天或 30 天,12 个月为

幼发拉底河水系示意图

1年，每年354天，通过置闰月的办法调整。开始依靠经验置闰，后来先后有8年3闰和27年10闰的规定。古巴比伦王国颁布的《汉谟拉比法典》是世界上最早的法律。在亚述时期，还确定了星期的名称和7天1周的规定。迦勒底王国修建了著名的空中花园。“两河文明”在天文学方面，已经能够区别恒星和五大行星，还观察到黄道；在数学上，使用十进制和六十进制，制定圆周为360度，规定1天为12时，每时30分。古巴比伦人还掌握了四则运算、平方、立方和求平方根、立方根的法则，还会求解有三个未知数的方程，得出了直角三角形的勾股定理，并且求出圆周率为3。古希腊人后来的许多成就，也是在继承两河流域文明和古埃及文明的基础上发展起来的。

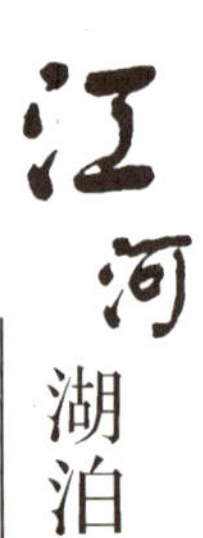

66. 恒河

——印度文明的摇篮

恒河是印度文明的摇篮，也是南亚最长、流域面积最大的河流。发源于喜马拉雅山西段南麓，最远支流达中国境内。向东南进入印度恒河平原，最后于孟加拉国注入孟加拉湾。干流中、上游在印度境内，下游在孟加拉国境内。

从河源至孟加拉湾，恒河干流全长 2 527 km，流域面积 105 万 km^2，河口处多年平均年径流量为 5 500 亿 m^3。

恒河有两个较大的源头，即阿勒格嫩达河和帕吉勒提河。两河汇合后始称恒河。进入恒河平原后，与其著名支流朱木拿河（又称亚穆纳河）结伴并排而行。恒河沙多水浊，而朱木拿河水深且清。进入孟加拉国后，被称为帕德玛河（意为荷花河），汇合布拉马普特拉河（我国境内部分称雅鲁藏布江），两河巨大的水量冲积出世界上最大的三角洲——恒河三角洲，最后注入孟加拉湾。

北岸主要支流均发源于喜马拉雅山南麓，在尼泊尔和中国境内。恒河南岸的最大支流是朱木拿河，也发源于喜马拉雅山南坡。

恒河流域的径流一方面来自季风带来的降雨，另一方面来自热季喜马拉雅山的融雪。恒河流域的洪水问题主要在北岸地区，多半由于支流漫堤和河流改道造成。

流域水能资源约 4 560 万 kW，其中尼泊尔境内 3 200 多万 kW，印度境内 1 360 万 kW。

流域的治理开发以灌溉为主。为解决枯季水源不足的矛盾，也修建了一些多目标水库和水电站。据印度的估计，恒河流域印度境内有 52 个可建水库的坝址，已建和在建的有 23 座，建议修建的有 29 座，有效库容共计可达 671.6 亿 m^3。而在尼泊尔境内，据调查，有 10 个可修建水库的坝址，总库容可达 987 亿 m^3。

恒河被印度人民尊称为“圣河”、“印度的母亲”。印度的历史大致可分

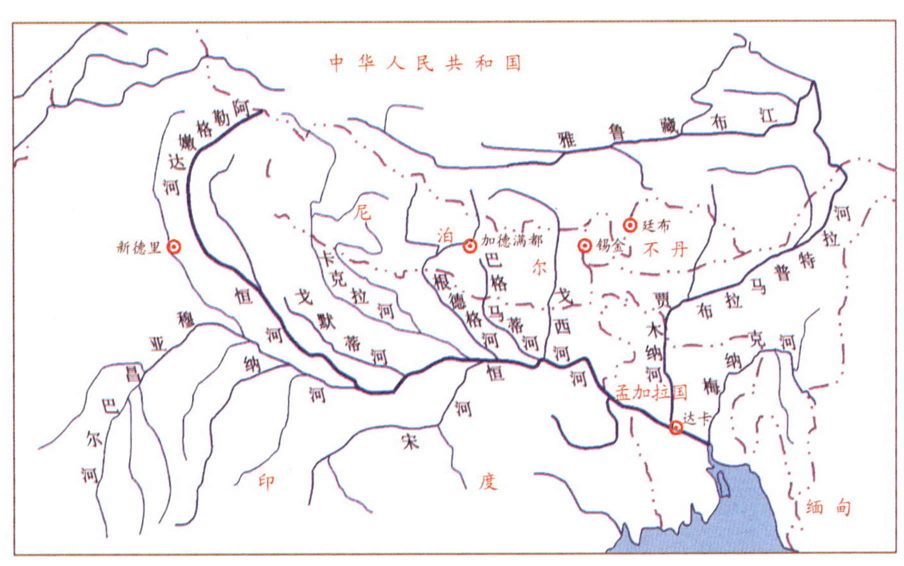

恒河水系示意图

为史前时代、吠陀时代及史诗时代、列国争雄时代、殖民时代和独立时期。史前文明主要是考古发现的印度河文明。吠陀时代自约公元前1500年由北方雅利安人开创。“吠陀”原意是知识，中国古人译作“明”，留下不少神话诗集。自公元前600年起，是长达2 000多年的列国争雄时代。直到殖民地时期，印度大小王国林立，没有形成一个高度统一的中央集权制的国家。印度种族、民族繁多，使用的语言、方言超过150种，存在种姓等级制度。印度宗教气氛极为浓厚，处处有神庙，村村有神池。婆罗门教——印度教最为流行。印度文化主要是宗教文化，推崇来世，轻视今生，强调人生无常，主张清心寡欲，反对执著追求。宗教传说认为，恒河水源于“神山圣湖”，系指我国西藏的冈底斯山及其东南坡的清澈如镜的淡水湖——玛旁雍错，因此恒河水成为印度教教徒心目中洗净罪恶的圣水，每年都有许多人从全国各地到恒河沐浴，其中以瓦拉纳西等地的圣水浴最为壮观。每隔12年，便举行盛大的宗教节日。节日期间，数百万的印度教徒赶到恒河沐浴，到大庙祈祷，将鲜花或牛奶洒到河里。恒河在印度人的精神生活中有着无可替代的位置。

67. 印度河

——孕育世界上最早农业文明的河流之一

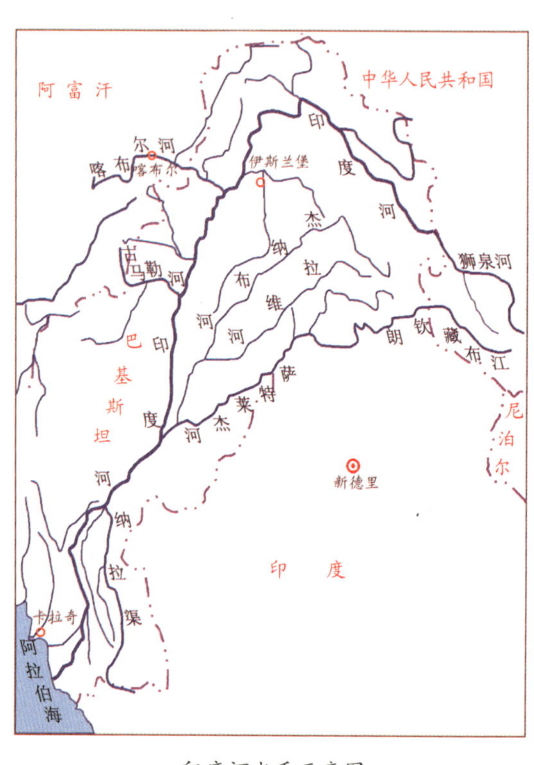

印度河水系示意图

印度河干流发源于中国西藏境内喜马拉雅山凯拉斯峰东北部的狮泉河，平均海拔约 5 500 m，终年冰雪覆盖。向西北流经克什米尔后，转向西南贯穿巴基斯坦全境，在布恩吉附近与吉尔吉特河相汇，在卡拉奇附近注入阿拉伯海。河流经过喜马拉雅山脉和喀喇昆仑山脉之间时，接纳了众多冰川融水。

印度河左侧支流的上游区域大部分在印度境内，少部分在中国境内，右侧的一些支流源于阿富汗。干流长约 2 900 km，总流域面积为 103.4 万 km^2，多年平均年径流量 2 070 亿 m^3，平均含沙量 3 kg/m^3。河流每年有两次涨水。

印度河流域属于亚热带季风气候，但因东北部山脉的影响，流域内气候通常介于干燥与半干燥、热带与亚热带之间，平均年降水量约 300 mm。流域一年分为四季：东北季风季，12 月至翌年 3 月，气温低，降水少，湿度小；热季，4～6 月，空气干燥，温度高；西南季风季，7～9 月，降水多，雷暴多，湿度大，是全年的降雨季节；过渡季，10～11 月，降雨少，昼夜温差大，但整个季节比较凉爽。流域内最高气温在 45℃左右，最低气温在－15℃左右。

印度河中下游平原灌渠纵横，人烟稠密，盛产小麦、棉花和稻米，是巴基斯坦的“粮仓”。印度河的灌溉历史非常悠久。公元前3000年，已发展引洪灌溉。到公元5世纪、6世纪开始修建引水灌溉渠道。1605年建成了第一条永久性灌溉渠，渠长80 km，将拉维河水送到谢胡布尔。到20世纪初，印度河流域的灌溉规模已经很宏大，在干支流上修建了近40座拦河闸，并配套建有引水渠。如1932年建成的印度河干流上的苏库尔拦河闸，闸长1 440 m，过闸流量42 450 m^3/s，灌溉面积300多万 hm^2。

印度河流域的防洪主要依靠堤防，仅巴基斯坦境内就有各类堤防长约5 400 km。河流上已经建成的曼格拉水库等大型多目标水库使印度河流域防洪局面得到很大改善。

印度河的大部分干支流都在巴基斯坦，河名却叫作“印度河”。原因是印度和巴基斯坦本是南亚次大陆上的统一国家，后来沦为英国的殖民地。1947年8月15日独立时，“印、巴分治”，分为印度和巴基斯坦，河流水量归两国共同使用。为了避免纠纷，两国在1960年签订了“印度河用水条约”，规定印度使用河水系总水量的1/5，其余归巴基斯坦使用。

印度河文明从公元前2350年之前到前1750年，为世界上最早进入农业文明和定居社会的主要文明之一，属于青铜时代文明，一般认为创造者是达罗毗荼人。由于主要典型城市遗址为哈拉帕和摩亨佐达罗，又称哈拉帕文化。遗迹显示城市规划整齐，人口约3万～4万，西部为统治者居住的卫城，东部为下城居民区。卫城有良好的供水排水系统。有大浴池，可能是祭祀前沐浴的宗教礼仪建筑。可制造青铜器，还出现了棉纺织业、造船业、象牙加工业、石料加工业等。对外贸易发达。当时已使用文字，所用符号约500个。出土很多红铜、象牙、陶土制作的具有特色的印章。印度河文明约从公元前1750年突然消失，究其原因，较通行的说法是由于外族的大规模入侵或者地震和由地震引起的水灾而造成的。

68. 叶尼塞河

——俄罗斯第一大河

叶尼塞河是俄罗斯第一大河，位于中西伯利亚高原西侧。有两条源流，一是大叶尼塞河，一是小叶尼塞河。两河于克孜勒附近汇合后称叶尼塞河。小叶尼塞河发源于唐努乌拉山脉，大叶尼塞河发源于东萨彦岭的喀拉·布鲁克湖。叶尼塞河沿途接纳的大支流有安加拉河、中通古斯卡河、下通古斯卡河、库列依卡河和汉泰卡河等。叶尼塞河干流从南向北流，最后注入喀拉海的叶尼塞湾。以大叶尼塞河为源，河长 4 086 km；若以安加拉河为源流，上溯至注入贝加尔湖的色楞格河源，则全长 5 227 km。叶尼塞河流域面积 260.5 万 km^2，总落差 1 578 m，河口多年平均年径流量 6 225 亿 m^3。

叶尼塞河流域的多年平均年降水量在中西伯利亚高原的西部为 400～500 mm，东部为 300～400 mm，而在南部山地则为 500～1 175 mm。大部分雨水降在温暖的季节，冬季积雪很厚。叶尼塞河的主要供水源是融雪和雨水，还有一部分是山区冰川的融水，其余为地下水。

叶尼塞河年平均含沙量为 0.02～0.08 kg/m^3。冬季含沙量最少，春季最多。春天河水中挟沙很严重时，水色呈浅黄绿色，其透明度不超过 50 cm。除了悬移质泥沙外，叶尼塞河水还带有大量溶解矿物质，其含量比河水中的含沙量还高。

叶尼塞河支流众多，河网稠密，水量充沛，水能资源极为丰富，可开发水电装机容量 8 679.1 万 kW，占俄罗斯全国的 30.9%。

流域水利资源的综合利用有发电、航运、防洪等方面。流域已建、拟建的装机容量在 250 万 kW 以上的水电站有 10 座，总装机容量 6 782 万 kW。叶尼塞河是克拉斯诺雅尔斯克边疆区内最重要的水运干道，与大西伯利亚铁路构成水陆交通命脉。在叶尼塞·安加拉河梯级修建前，干流从河口至上游克孜勒和 10 多条支流都可通航，但这些航道目前只能分段营运。防御洪水灾害最有效的措施之一是兴建调洪水库，安加拉河上的布拉茨克、乌斯季伊里姆、鲍古昌等水库，总调节库容 543 亿 m^3；叶尼塞河干流上的克拉斯

诺雅尔斯克和萨彦舒申斯克两大水库，总调节库容为457亿m^3。这些水库属于多年调节水库，现在完全有可能做到借助准确而及时的洪水预报对上述梯级库群进行联合防洪调度，以使叶尼塞—安加拉河干支流上的洪峰错开，安全下泄。自梯级水库群相继建成以来，该流域无论春季的洪泛或冬季的凌汛水患，都已基本根除。

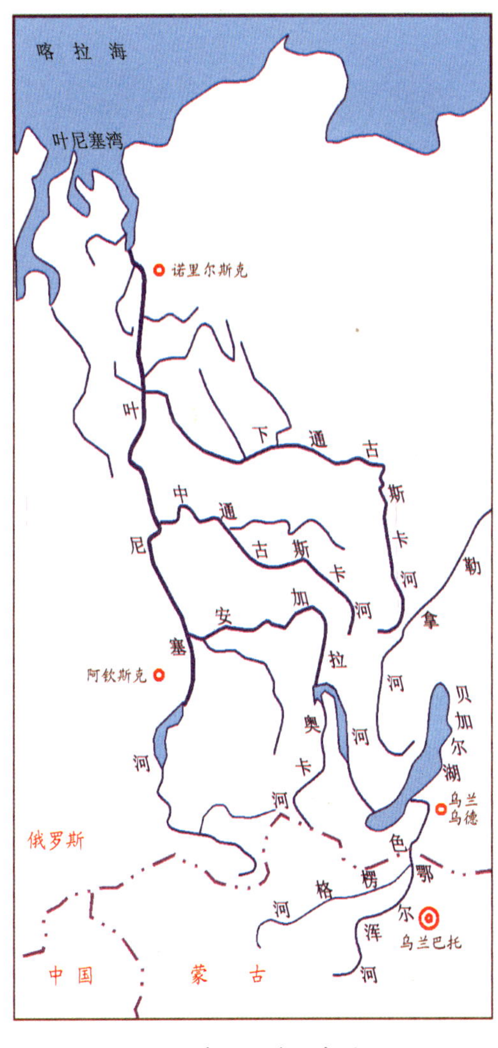

叶尼塞河水系示意图

叶尼塞河流域居住着多种民族：如俄罗斯人、埃文基人、图瓦人、乌克兰人、鞑靼人、哈卡斯人、雅库特人、涅涅茨人等。经济活动北部以渔猎、驯鹿和毛皮、养殖为主，并有石墨、煤炭等采矿业；南部有加工业。

叶尼塞河上游最初游牧着柯尔克孜族的先民，史称"鬲昆"、"坚昆"。公元840年，建立黠嘎斯汗国，唐朝曾封其首领为英武诚明可汗。元朝管辖其地后，在此建立廉州，称其为吉利吉斯，并输送大量工匠和农民，以改变叶尼塞河流域的落后面貌。16至18世纪，沙皇俄国侵占了叶尼塞河吉利吉斯的大片领土，他们被迫迁往大山西部的伊塞克湖地区。大约在明末清初，发展为柯尔克孜族。进入19世纪后，沙俄进一步侵入，从此柯尔克孜族成了一个跨境而居的民族。我国的柯尔克孜族人数较少，主要分布在新疆、黑龙江等地。

69. 伏尔加河

——五海之河

伏尔加河是欧洲第一大河，同时也是世界上最大的内陆河。它发源于东欧平原西部的瓦尔代丘陵中的湖沼间，最后注入里海。全长 3 690 km，流域面积达 138 万 km^2。

伏尔加河上、中游地区河网密布，支流众多，主要支流为卡马河、奥卡河。其中卡马河是伏尔加河最大的支流，它们在喀山以南汇合，在汇合处两河流量几乎相等。伏尔加河下游支流很少，特别是从河口向上 800 km 内，没有一条支流。

流域大部分为大陆性气候。冬季寒冷漫长，河面封冻，积雪深厚；到了夏季，大量的积雪融水流入伏尔加河。伏尔加河河口年平均流量达 8 000 m^3/s，平均每年有 2 550 亿 m^3 的水注入里海，对保持内陆湖里海的水量平衡极为重要。

从距河源不远的尔热夫算起，往下 3 000 多 km 的河段内，总落差仅有 190 m，因此河水流速缓慢，沙洲、浅滩、牛轭湖、废河道广为分布，是一条典型的平原河流。它通过伏尔加河—波罗的海运河连接波罗的海，通过北德维纳河水系和白海—波罗的海接通白海，通过伏尔加河—顿河运河与亚速海和黑海沟通，从而实现了五海通航，有“五海之河”的美称。

十月革命前，伏尔加河完全处于自然状态，河流水深仅 1.6 ～2.5 m，全河有许多浅滩和沙洲，通航不畅，干、支流上丰富的水力资源基本上未得到开发。从 20 世纪 30 年代起，伏尔加河实施了大规模的整治开发，逐步形成了统一水深的航道网，修建了 14 座大型水利枢纽，实现了梯级开发，水电站总装机容量达 1 000 多万 kW，年发电量达 400 多亿 kW · h。

伏尔加河的中北部是历史悠久的俄罗斯民族和文化的发祥地。公元 6 世纪，这里主要生活着迁徙过来的东斯拉夫人。9 世纪，北欧人建立基辅罗斯，12 世纪分裂为若干公国，莫斯科建于 1147 年。1237 年蒙古军队入侵，建立钦察汗国，统治长达 240 年。“沙皇”是“恺撒”的俄语发音。早期俄罗斯人

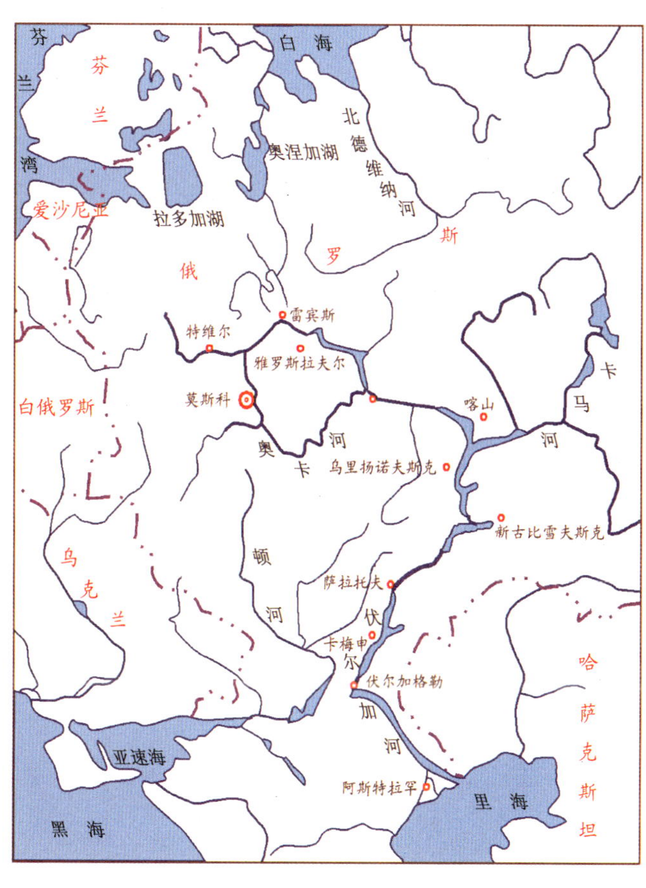

伏尔加河水系示意图

尊称拜占庭君主为"沙皇",认为公国的大公们是沙皇的大臣。由于蒙古大汗的强悍统治,罗斯人转而尊称大汗为"沙皇",何况大汗还娶了拜占庭的公主为皇后。后来蒙古人衰落分裂,莫斯科公国强盛起来,不乐意再尊称大汗为沙皇了,但还没有勇气自称沙皇。1547 年,莫斯科大公伊凡四世发表讲话正式自称沙皇。封建领主们吃惊于伊凡四世的早熟,因为那时他才 16 岁。从此莫斯科公国升级为集权专制政体的沙皇俄罗斯。伊凡大帝使俄罗斯挤入欧洲强国之林。1613 年建立了罗曼诺夫王朝。彼得大帝执政时的改革,提高了俄罗斯的实力。叶卡捷琳娜二世时期,领土空前膨胀。这个王朝经历了 18 个沙皇的统治,末代沙皇尼古拉二世在 1917 年发生的俄国二月革命中被推翻。再后来就是人们熟知的十月革命了。

70. 多瑙河

——蜿蜒在欧洲大地上的蓝色飘带

多瑙河是欧洲第二大河，也是世界上干流流经国家最多的国际河流。发源于德国西南部的黑林山东南坡。干流向东南方向流经德国、奥地利、斯洛伐克、匈牙利、克罗地亚、塞尔维亚、罗马尼亚、保加利亚、乌克兰9国，支流延伸至瑞士、波兰、意大利、波斯尼亚和黑塞哥维那、捷克以及斯洛文尼亚、摩尔多瓦等国，最后在罗马尼亚东部的苏利纳注入黑海，全长2 850 km，流域面积81.7万km^2。

多瑙河河网密布，有大小支流300多条。多瑙河干流从河源至布拉迪斯拉发附近的匈牙利门为上游，从匈牙利门至铁门峡为中游，铁门峡以下为下游。

多瑙河流域属温带气候区，具有由海洋性气候向大陆性气候过渡的性质。特别是流域西部和东南部温湿适宜，雨量充沛。河口地区则具有草原性气候特征，受大陆性气候影响，整个冬季较寒冷。大部分降水出现在夏季和秋初，高山地区冬季降雪，降雪量占全年降水量的10%～30%。流域内降雨分布不均匀，上游地区年降雨量多，约为1 000～1 500 mm，中下游平原地区降雨量少，约为700～1 000 mm，流域平均降水量863 mm。河口多年平均年径流量2 030亿m^3。

多瑙河干支流水量充沛，水能资源丰富，其理论蕴藏量高达500亿kW·h。

德国和奥地利于20世纪20年代开始开发多瑙河。1924年，德国动工兴建了第一座水电站，即卡赫莱特水电站，迈出了开发利用多瑙河水能资源的第一步。1949年，保、匈、罗、捷、乌克兰（当时属苏联加盟共和国之一）及南斯拉夫等国在贝尔格莱德签订了关于多瑙河自由通航的国际协议，计划修建45级通航与发电的水利枢纽，总计利用水头401 m，总装机容量786.5万kW，年发电量438亿kW·h。

蓝色的多瑙河孕育了欧洲文化，也成为许多欧洲文学艺术作品描写的

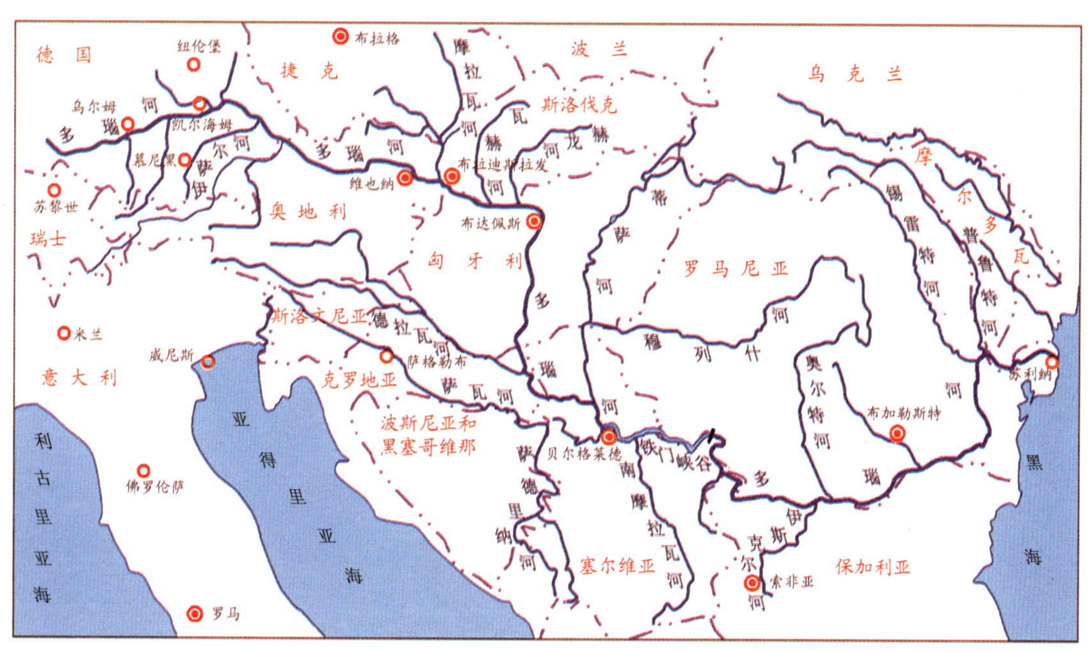

多瑙河水系示意图

对象。多瑙河上游有奥地利的首都维也纳，奥地利音乐家小约翰·施特劳斯所作的圆舞曲《蓝色的多瑙河》，是维也纳新年音乐会每年必演奏的保留曲目。

多瑙河中游平原，是匈牙利和塞尔维亚等国重要的农业区，素有“谷仓”之称。多瑙河中游流经地区分布着布拉迪斯拉发、布达佩斯和贝尔格莱德等各国政治、经济中心城市。

下游的多瑙河三角洲，是“鸟类的天堂”。这里是欧、亚、非三大洲来自五条道路的候鸟的会合地，也是欧洲飞禽和水鸟最多的地方，经常聚集着300多种鸟类。各路鸟群在此聚会，形成热闹非凡而又繁华壮丽的景象。

71. 第聂伯河

——乌克兰的象征

第聂伯河是欧洲第三大河，次于伏尔加河和多瑙河。发源于俄罗斯瓦尔代丘陵南部混交林地带的沼泽地，河流先由北向南流，至基辅转向东南流，到达扎波罗热后再转向西南流，先后流经俄罗斯的斯摩棱斯克州、白俄罗斯和乌克兰，最后在赫尔松附近注入黑海。河流全长 2 285 km，流域面积为 50.3 万 km^2。从河源至入海口，总落差 253 m。

第聂伯河水系示意图

第聂伯河从源头至乌克兰的基辅为上游；从基辅至扎波罗热为中游；从扎波罗热至河口为下游。沿途接纳的主要支流有：德鲁季河、别列津纳河、索日河、普里皮亚季河、捷捷列夫河、杰斯纳河、罗斯河、苏拉河、普肖尔河、沃尔斯克拉河、奥列利河、萨马拉河和因古列茨河等。习惯上将第聂伯河划分为上第聂伯河和下第聂伯河，上第聂伯河是从河源至乌克兰境内的基辅，下第聂伯河是从基辅至河口。

第聂伯河流域气候较温暖、湿润，从西北向东南大陆性气候逐渐显著。

降雨量由北向南递减:瓦尔代丘陵和明斯克丘陵区域年降水量为 762～821 mm,基辅附近为 708 mm,扎波罗热以下为 454 mm,东南部在 300 mm 以下。

第聂伯河河口年径流总量为 530 亿 m^3,其年际、年内变化都很大。多水年(1877 年)径流量达 960 亿 m^3,枯水年(1921 年)仅有 230 亿 m^3。历史上第聂伯河的最大流量发生在 1931 年的 5 月,达 25 000 m^3/s,而 1921 年夏季的最小流量为 329 m^3/s,冬季最小流量一般年份为 200～300 m^3/s,1921 年只有 114 m^3/s,极个别年份仅仅 90 m^3/s。

上第聂伯河水利水电规划重点是排水和土壤改良工程、整治上游干支流航道、发展小水电;下第聂伯河段是第聂伯河重点开发的河段,梯级开发 6 级水电站,共利用水头 203 m,水库总库容 437 亿 m^3,总装机容量 383.6 万 kW,年发电量 143.9 亿 kW·h。

美丽的第聂伯河是乌克兰人的母亲河。乌克兰民族是在第聂伯河两岸形成和发展起来的。乌克兰民族是古罗斯族的分系。公元 9 世纪建立了第一个国家——基辅罗斯。此后,无论是面对鞑靼——蒙古军队,土耳其的精兵,还是德国法西斯,乌克兰人从不屈服于外来侵略者。第聂伯河两岸的乌克兰人辛勤劳作,繁衍生息,形成了强大的乌克兰民族,继而又建立了一个独立自主的国家。乌克兰民族还养育了许多享誉世界的文学家、艺术家、教育家。俄罗斯文学之父果戈里从乌克兰走向世界;影响中国几代人的名著《钢铁是怎样炼成的》,其作者奥斯特洛夫斯基也是乌克兰人;俄国最伟大的现实主义画家列宾、驰名画坛的俄国风景画家库茵芝以及世界著名的教育家马卡连柯都是乌克兰人。第聂伯河是乌克兰的根,是乌克兰的象征。

72. 莱茵河

——德国的“父亲河”

莱茵河是纵贯中欧、西欧的一条重要河流。发源于瑞士中部的阿尔卑斯山北麓，河流向西北流，经瑞士、列支敦士登、奥地利、法国、德国和荷兰 6 国，在鹿特丹附近注入北海。全长 1 320 km。

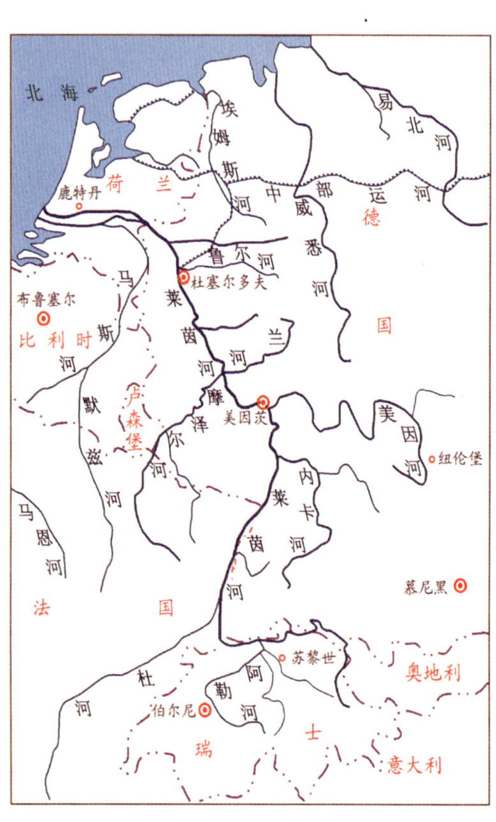

莱茵河水系示意图

流域的气候、水文和气象条件因地而异，南面是阿尔卑斯山的山地气候，西面为海洋性气候，东面则接近大陆性气候。上游春夏季冰雪融化，水量增多；下游冬季降水多，水文状况较稳定。

莱茵河流域面积 22.44 万 km^2，流域多年平均年降水量 910 mm，河口多年平均流量 2 500 m^3/s，年径流量 790 亿 m^3，年输沙量 350 万 t。

莱茵河干流习惯上分为以下四段：从河源至巴塞尔为阿尔卑斯莱茵河，其中博登湖出口至巴塞尔又称为高莱茵河；从巴塞尔至宾根称为上莱茵河；从宾根至科隆称为中莱茵河；从科隆至潘内尔登称为下莱茵河。莱茵河曾一度在荷兰海牙以北入海，目前有瓦尔河、艾瑟尔河及累克河三条入海汊河。

莱茵河开发的主要任务是防洪、航运和发电。20 世纪以前主要是修建

防洪工程，进行河道整治，自 20 世纪初开始则积极修建水利枢纽和水电站，其中水电站主要分布在中莱茵河以上河段，总装机容量近 600 万 kW。经过长期的河道整治，莱茵河的通航里程超过 1 600 km。按照航道建设规划，莱茵河的支流摩泽尔河与法国的索恩河、罗讷河连通，可直达地中海；莱茵河支流美因河通过运河与多瑙河连接，构成了一条连接北海与黑海的莱茵—美因—多瑙河的航道，这条航道连通 10 多个欧洲国家，被称为欧洲航道；莱茵河上游的莱茵—罗讷运河工程，把瑞士的巴塞尔与地中海连接起来，成为一条贯通欧洲南北的大动脉。

莱茵河流经德国部分长 865 km，流域面积占德国总面积的 40%，在德国一向有“父亲河”之称。莱茵河两岸分布着许多德国重要城市，如美因茨、科布伦茨、波恩、诺伊斯和科隆。莱茵河畔成长的天才历史人物浩若繁星。德国诗人歌德生于莱茵河畔法兰克福一个富裕市民家庭，其代表作品有《少年维特之烦恼》、诗剧《浮士德》等；德国作曲家贝多芬生于波恩城，其主要作品有《第三交响曲》(《命运》)、《第六交响曲》(《田园》)、《第九交响曲》(《合唱》)以及《悲怆》奏鸣曲、《月光》奏鸣曲等；革命导师马克思、恩格斯分别诞生在德国普鲁士莱茵省的特利尔城和巴门市，他们所创立的学说，对整个人类历史发展的进程产生了深远的影响。

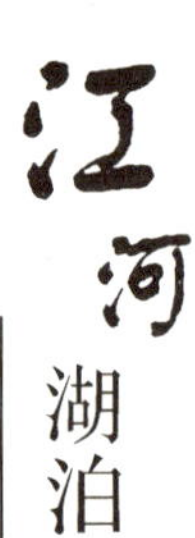

73. 塞纳河

——巴黎的灵魂

塞纳河是法国第二大河流，发源于法国东部朗格勒高原的第戎市西北大约 30 km 处，河流向西北流经巴黎，最后在勒阿弗尔附近注入英吉利海峡的塞纳湾。河流全长 776 km，流域面积 7.86 万 km^2，多年平均流量 500 m^3/s，年径流量约 158 亿 m^3。

塞纳河流域水网密布，支流众多，不仅水系复杂，而且多运河。

由于塞纳河下游地势低平，常发生洪灾。为保护巴黎及其邻近地区免受洪灾，先后在塞纳河及其支流上修建了 8 座水库，总库容 7.3 亿 m^3。塞纳河口是强潮河口，河口宽阔，沙洲罗列，航道摆动不定。由于涨潮历时短，只有 23 h，涨潮流速大于落潮流速，河床泥沙易于冲动，河口淤积严重，直接影响到勒阿弗尔港和鲁昂港的发展。100 多年来，法国政府投入巨资对塞纳河口进行了多次整治，加快了港口的发展。

塞纳河像一条玉带，静静地流过巴黎市区，两岸绿树葱葱、花繁叶茂，到处充满着巴黎特有的文化和高雅。河北岸的大小皇宫，河南岸的大学区，河西面的埃菲尔铁塔，河东段西岱岛上的巴黎圣母院等等，这些富有鲜明个性的建筑，无不展现出它们所共有的华美风格。由于塞纳河在巴黎的诞生及发展中扮演着重要的角色，故有人将它称之为“巴黎的灵魂”。

巴黎圣母院坐落于巴黎市中心塞纳河中的西岱岛上，始建于 1163 年，是巴黎大主教莫里斯·德·苏利决定兴建的，整座教堂在 1345 年才全部建成，历时 180 多年。巴黎圣母院是一座典型的哥特式教堂，之所以闻名于世，主要因为它是欧洲建筑史上一个划时代的标志。巴黎圣母院风格独特、结构严谨，看上去十分雄伟庄严。1793 年，大革命中的巴黎人民将其误认作他们痛恨的法国国王的形象而将它们捣毁，但是后来，雕像又重新被复原并放回原位。小说《巴黎圣母院》是雨果的第一部大型浪漫主义小说，它以离奇和对比的手法描写了一个发生在 15 世纪法国的故事：巴黎圣母院副主教克洛德道貌岸然、蛇蝎心肠，对吉卜赛女郎爱斯美拉达先爱后恨，继而残酷迫害，

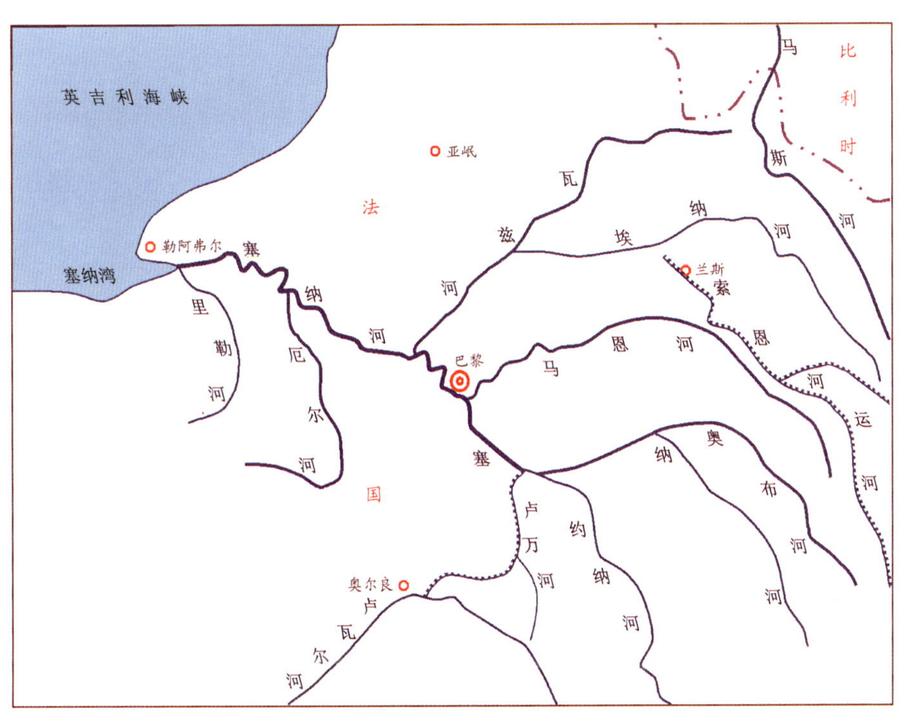

塞纳河水系示意图

而面目丑陋、心地善良的敲钟人卡西莫多为救爱斯美拉达而丧失生命。小说艺术地再现了 500 多年前法王路易十一统治时期，宫廷与教会如何狼狈为奸地压迫人民群众，以及人民群众怎样同两股势力英勇斗争的历史真实。

埃菲尔铁塔坐落在塞纳河南岸马尔斯广场的北端。1889 年，法国工程师埃菲尔为庆祝法国大革命一百周年和在巴黎举行世界博览会而设计建造了这座铁塔，距今已有 100 多年的历史。铁塔塔身为钢架镂空结构，高 320 m，重 9 000 t，从地面到塔顶装有电梯和 1 710 级阶梯。埃菲尔铁塔现已成为世界最著名的游览地之一。如果说巴黎圣母院是古代巴黎的象征，那么，埃菲尔铁塔就是现代巴黎的标志。

74. 顿河

——承载着哥萨克沉重历史的河流

顿河发源于中俄罗斯丘陵东坡，河流先向东南方向流至卡拉奇，再转向西南，流经俄罗斯平原南半部，在亚速夫附近注入亚速海的塔甘罗格湾。河流全长 1 870 km，流域面积为 42.2 万 km^2。

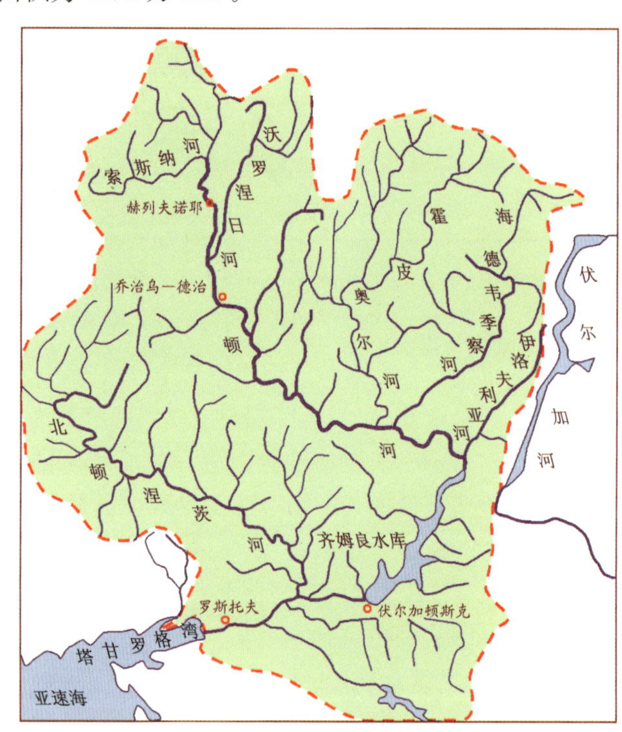

顿河水系示意图

顿河河床比降不大，使顿河水得以从容、平静地流淌，故人们把顿河叫做“静静的顿河”。顿河河谷大部宽阔，阶地明显，仅在石灰岩露头地区河岸陡峭。流域西面是第聂伯河流域，北、东两面是伏尔加河流域，南面是库班河及滨亚速海各河流域。顿河较大的支流有霍皮奥尔河和北顿涅茨河等。

顿河流域的气候特点是冬季并不寒冷，夏季也不炎热。顿河封冻及解冻的过程比较平缓。流域多年平均年降水量约为 400 mm，年径流总量约 295 亿 m^3（不计灌溉用水）。

河流主要补给是融雪。大部分径流产生在春季，占年径流量的 65%～80%。在水资源开发利用方面，1949—1952 年建成伏尔加—顿河通航运河

和齐姆良斯克水利枢纽。伏尔加—顿河通航运河长 101 km，连结伏尔加河(伏尔加格勒以下)和顿河(卡拉奇以下)。该运河的开辟，使伏尔加河获得了通向黑海和亚速海的出口，现在黑海和亚速海已同里海、白海及波罗的海沟通起来。伏尔加—顿河通航运河对前苏联的经济产生了重大影响。齐姆良斯克水利枢纽建在距顿河河口 300 多 km 处，坝址以上集水面积 25.1 万 km^2。齐姆良水库修建之前，全部汛水都入海，入夏水位骤降，出现许多沙洲和浅滩，大部分河段不能通航。现在融雪水量经过齐姆良水库的调节，逐渐用来补充顿河下游的径流和灌溉网的需要。

提到顿河，人们就会想起以勇猛善战著称的哥萨克。哥萨克最初聚居在顿河沿岸，哥萨克一词源于突厥语，意为自由人，原指从中亚突厥国家逃到黑海北部从事游牧的人，后泛称 15～17 世纪出逃的农奴、农民、家奴和城市贫民，住在人烟稀少的边远地区，靠当雇工为生。自 16 世纪起，哥萨克因替沙皇政府镇守边疆，被免除劳役和赋税，并获得一定的俸禄和土地，成为特殊的军人阶层。第一次世界大战爆发时，俄国拥有近 30 万哥萨克部队。1918—1921 年苏俄国内战争期间，哥萨克富裕阶层参加了自卫军。我国广大读者所熟知的肖洛霍夫的长篇小说《静静的顿河》，以 1912—1922 年间的二月革命、十月革命、第一次世界大战、国内战争为背景，以主人公葛利高里的一生为中心，描绘了顿河两岸 500 万哥萨克在战争与革命时期的巨大变动。作品深刻揭示出在复杂、尖锐和残酷的阶级搏斗中，旧制度必然灭亡、新制度必然诞生的趋势。在革命到来之时，哥萨克在激烈的斗争中面临着命运的抉择，除了少数贫困的哥萨克经受住了艰苦的搏斗和痛苦的考验外，上层哥萨克、大部分哥萨克中农和落后农民，盲目地站到了革命的对立面，使哥萨克的命运最终变成了悲剧。

75. 泰晤士河

——哺育英格兰文明的河流

泰晤士河是英国最大的一条河流，发源于英格兰南部科茨沃尔德山的塞伦塞斯特附近。河流先由西向东流，至牛津转向东南流，过雷丁后转向东北流，至温莎再次转向东流经伦敦，最后在绍森德附近注入北海。河流全长338 km。

在塞尔特语中，泰晤士河意为“宽河”。事实上，自伦敦桥开始，河床才开始加深，河面才大大变宽。伦敦桥一带河宽 229 m，到格雷夫森德时宽达640 m，河口宽度则达 29 km。

泰晤士河流域面积 1.14 万 km^2，流域多年平均年降水量 704 mm，年径流量 18.9 亿 m^3。洪水多发生在冬季，枯水多出现在夏季。特丁顿坝有记录的最大流量为 1 050 m^3/s(1894 年)，最小流量仅 0.91 m^3/s(1934 年)。泰晤士河河床坡降微缓，水位稳定，冬季流量较大，很少结冻，又有许多运河与其他河流相通，航运条件很好，是英国最重要的水路，通航里程约为 300 km。

与世界上一些大江大河相比，泰晤士河并不算长，但它流经之处，有许多名胜之地且都是英国文化精华之所在，可以说，泰晤士河哺育了灿烂的英格兰文明，堪称“一部流动的历史”。

保证供水是泰晤士河治理和开发中的一个主要问题。为了提高供水能力，近年来在流域内连续修建了山丘区水库和平原区水库。水库总蓄水能力为 9 亿 m^3，其中调剂伦敦地区用水的有 11 座水库，总调蓄水量可供伦敦市用 100 天。

沿泰晤士河顺流而下，两岸有一望无际的田野、绿色覆盖的山岗、丛林环绕的小村镇。河流先由西向东流，流到牛津拐弯转向东南方向。英国最古老的学府、创办于 12 世纪的牛津大学就坐落在这里。沿途经过温莎古堡，即来到汉普顿皇宫，它建于 1514 年，宫殿内有不少艺术珍品，还有一个美丽的大花园。泰晤士河继续东流，经过里奇蒙德，再过英国皇家植物园，便进入伦敦西区，优美的田园风光代之以繁华的都市景象。

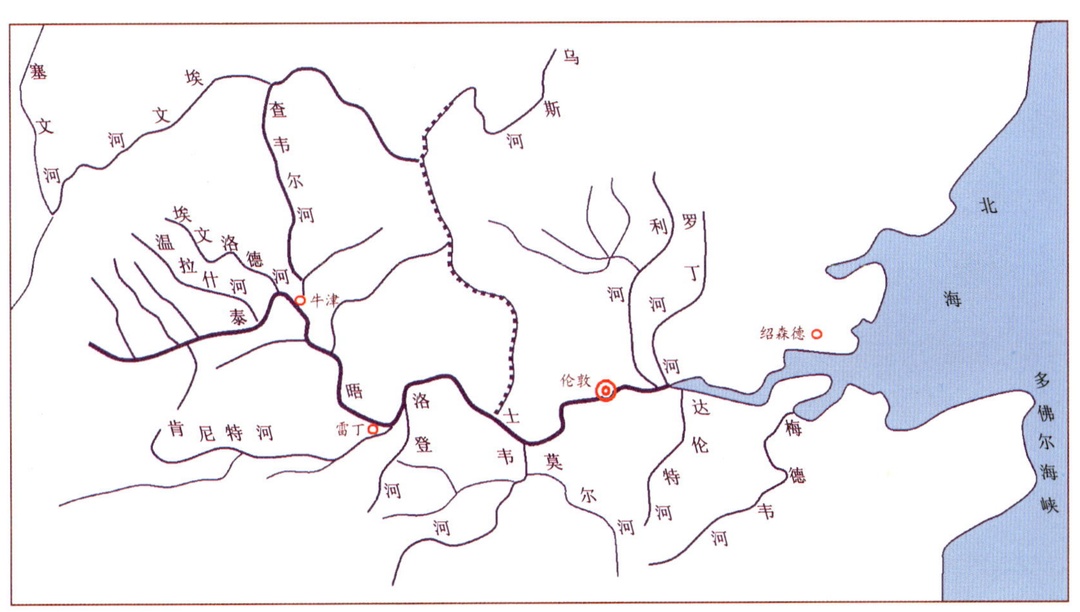

泰晤士河水系示意图

伦敦被泰晤士河分为南北两半,伦敦的重要部门都集中在泰晤士河北岸的伦敦西区。这里有议会大厦,“英国的象征”——大本钟,还有威斯敏斯特教堂。议会大厦的东边是英国的政治中心,许多重要的政府部门都坐落于此,其中最负盛名的是首相府——唐宁街10号。这是一座普通的灰色三层楼房,但却是英国的神经中枢。

英国的工业革命曾给泰晤士河带来极为严重的污染,水质变坏,鱼类绝迹,河水散发着恶臭。直到20世纪初,泰晤士河仍是世界上污染最严重的河流之一。20世纪60年代初,英国成立了治理泰晤士河的专门委员会,施行了严厉的治污措施。泰晤士河流域内修建了数百座污水处理厂,流域中的所有污水均须经过处理后才允许排入河中或注入地下,到1975年,污染问题基本解决。现在,除受潮水影响的河段外,其他河段的水质均已达到饮用水的水质标准。如今恢复了生机的泰晤士河,已成为世界上流经首都城市的最清的河流。

76. 亚马逊河

——世界上流域面积最广、流量最大的河流

亚马逊河是世界上流域面积最广、流量最大的河流。位于南美洲北部，发源于秘鲁境内安第斯山脉科迪勒拉山系的东坡。

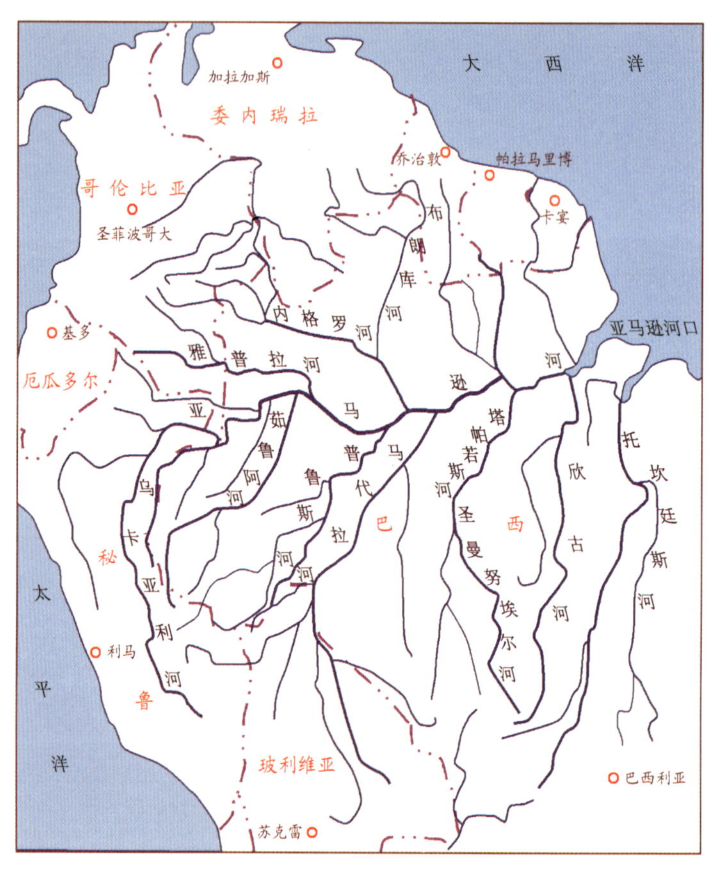

亚马逊河水系示意图

亚马逊河有两支河源：一支为马拉尼翁河，通常以该河作为亚马逊河的正源，发源于秘鲁境内安第斯山高山区；另一支为乌卡亚利河，该河源头名叫阿普里马克河。马拉尼翁河及乌卡亚利河穿过崇山峻岭后在秘鲁的瑙塔附近汇合。亚马逊河干支流蜿蜒流经南美洲 7 个国家。从秘鲁的伊基托斯至巴西的马瑙斯这一段，叫索利默伊斯河，内格罗河河口至大西洋段才称亚马逊河。亚马逊河向东奔流横穿巴西的北部，于马拉若岛附近注入大西洋。亚马逊河若以马拉尼翁河为源，全长 6 299 km，若以乌卡亚利河为源，全长 6 436 km，仅次于尼罗河，居世界第二。流域面积达 691.5 万 km^2，约占整个南美洲面积的 39%。

亚马逊河流域处在赤道附近，气候炎热潮湿，雨量充沛。多年平均年降水量 2 150 mm，河口多年平均流量 17.5 万 m^3/s，年径流量 69 300 亿 m^3，悬移质含沙量为 0.22 kg/m^3。

亚马逊河自西向东流，水系庞大，其中较大的支流有左岸的普图马约河、雅普拉河、内格罗河；右岸的茹鲁阿河、普鲁斯河、马代拉河、塔帕若斯河、欣古河等。这些支流伸入到玻利维亚、哥伦比亚、厄瓜多尔、委内瑞拉以及圭亚那等国。

亚马逊河航运条件非常优越。它水量丰沛，河宽水深，比降较缓，基本没有险滩瀑布，终年不结冰，干支流构成了一个庞大的水上航运网。载重 3 000 t 的海轮沿干流可上溯至 3 680 km 远的伊基托斯，1 万 t 的巨轮可达中游的马瑙斯。整个水系可供通航的河道总长在 2.5 万 km 以上。

亚马逊河流域大部分为森林覆盖，尚未开发，被称为神秘地带。其可能开发的水能资源主要集中在支流上，至今尚无开发干流的计划。由于这些支流从山地或高原进入平原，形成一系列急流或瀑布，水能资源丰富，总蕴藏量约为 2.79 亿 kW，仅次于刚果河，居世界第二位。至目前为止，亚马逊河流域的水力资源开发主要集中在埃内河、瓦亚加河、欣古河和科廷果河。

亚马逊河流域充满神秘和传奇色彩。其流经的巴西北部地区，原始森林浩瀚无际，面积大得足以包容整个西欧，但该地区的人口却比纽约市还少。这个全球最大的热带雨林，拥有世界上 1/5 的淡水资源，制造出地球上 1/3 的氧气，有“世界之肺”的美誉。从空中俯瞰，它像一块一望无际的绿毯。从近处观察，雨林遮天蔽日，致密得像一堵高墙。此外，它还是一个生物多样化的物种基因库，植物种类居全球之冠，无数的飞禽走兽和水生动物栖息其中。但是，该地区业已存在的烧荒耕作、过度采伐、频繁火灾、降雨减少等问题，可能导致热带雨林遭到破坏并引起退化，而雨林破坏可能对全球环境带来不良的影响，这些正在引起世界普遍的关注。

77. 密西西比河

——老人河

密西西比河是美国最大的河流，也是世界大河之一。通常以发源于美国西部落基山脉的密苏里河支流、位于蒙大拿州的红石溪（RedRock）为河源，全长 6 262 km，居世界第四位。

密西西比河水系主要包括干流、上密西西比河、东部支流俄亥俄河、西

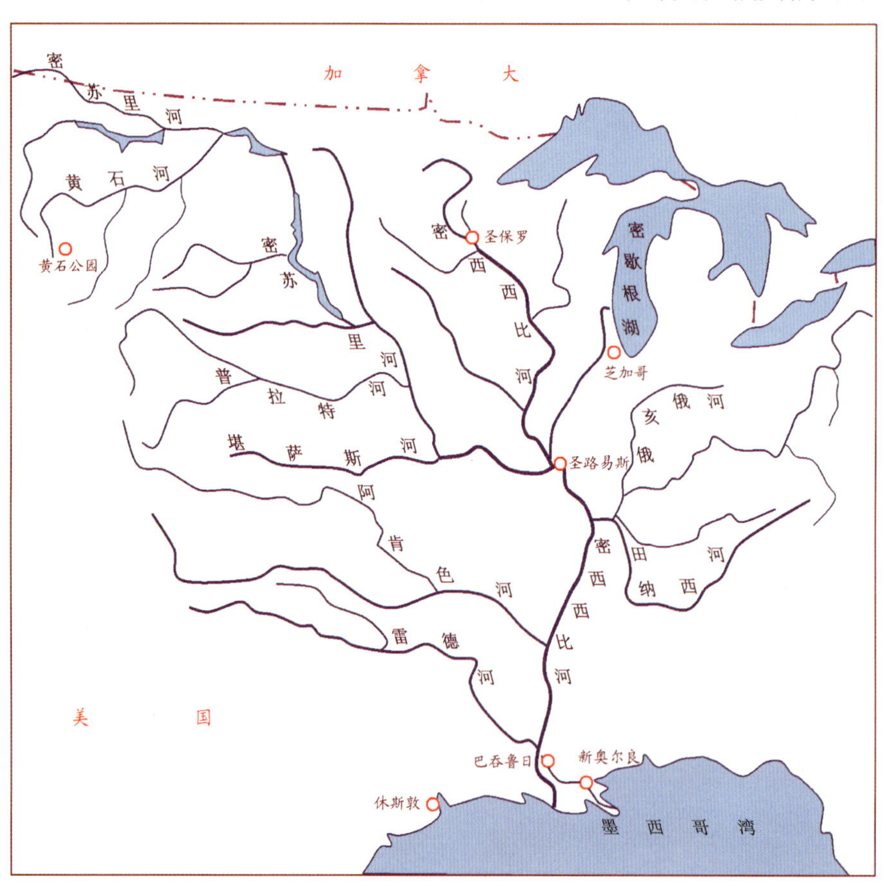

密西西比河水系示意图

部支流密苏里河、阿肯色河、怀特河和雷德河。明尼阿波利斯至河口的密西西比河为干流。从明尼阿波利斯至凯罗称上游,凯罗以下称下游。

密西西比河流域面积322万km^2,占美国本土面积的41%,覆盖了美国东部和中部的广大地区。流域内降水量自西向东逐步增加。落基山脉以东地区,一般在500 mm以上,大平原东部达到800 mm,靠近阿巴拉契亚山区达到1 200～1 500 mm。河口多年平均年径流量为5 800亿m^3(包括阿查法拉亚河),年输沙量为3.12亿t。

密西西比河干流治理开发的主要目标是防洪和航运。

密西西比河洪水主要由短期暴雨或长期降雨所形成。流域西北部诸河有融雪洪水发生。墨西哥湾、加勒比海、大西洋的飓风有时掠过密西西比河下游广大地区,甚至深入到俄亥俄河流域上游。飓风带来的暴雨往往形成较大的洪水。此外,飓风还可在墨西哥湾造成风暴潮,使密西西比河下段有时出现风暴潮洪水。早在1717年,法国殖民者即在新奥尔良附近筑堤保护城市,此后,随着移民的增多,大堤也不断延伸。随着下游地区工农业的发展和沿河城市的出现,洪灾损害日益增大,干流的治理日趋迫切。1879年成立了密西西比河委员会,着手进行河道测量、航运和防洪工作。以后国会多次颁布了防洪法令和防洪总法案。在防洪方面采取的主要措施是筑堤、开辟分洪道、裁弯取直以及适当利用支流水库拦洪。现在密西西比河下游的设防洪水大致相当于100～500年一遇。

密西西比河下游的航运始于1705年。这是一条美国中部内陆平原物资出海的骨干航道,通过300多年来的整治,采取的措施主要包括裁弯取直,护岸,修建丁坝、顺坝,导堤以及疏浚河道,下游航道大为改善,货运量也迅速增加。

"密西西比河"也被称为"老人河"。历史上,法国人拉·索乐(La Salle)于1682年沿着密西西比河南下,找到了河流的出口处,即今天的新奥尔良。在此后的150年左右的时间里,密西西比河成了冒险家的乐园,在农牧业还占据着经济主导地位的时候,这条河流给农场主和投机商人带来了无穷无尽的梦想。

78. 哥伦比亚河

——美国第二大河

哥伦比亚河是一条国际河流，发源于加拿大不列颠哥伦比亚省落基山脉西坡的哥伦比亚湖，河流从源头向西北方向流出 304 km 后，急剧转弯，绕塞尔基尔克山脉向南奔流，通过上下箭湖，接纳支流库特内河的来水后，进入美国华盛顿州东部地区，绕一个大弯后，向西在俄勒冈州和华盛顿州之间形成 480 km 的州界，最后在俄勒冈州的阿斯托里亚要塞注入太平洋。干流全长 2 000 km。

哥伦比亚河上游在加拿大境内，中下游在美国境内。流域水系复杂，支流众多，主要支流有库特内河、斯内克河、庞多雷河、德舒特河和威拉米特河等。哥伦比亚河流域面积 66.9 万 km^2，其中 85%在美国境内。

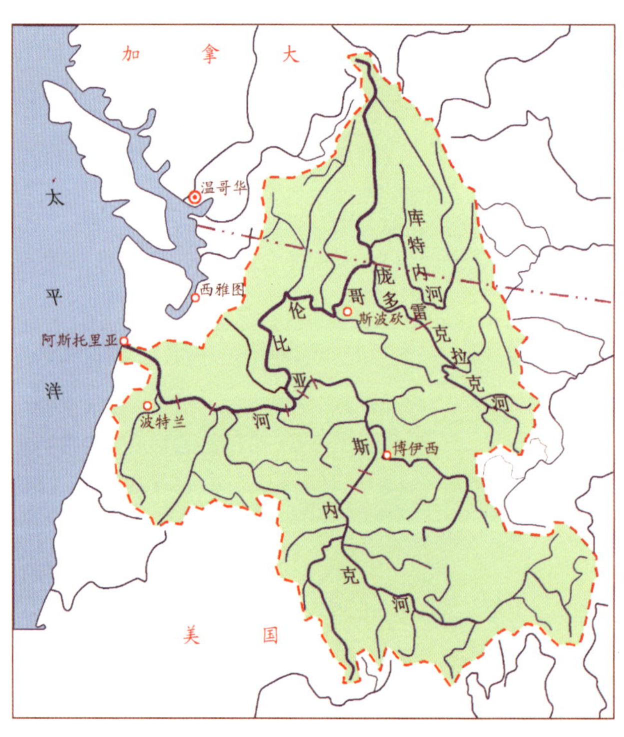

哥伦比亚河水系示意图

哥伦比亚河多年平均流入太平洋的年总水量约 2 340 亿 m^3，总径流量仅次于密西西比河，其中 40%来自加拿大境内。哥伦比亚河的天然径流主要来自降雪，丰枯差别相当大，年内径流分配也不均匀。河口多年平均流量 7 419 m^3/s，

最大流量(达尔斯)35 000 m^3/s(1894 年 6 月),最小流量为1 019 m^3/s。汛期4~7 月 4 个月的水量占全年水量的 68%。哥伦比亚河还有一个重要特点,就是水流含沙量低,筑坝后水库不易淤积。

哥伦比亚河是世界上水力资源最为丰富的河流之一。其干流落差808 m,全流域可开发水电站装机容量高达 6 380 万 kW,年发电量达 2 485 亿 kW·h。经过数十年的努力,整个流域已建成 39 座装机容量超过 25 万 kW 的大型水电工程。加、美两国在哥伦比亚河干流上共分 16 级开发,最终装机可达 2 998 万 kW,后期发电量可达 1 155 亿 kW·h。其中 100 万 kW 以上的水电站有 8 座,最大的为大古力水电站,装机 649 万 kW。在支流上规划兴建的水电站装机容量 2 934 万 kW,年发电量 1 088 亿 kW·h。

哥伦比亚河水能资源的大规模开发利用,在取得相当大经济效益的同时,也对下游的河流生态带来了一定的影响。曾有报道说,俄勒冈州政府、环保主义者、渔业团体和印第安人部落向联邦政府提起诉讼,要求改变这些水电站的运行方式,下泄更多的水以提高河流流速,使得濒危的三文鱼可以更快地回到大海。而据分析,如果邦纳维尔电力管理局和陆军工程师团通过溢洪道增加 5 座坝的下泄水量,将减少电站的发电量,相应的夏季经济损失约为 1 亿美元。为此,白宫提出希望提高邦纳维尔电力管理局电力销售价格的计划,但受到国会中西部议员的反对,他们认为,价格上升将威胁西部地区的经济发展。

79. 科罗拉多河

——科罗拉多大峡谷的造就者

科罗拉多河是北美洲西部的主要河流，又是美国西南部干旱地区最大的河流，发源于美国科罗拉多州中北部落基山脉中的弗兰特岭（海拔4 300 m）西坡。流向西南，干流流经科罗拉多、犹他、亚利桑那、内华达和加利福尼亚等5个州和墨西哥西北端，最后注入加利福尼亚湾。干流全长2 320 km，其中最下游145 km在墨西哥境内。支流还流经怀俄明、新墨西哥两州。全流域总面积63.7万km^2。

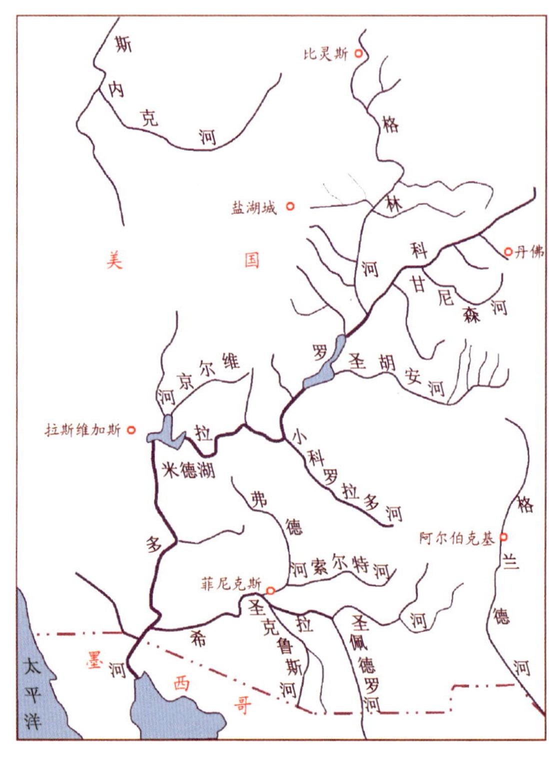

科罗拉多河水系示意图

科罗拉多河水系复杂，支流逾50条，其主要支流有甘尼森河、格林河、圣胡安河、小科罗拉多河、维尔京河和希拉河等。

科罗拉多河上游受海拔和地形的影响，气候变化较大，最低气温−46.7℃，最高气温达42.8℃，年均降水量为200～500 mm。秋冬春各季降水量多为降雪，春末夏初当气温升高时，积雪迅速融化，河道流量大增，年径流约70%集中在4～7月份。由于落基山区降水较多，并有冰雪融水补给，因此科罗拉多河上游干、支流水资源极为丰富。由于中下游雨量稀少，灌溉耗水及蒸发都很大，加之沿程不断调

水，因此愈往下游流量愈少，每年经河口流入加利福尼亚湾的河水量仅有 49 亿 m^3。

科罗拉多河中、下游泥沙很多，含沙量高，河水浑浊，呈暗褐色，河流年均含沙量达 27.5 kg/m^3，有些支流的含沙量更大，如小科罗拉多河，平均含沙量高达 120 kg/m^3。

科罗拉多河从河源到河口总落差超过 3 500 m，蕴藏着丰富的水能资源。特别是该河流经人烟稀少的美国西南部地区，谷深水急，适宜筑高坝建大水电站。该河是美国进行水资源综合利用与开发的第一个流域。其第一次大规模的开发活动始于 1928 年，此后，在科罗拉多河流域兴建了一系列水利工程，干、支流上已兴建水库逾百座，总库容超过 872 亿 m^3，电站总装机容量超过 524 万 kW。由于美国西半部干旱缺水，农业灌溉需要大量用水，因此，在科罗拉多河干、支流上还兴建了许多大型引水工程及调水工程。

科罗拉多大峡谷也称美国大峡谷，是举世闻名的自然奇观，是被联合国教科文组织选为受保护的天然遗产之一。"科罗拉多"在西班牙语中意为"红河"。这是由于红色岩土被河水冲刷，河水显红色。峡谷总长 349 km，平均谷深 1 600 m，河水咆哮如雷，像一条桀骜不驯的巨蟒。1919 年被批准为"大峡谷国家公园"。虽然峡谷如野马一样难驯，但还是被套上了缰绳。峡谷建有著名的胡佛大坝，形成巨大的水库，1935 年建成，是当时世界上最高的拱坝，坝高 221 m，电站装机容量 132 万 kW。胡佛大坝不仅在当时称得上是人类战胜自然的奇迹，而且至今仍是世界前几名的高坝。因其视觉上壮观雄伟，美国影片中频频出现胡佛大坝的外景，比如《变形金刚》、《007—黄金眼》等。

80. 田纳西河

——现代流域开发与管理的典范

田纳西河是美国东南部的河流，俄亥俄河第一大支流。发源于阿巴拉契亚高地西坡，由霍尔斯顿河和弗伦奇布罗德河汇合而成。流经田纳西州和亚拉巴马州，于肯塔基州帕迪尤卡附近注入俄亥俄河。以霍尔斯顿河源头计，长约 1 450 km，流域面积 10.6 万 km^2。

田纳西河大部流经阿巴拉契亚高原区，上、中游河谷狭窄，比降较大，多急流，水力资源丰富，仅能通行小汽轮；下游河谷较开阔，从帕迪尤卡至弗洛伦斯之间 450 km 的河道，通航便利。

流域水量丰沛，河口平均流量 1 800 m^3/s，但河流水位的季节性变化较大。由于冬末春初多暴雨，易造成河流水位上涨、洪水泛滥；夏季水位则较低。

田纳西流域的开发始于 20 世纪 30 年代。当时的美国正处在严重的经济危机之中，美国总统罗斯福为摆脱经济危机的困境，决定实施为扩大内需而开展的公共基础设施建设，推动了美国历史上大规模的流域开发。此时

田纳西河水系示意图

的田纳西流域由于长期缺乏治理，森林遭到破坏，水土流失严重，经常暴雨成灾，洪水为患，是美国最贫穷落后的地区之一，年人均收入仅100多美元，约为全国平均值的45%。于是，田纳西流域被作为试点流域，即试图通过一种新的独特的管理模式，对其流域内的自然资源进行综合开发，以达到振兴和发展区域经济的目的。

1933年，美国国会通过了“田纳西流域管理局法”，成立了田纳西流域管理局，简称TVA。TVA的任务是规划、开发和利用流域内的各种资源，设有董事会，直接对总统负责，并有自己的设计、施工队伍，负责有关流域开发项目的建设，经营上具有较大的自主权和灵活性。TVA对流域进行综合治理，使其成为一个具有防洪、航运、发电、供水、养鱼、旅游等综合效益的体系。到20世纪末，流域的防洪效益已达50亿美元，为水库建设中防洪部分分摊投资的6倍。干流1 050 km的航道实现了渠化，支流400 km的水道可通航，常年航行的船只达3.4万艘。TVA经营的最大事业包括水电、火电和核电，到20世纪末，总装机容量为2 850万kW，年总发电量约1 550亿kW·h，发电收入66亿美元。TVA通过引导农民合理利用和改善土地，植树造林，发展渔业等，促进了地区经济的全面发展。20世纪90年代以来，该流域还开展了生态保护旅游和休闲娱乐旅游项目，已建成110个公园、24个野生动物管理区，每年游客超过6 500万人。通过综合治理开发，田纳西流域已从一个贫穷落后的地区转变为一个环境优美、工农业较为发达的美国中等发达地区，TVA也因此成为现代流域开发与管理的成功范例。

田纳西流域开发成功的经验归纳起来主要有：通过立法，为流域自然资源的统一管理提供法律保证；流域水资源的统一管理；经营上的良性运行机制；管理体制顺畅；流域管理与地区经济社会的发展相协调。

81. 马更些河

——流经北极苔原地区的最大河流

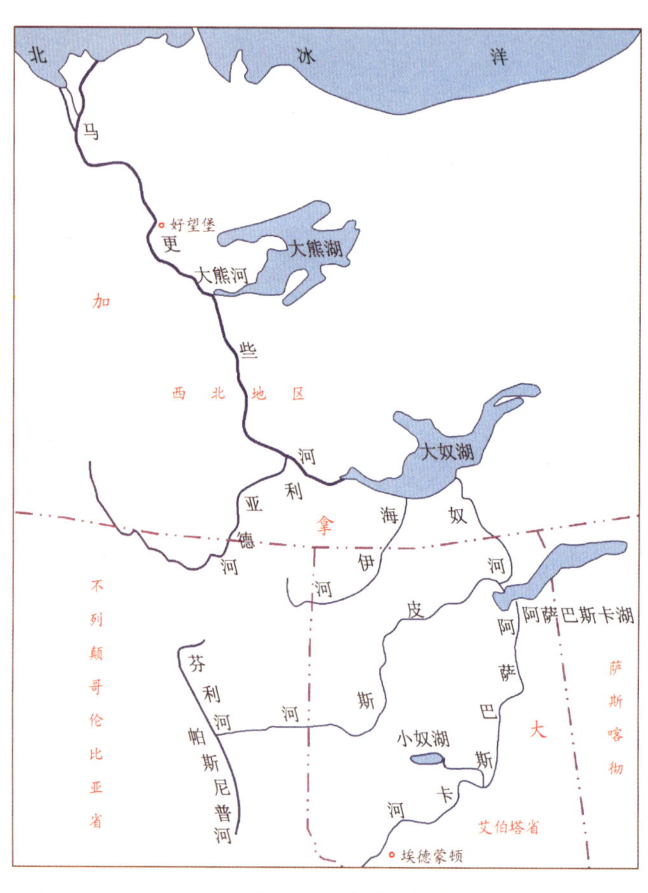

马更些河水系示意图

马更些河是北美洲仅次于密西西比河的第二长河，是加拿大最大的河流，也是全球流经北极苔原地区的最大河流。它发源于加拿大不列颠哥伦比亚省北部，从其上游支流芬利河源头算起，河流全长约 4 240 km。流域面积为 180.5 万 km^2。

马更些河上游主要源流为阿萨巴斯卡河和皮斯河，两河在阿萨巴斯卡湖西面不远处相汇，然后转向北流，在雷索卢申堡附近注入大奴湖，此段称奴河。湖水从大奴湖西部流出后，始称马更些河，从这里到入海口长1 721 km，落差仅 152 m，除几处险滩外，其余河段都可通航。河流沿落基山麓向西北流，到诺曼堡附近又有大熊湖，水自东边流入，下游干流流经马更些低地，于河口形成约 1.2 万 km^2 的三角洲，河水最后分支入

波弗特海。

马更些河流域降雨量很少，南部一般为 370 mm，西北部只有 250 mm。其中主要降水集中在夏季，而在冬季降雪并不多，春季有凌汛，河口多年平均流量为 11 328 m^3/s，年径流量 3 572 亿 m^3。

流域中属于中央平原的部分又被称为马更些低地，海拔在 200 m 以下，宽约 402 km，俗称森林地带，但只有少量针叶林、白云杉和黑云杉。稍远的支流流域被沼泽、泥炭和湖泊以及大片野草丛生的开阔地和低矮的灌木丛所覆盖。低地之下为广阔的沉积岩。

马更些河下游干流主要穿行于马更些低地，落差较小，加之水系冰冻期长达 7 个月，水资源开发极为困难，上游支流水能资源丰富。

马更些河流域内兴建的较大的水利工程有本尼特坝，亦称波蒂奇山坝，是马更些河上游支流皮斯河重要的水电工程。该工程于 1962 年开工，1968 年正式发电，主坝最大坝高 183 m。库容 742.5 亿 m^3 的大水库叫威利斯顿湖，电站装机容量 214.6 万 kW，工程的主要功能包括防洪和发电。

马更些河是联系偏远的加拿大北部与南部地区的重要航路，特别是在运送大熊湖、大奴湖一带镭、铀、铅、锌、金等矿产品方面起着重要的作用。但因其冰期过长，降低了它的经济价值。

肆
国外湖泊

82. 维多利亚湖

——非洲最大湖泊

位于非洲中东部的维多利亚湖是非洲最大的湖泊，面积约 6.94 万 km^2，仅次于北美的苏必利尔湖，为世界第二大淡水湖。该湖大部分在坦桑尼亚和乌干达境内，为两国与肯尼亚的界湖。赤道横贯湖泊北部。

维多利亚湖水系示意图

维多利亚湖由凹陷盆地形成，海拔 1 134 m。湖泊呈不规则四边形，最长 337 km，湖泊最大深度 82 m。湖中多岛屿群和暗礁，其中以乌凯雷韦岛最大，岛上人口稠密，长满树木。

维多利亚湖西南岸有 90 m 高的悬崖，北岸平坦而光秃。湖岸线曲折，岸线多优良港湾。常年有卡盖拉河、马拉河等众多河流注入其中，集水面积约 20 万 km^2。湖水惟一的出口是北岸的维多利亚尼罗河，在那里形成了里

本瀑布，著名的尼罗河支流白尼罗河就发源于此。

维多利亚湖巨大的水体对沿湖地区的气候起着显著的调节作用，湖区多雷雨，并在大气下层盛行偏东气流的推动下影响湖西岸，使之成为东非著名的多雨区。

维多利亚湖水产丰富，是非洲最大的淡水鱼产区，尤以非洲鲫鱼著名。环湖分布着众多渔村，棉花、水稻、甘蔗、咖啡和香蕉广泛种植。

1954 年修建了欧文瀑布水坝，使湖面水位逐渐提高，水坝提供了大量电力，并使该湖成为大水库。沿岸恩德培、基苏木、布科巴、姆万扎等湖港有航线联系。湖区是非洲人口最稠密的地区之一，沿湖 80 km 以内地区居住着数百万人。

关于维多利亚湖的最早记载来自往来于非洲内地的阿拉伯商人。12 世纪 60 年代的一张地图就明确标明了维多利亚湖的准确位置，并将其标为尼罗河的源头。1858 年，英国探险家约翰·汉宁·斯皮克成为看见维多利亚湖的第一个欧洲人，当时他正同同伴理查德·伯顿为英国殖民当局寻找尼罗河的源头，并探索战略资源。斯皮克一看见如此宽广的水面，即认定他找到了尼罗河之源，他以当时的英国女王维多利亚的名字命名了此湖。

83. 贝加尔湖

——世界上蓄水量最大的淡水湖

贝加尔湖名称源出蒙古语，意为“富饶的湖泊”，是世界上最深和蓄水量最大的淡水湖。位于俄罗斯联邦东西伯利亚高原南部，享有“西伯利亚明眸”之美誉。

从地质构造上看，贝加尔湖是一个深达 8 km 的断裂带凹陷，逐渐被淤泥填塞，湖底有温泉喷出，常发生微小的地震。贝加尔湖湖面海拔 456 m，南北长 636 km，平均深度 730 m，最大深度达 1 637 m，水面面积 31 500 km^2，蓄水量 23 000 km^3，占世界淡水资源总储量的 1/5，被誉为“世界之井”。贝加尔湖不仅水量丰富，而且水质上乘，可以直接饮用。湖水杂质极少，清澈无比，湖水透明度竟深达 40.5 m，被誉为“西伯利亚明眸”名副其实。1996 年，联合国教科文组织将其列入世界遗产名录。

贝加尔湖的汇水区域面积达 557 000 km^2，注入湖泊的大小河流共 300 多条，最大的是色楞格河。从湖泊流出的河流只有一条安加拉河。安加拉河河床陡降，落差很大，多瀑布险滩，水能资源丰富，已建成几座大型水电站。

贝加尔湖动植物物种丰富，很多是贝加尔湖所特有。其中有一种通体呈半透明的小鱼——胎生贝湖鱼，其特殊之处在于母鱼在繁殖期产出体外的不是鱼卵，而是可以自由活动捕食的幼鱼。在全世界已知的鱼类中，胎生鱼所占的比例非常小。这种鱼是深水鱼，绯红色，无鳞，鳍像大蝴蝶的翅膀，身子透明，在亮光下整个骨骼清晰可见。湖中还生活着色泽美丽的环斑海豹。传说在贝加尔湖与北冰洋之间曾有一条地下河，而海豹即由此通道进入湖泊，但实际上并没有这样的通道。环斑海豹应该是经叶尼塞河及其发源于贝加尔湖的支流——安加拉河来到这里的，并在此逐渐演变成世界上独一无二的淡水海豹。

历史上贝加尔湖地区曾是中国北方部族的主要活动地区。在西汉时期名曰“北海”，归匈奴控制；在东汉、三国和西晋时期，归鲜卑控制；东晋十六

国时期，改称为“于巳尼大水”；南北朝时期，先后被柔然、突厥控制；隋朝时期，贝加尔湖被东突厥控制，复改称“北海”；到了唐朝，归大唐帝国管辖，改称为“小海”；唐末先后归突厥、回鹘所辖；宋朝，被蒙古八剌忽部控制；元代，又划入大元帝国版图；明朝，被瓦剌不里牙惕部控制；清朝时期，被沙俄控制。

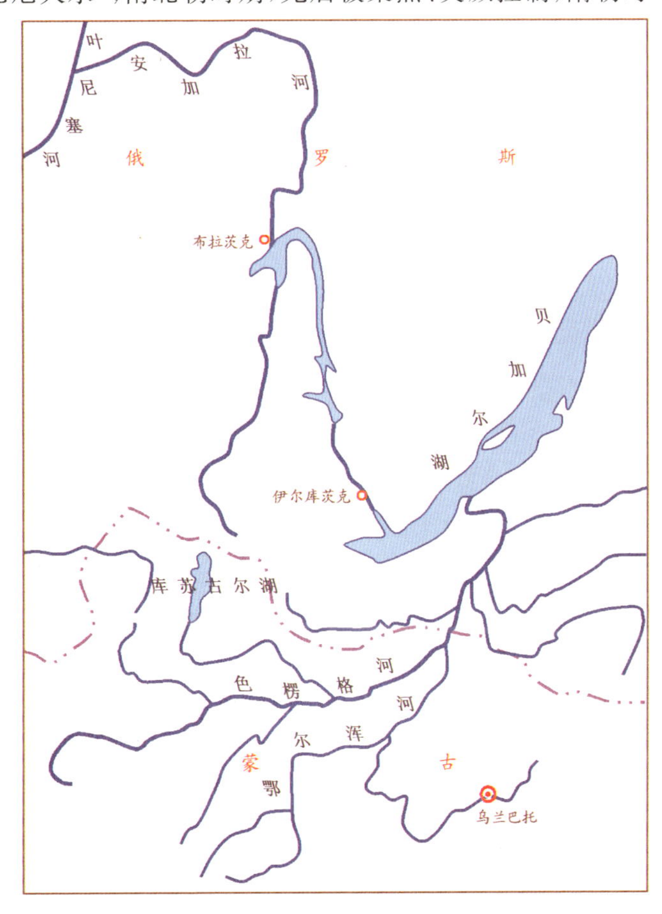

贝加尔湖水系示意图

流传千百年的“苏武牧羊”的故事就发生在贝加尔湖畔。2 100 多年前，汉武帝击败匈奴，然后派苏武出使匈奴以商谈和约。汉将卫律的部将打算劫走匈奴且鞮单于的母亲，与苏武一道归汉。不料事情败露，苏武也受牵连，被单于流放到“北海”去牧羊。苏武在北海边艰难地熬过 19 年，拒绝了匈奴的多次高官利诱，最后回到汉都长安。

84. 死海

——世界上盐度最高的天然水体之一

死海是世界陆地最低点，因此被称为“地球的肚脐”。死海位于约旦和以色列之间一个南北走向的大裂谷的中段。它低于海平面 415 m，面积约 1 049 km^2，平均深 300 m，最深处 400 m，南北长 80.4 km，东西最宽处 17 km。湖东的利桑半岛将湖分为两个大小深浅不同的湖盆，南浅，平均深度不到 3 m；北深，最深处 330 m。北湖盆占四分之三。死海无出口，进水主

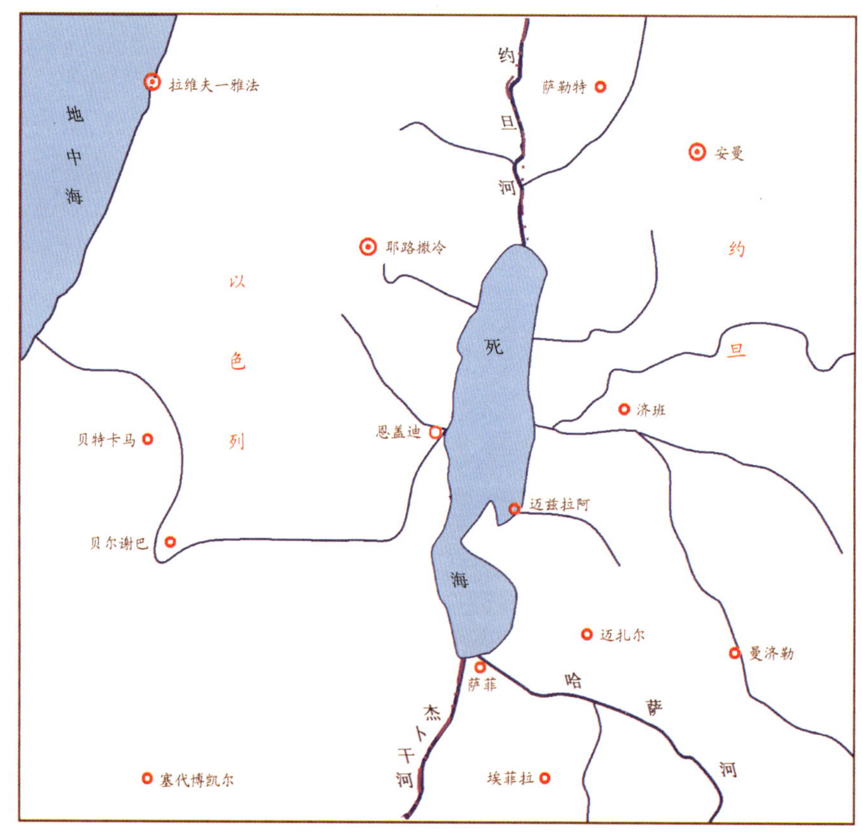

死海水系示意图

要靠约旦河，进水量大致与蒸发量相等，为世界上盐度最高的天然水体之一。

死海是内流湖，因此水的惟一外流就是蒸发，而约旦河是惟一注入死海的河流，水面大小主要决定于流入的水是否大于蒸发的外流。近年来，因约旦和以色列向约旦河取水供应灌溉及生活用途，死海水位受到严重威胁。据传，《创世记》中所记载上帝毁灭的罪恶之城所多玛城与俄摩拉城都沉没于死海南部水底。

死海是东非大裂谷的北部延续部分，这里是一块下沉的地壳，夹在两个平行的地质断层崖之间。死海位于沙漠中，降雨极少且不规则，冬天无冰冻，夏季又非常炎热，造成湖水每年蒸发约 1 400 mm，常常是湖面上雾气腾腾。约旦河每年向死海注入 5.4 亿 m^3 的水，另外还有 4 条不大但常年有水的河流从东面注入，由于夏季蒸发量大，冬季又有水注入，所以死海水位具有季节性变化，从 30～60 cm 不等。

死海的含盐量极高，且越到湖底越高，在深水中达到饱和的氯化钠析出为盐晶。一般海水含盐量为 35‰，死海的含盐量达 230‰～250‰。在表层水中，每公升的盐分就达 227～275 g，可以说，死海是一个大盐库。据估计，死海的总含盐量约有 130 亿 t。由于水体及湖岸地区富含盐分，生物很难生存，死海即由此得名。近年来科学家们发现，死海湖底的沉积物中有绿藻和细菌存在。

死海的海水不但含盐量高，而且富含矿物质，常在海水中浸泡，可以治疗关节炎等慢性疾病。死海海底的黑泥也含有丰富的矿物质，具有很好的护肤美容功能。以色列在死海边开设了许多家美容疗养院，疗养者浑身上下涂满黑泥，只露出两只眼睛和嘴唇，样子十分有趣。正是由于富有矿物质的死海黑泥特殊的健身美容功效，以色列和约旦两国还将其开发成护肤美容产品出口，很受欢迎。

85. 里海

——世界上最大的咸水湖

里海位于亚欧大陆腹部，亚洲与欧洲之间，东临土库曼斯坦共和国、北临哈萨克斯坦共和国、西临俄罗斯联邦共和国和阿塞拜疆共和国，南岸在伊朗境内，是世界上最大的湖泊，也是世界上最大的咸水湖。面积约 37.1 万 km^2。

里海的南面和西南面被厄尔布尔士山脉和高加索山脉所环抱，其他几面是低平的平原和低地。里海的水面低于外洋海面 28 m，湖水平均深度约 180 m。北浅南深，湖底自北向南倾斜，大体上可以分为三部分：北部一般深 4～6 m；中部水深 170～790 m；南部最深，最大深度可达 1 025 m。里海南北狭长，形状略似"S"型，南北长约 1 200 km，是世界最长及惟一长度在千千米以上的湖泊。东西平均宽约 320 km，湖岸线长约 7 000 km，面积几乎与波罗的海相当，为亚速海的 10 倍，相当于全世界湖泊总面积（270 万 km^2）的 14%，比著名的北美五大湖面积总和（24.5 万 km^2）

里海水系示意图

还大出51%。湖泊总容积为7.6万km^3。

里海是一个内陆湖，之所以被称为"海"，是因为其水域辽阔，烟波浩淼，一望无垠，犹如大海一般，经常出现狂风恶浪、波涛翻滚的壮阔景象；同时，里海的水是咸的，其中有许多水生动植物亦和海洋生物差不多。其实，从里海的形成原因来看，里海与咸海、地中海、黑海、亚速海等，原来都是古地中海的一部分，经过海陆演变，古地中海逐渐缩小，上述各海也多次改变它们的轮廓、面积和深度，所以，今天的里海是古地中海残存的一部分，地理学家称之为"海迹湖"。

里海位于荒漠和半荒漠环境之中，气候干旱，蒸发非常强烈。因为水分大量蒸发，盐分逐年积累，湖水就越来越咸，水面也逐步下降。由于北部湖水较浅，又有伏尔加河等大量淡水注入，所以北部湖水含盐度较低，为0.2‰，而南部湖水的含盐度则高达13‰。里海地区石油资源丰富，西岸的巴库和东岸的曼格什拉克半岛地区以及里海的湖底，是重要的石油产区。里海湖底的石油生产，已扩展到离岸数十千米的水域。里海生物资源丰富，既有鲟鱼、鲑鱼、银汗鱼等各种鱼类繁衍，也有海豹等海兽栖息。里海含盐量高，盛产食盐和芒硝。卡拉博加兹戈尔湾是大型芒硝产地。

里海地区航运业较发达。通过伏尔加河及伏尔加—顿河等运河，实现了白海、波罗的海、里海、黑海、亚速海五海通航。但是，由于北部水浅，航运受到一定的限制。在巴库和克拉斯诺沃茨克之间有火车轮渡。运输货物以石油为主，其次为粮食、木材、棉花、食盐、建筑材料等。沿岸主要港口有阿塞拜疆共和国的巴库，俄罗斯联邦共和国的阿斯特拉罕、马哈奇卡拉，哈萨克斯坦共和国的舍甫琴柯，土库曼斯坦共和国的克拉斯诺沃茨克，伊朗的恩泽利和托尔卡曼港等。

86. 拉多加湖

——冰冻三尺的欧洲第一大淡水湖

拉多加湖旧称涅瓦湖，是欧洲第一大湖，位于俄罗斯欧洲部分西北部。拉多加湖长 219 km，平均宽 83 km，湖面面积约 1.8 万 km^2，其中湖内约 660 个小岩岛面积为 435 km^2，湖水容积 908 km^3。

拉多加湖系构造湖，湖面海拔 5 m，南浅北深，平均深 51 m，北部最深处达 230 m。北岸大多高岩岸，有许多深切的小峡湾，湖岸曲折；南岸低平，多沙嘴和浅滩。结冰期较长，沿岸地区可达 5～6 个月，中部约 3 个月。

拉多加湖水系示意图

注入拉多加湖的河流主要有沃尔霍夫、斯维里和武奥克萨等。流出拉多加湖的是西南向的涅瓦河，可通波罗的海。

拉多加湖南岸建有环湖的新拉多加运河，为沟通白海—波罗的海及伏尔加河—波罗的海的重要航道。湖上

风大浪高,不利于航运。

拉多加湖水产鱼类品种丰富,以鲑、鲈、鳊、鲟、白鱼、狗鱼和胡瓜鱼类为主。渔产量居俄罗斯淡水湖前几位。

拉多加湖周边有一著名城市圣彼得堡。圣彼得堡始建于1703年,彼得大帝在涅瓦河口的查亚茨岛上建立要塞,后扩建为城。圣彼得堡1712年成为俄国首都,其后200余年,它始终是俄罗斯帝国的心脏。1914年第一次世界大战爆发,当时俄罗斯同德国是敌对国,因为圣彼得堡的"堡"字是源自德语的发音,当局决定把城市改名叫彼得格勒,"格勒"就是俄语城市的意思。1917年,随着阿芙乐尔号巡洋舰的一声炮响,列宁领导的十月革命在这里获得成功,从此开创了一个全新的苏联时代。1918年3月,首都从这里迁回莫斯科。1924年列宁逝世后,人们深切怀念这位革命领袖,并将这座城市改名为列宁格勒。第二次世界大战期间,从1941年9月8日直到1944年1月27日,德国法西斯军队将这座城市围困了872天,希特勒扬言:"让彼得堡这座城市在地球表面上消失。"坚强而勇敢的俄罗斯人开始了艰难的列宁格勒保卫战,在此期间,这座城市的人们每天只能得到25克面包,许多人被饿死、冻死。苏联红军不屈不挠,拼死反抗,没有让敌人再前进一步,列宁格勒保卫战终于取得了最后的胜利。但是,苏联人民也付出了惨痛的代价:约有70万人在围困中死去,3 200幢建筑被摧毁,城市面目全非,街道变成了瓦砾堆。战后,人们重建家园,经过艺术家和工匠们的艰苦劳动,将被法西斯炮火毁坏的古迹一一修复,这座城市又再现昔日的风采。直到1992年,为了给城市重新命名,圣彼得堡市又举行了一次全民投票,结果大多数人赞同改回圣彼得堡的老名字。这样做,一是为了纪念彼得大帝,同时也标志着苏联时代的结束。

87. 奥涅加湖

——欧洲第二大湖

奥涅加湖水系示意图

奥涅加湖是欧洲仅次于拉多加湖的第二大湖，位于俄罗斯欧洲部分西北部，大部分在卡累利阿自治共和国，南部在俄罗斯联邦列宁格勒州和沃洛格达州境内。湖盆从西北向东南方向，长度 250 km，最宽处 91.6 km，面积 9 700 km^2，蓄水量 292 km^3。

奥涅加湖属冰川构造湖，湖面海拔 33 m。北岸和西北岸为由花岗岩等构成的曲折岩岸，并有较多的深入陆地的湖湾；南岸和东南岸为平直的沙岸，多湖滩。湖盆南浅北深，平均水深 30 m，最大深度 120 m。

奥涅加湖湖区属亚寒带大陆性气候，冬季寒冷，有 4～5 个月的结冰期。湖面水位 7～8 月份最高，3～4 月份最低，水位平均年变幅 0.5 m，最大可达 1.9 m。在湖泊年水量平衡中，约 3/4 入湖水量来自舒亚、沃德拉等 58 条河流，约 1/4 为降水；84%的水量经斯维里河排出，其余蒸发。

现已在斯维里河上建有上斯维里水电站，并通过开凿水道，把奥涅加湖与白海—波罗的海运河、伏尔加河—波罗的海运河相连，使奥涅加湖具有重要的航运价值。湖岸有彼得罗扎沃茨克、孔多波加、梅德韦日耶、戈尔斯克等城市。

在奥涅加湖中，共有 1 000 多座岛屿，基日岛是这些湖心岛中最著名的

一座。岛上有古老的乡村木制教堂，风格是典型的俄罗斯北方文化的象征。主要的一座建筑是1714年建成的主变容教堂。主变容教堂的独特之处在于它有22个葱头式尖顶圆顶，高37 m，从远处望去，颇像童话故事中的城堡，同时，它还能为湖上的船只起导航作用。主变容大教堂1990年列入世界文化遗产名录。该建筑究竟是何人设计，至今仍是个谜。据当地民间传说，是一个名叫涅斯托尔的木工大师建造了这座美丽的教堂。工程完工后，他欣赏着自己的得意之作，然后把斧头扔进了奥涅加湖，并说："过去没有、现在没有、将来也不会有第二个同样的建筑！"主变容教堂与岛上行行色色的农村牧舍、粮仓、磨坊及仓库一起，组成了一个美妙的原木建筑群，被俄罗斯人称之为："没有屋顶的博物馆。"

奥涅加湖地处卡累利阿南部，环湖东北部惯称外奥涅加。公元9世纪至12世纪初，卡累利阿属基辅罗斯。10世纪，诺夫哥罗德人开始北上卡累利阿垦荒。这里森林茂密、野兽出没，湖泊盛产鱼类，加之地下铁矿丰富，又可便利通往北方海域，因此诺夫哥罗德人陆续来到这里定居。到12世纪中叶，南卡累利阿地区成为诺夫哥罗德封建领主国的一部分。1478年，卡累利阿与诺夫哥罗德一起并入莫斯科大公国。17世纪中叶，在乡村教堂周围筑起了圆木城墙，并设有防备瑞典、波兰及立陶宛军队入侵的守望塔。1694年，根据沙皇谕旨，基日岛上千余农户被强行赶进造铁厂做劳役。次年4月6日，随着基日及其周围地区教堂警钟的纷纷敲响，农民们手拿棍棒和大镰刀汇集到教堂，拒不去工厂做工。沙俄军队用火枪才将起义镇压下去，但基日人热爱自由的精神没有被摧毁。1796—1771年间，基日成为卡累利阿历史上规模最大的农民暴动的策源地。

88. 日内瓦湖

——阿尔卑斯山地的著名冰蚀湖

日内瓦湖，又名莱芒湖，位于瑞士的日内瓦东北部与法国交界处。日内瓦湖是西欧最大的湖泊，湖面面积约为 580 km^2，在瑞士境内约占 62.5%，法国境内约占 37.5%。

日内瓦湖是一个冰蚀湖。据说在第四纪冰期，发源于阿尔卑斯山的罗纳河在埃克吕泽地区被冰碛物质所阻断，因此汇水成湖。湖身为弓形，湖的凹处朝南。罗纳河是罗纳冰川消融后形成的，它是吐纳日内瓦湖水的主要河流。日内瓦湖海拔约 375 m，长约 74 km，湖面最宽处约 13.7 km，湖水最深处约 310 m。

日内瓦湖地处北温带，受海洋性气候和大陆性气候交替影响，气候变化较大。

湖区及湖畔和毗邻地域是著名的旅游区。当地气候温和，温差变化不大。湖畔除了著名城市日内瓦以外，还有一些旅游城市，如洛桑等。湖的南方是白雪皑皑、风光秀丽的山峦，山北广布牧场和葡萄园。湖水清澈湛蓝，是驰名世界的休闲度假胜地。

位于日内瓦湖西南角的著名国际城市日内瓦，是一座具有和平和人道主义意味的城市。日内瓦是公元前凯尔特人建造的古城。早在 12 世纪，它就是欧洲的一个重要商业中心，目前是瑞士第二大金融市场，拥有超过 120 家银行。到了现代，日内瓦尤以国际组织所在地和国际会议城市著称于世，与纽约、维也纳并称为联合国城。1864 年成为国际红十字会总部所在地，1920 年成为国际劳动联盟所在地。二战后，许多联合国机构或国际组织都驻地于此。据统计，这里的国际机构达到 243 个之多，大致分三类：第一是联合国机构，如联合国贸易与发展会议、联合国开发计划署、世界贸发组织、世界卫生组织（WHO）等；第二是政府间机构，如欧洲核子研究中心、欧洲自由贸易联盟等；第三是非政府组织，如各国议会联盟、保卫儿童国际联合会、国际红十字会等。

日内瓦的万国宫原是国际联盟的所在地，而今是联合国驻欧洲总部，已成为重要的多边外交活动中心之一，有关国际裁军、贸易、劳工、卫生、气象、电讯、人权等涉及世界和平、经济发展和社会进步的许多重大国际会议都在这里举行。近130个国家在此设有常驻联合国和其他国际组织的代表。

日内瓦历史、文化的名胜古迹颇多。法国启蒙思想家卢梭就诞生在老城一座古老的住宅里；英国诗人拜伦1816年曾住在科洛尼区一栋名为迪奥大迪的别墅里；在该别墅不远处，是英国浪漫诗人雪莱的旧居。游览胜地包括著名的宗教改革国际纪念碑、圣·皮埃尔大教堂、大剧院、艺术与历史博物馆等。

日内瓦湖水系示意图

瑞士作为永久中立国的说法源自欧洲30年宗教战争后，瑞士于1647年内部签署了《维尔防卫协定》，组建了一支联邦军队，并宣布在不涉及到瑞士的战争中保持中立，这是瑞士“武装中立”的雏形。自此，瑞士对欧洲战争持隔岸观火的态度。1789年，法国大革命爆发，瑞士一度被法国军队占领，后拿破仑被反法联军击败，在1814年举行的维也纳和会上，瑞士被欧洲列强承认为“永久中立国”。

89. 尼斯湖

——大不列颠岛最大的淡水湖

尼斯湖，又称内斯湖，位于英国苏格兰高原北部的大峡谷中断层北端，是英国内陆最大的淡水湖。湖长 39 km，宽 2.4 km。尼斯湖面积虽不大，却相当深，平均深度达 200 m，最深处有 293 m。该湖终年不冻，两岸陡峭，树林茂密。湖北端经尼斯河与北海相通。

尼斯湖湖水温度非常低，很不适合游泳。在夏季，距离水面 30 m 以内的水温可达 12℃，但是 30 m 以下的水温却仍然保持在 5.5℃。因为深水处水温低，一般的鱼类和水生动物都是生存在靠近水面的地方。湖水充满了泥煤，能见度较低，只有几英尺。直到 20 世纪 80 年代以前，人们尚未发现湖底有任何动物存在。但是，在 1981 年，在一项被称为“尼斯湖计划”的探测活动中，人们在水深超过 210 m 的地方，发现了北极嘉鱼的踪影。据此，也可能还有其他未知的生物生存在尼斯湖深水区。

相传尼斯湖有一种未知动物，被称为“尼斯湖水怪”。尼斯湖水怪的事件流传很广，全世界很多人都是从传闻及报道中得知尼斯湖水怪的事情，进而才知道英国尼斯湖的。尼斯湖水怪是否真的存在，至今仍没有确定的结论。

关于尼斯湖水怪的最早记载是在公元 565 年，爱尔兰传教士圣哥伦伯和他的仆人在湖中游泳，突然有“水怪”向仆人袭来，多亏传教士及时相救，仆人才游回岸上。后来，虽然关于尼斯湖水怪的传闻甚多，但都没有明确的证据，所以很多人并不相信。直到 1934 年，伦敦医生威尔逊途经尼斯湖，正好发现一只“水怪”在湖中游动，他连忙用相机拍下了水怪的照片，照片虽不十分清晰，但还是明确地显出了水怪的特征，长长的脖子和扁小的头部，看上去完全不像任何一种现存的水生动物。这张照片在全世界引起轰动。伴随着 20 世纪的恐龙热，人们认为尼斯湖水怪很像 7 000 多万年前的巨大爬行动物蛇颈龙。但是，迄今为止，人们即使借助于先进的电子仪器设备，也没有找到尼斯湖水怪的确切踪迹。

2007年夏季，又掀起了一轮尼斯湖水怪热。媒体广泛报道，英国一男子在尼斯湖拍下一段视频，一只很大的水生物贴着水面呈直线移动。这只颜色乌黑、长约13.5 m的动物移动速度达到约9.7 km/h。该报道自然再次把尼斯湖水怪的话题炒热。尼斯湖水怪无论真实或者虚拟，全世界的人们对它的浓厚兴趣已经演变成为一种文化现象。

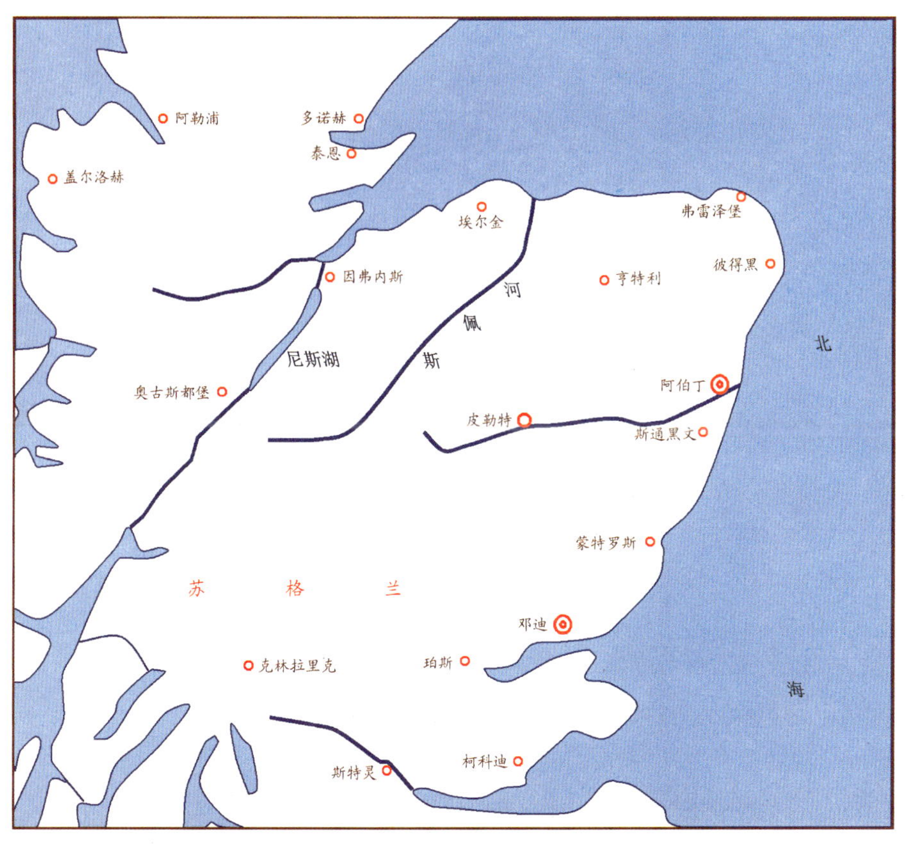

尼斯湖水系示意图

90. 马拉开波湖

——南美洲最大湖泊

马拉开波湖位于委内瑞拉西北部沿海马拉开波低地的中心，总面积约1.34万 km^2，是委内瑞拉同时也是南美洲最大的湖泊。

马拉开波低地系安第斯山北段一断层陷落盆地，东科迪勒拉山脉向北支脉——佩里哈山脉和梅里达山脉分列低地两侧，其最低部分聚水成湖，属构造湖。马拉开波湖形状像一个口袋，口窄内宽，南北长约190 km，东西宽达115 km，湖岸线长约1 000 km。湖泊北浅南深，最深达34 m，平均水深达20多m，蓄水量2.8亿 m^3。其出口在湖泊北端一条长35 km、宽3～12 km的水道，湖水经马拉开波湖通向委内瑞拉湾。湖泊南岸多沼泽和泻湖。

马拉开波湖水系示意图

除北部委内瑞拉湾沿岸气候干燥、年降水量不足500 mm外，湖区大部分高温多雨，年平均气温28℃，年降水量1 500 mm以上，为南美洲最湿热地区之一。

马拉开波湖水北咸南淡。靠南的部分有大小150多条内

陆河注入，是淡水；北部出海口有近 10 km 宽的水面与加勒比海相接，水很咸，含盐度 15‰～38‰。

马拉开波湖的渔业资源十分丰富，出产大量鱼虾，湖边水产养殖业发达。湖岸四周是大片肥沃的牧场，是委内瑞拉最重要的畜牧业基地，这里出产的牛奶和奶酪占全国的 70%。

马拉开波湖湖区石油资源丰富，有石油湖之称，被誉为世界上最富足的湖。宽广的湖面上采油站、井架比比皆是，整个湖区有 7 000 多口油井，年产 7 000 多万吨原油。油田集中于东北岸和西北岸。1917 年打出第一口生产井，1922 年起大规模开采，使委内瑞拉成为世界重要的石油生产国和出口国之一。

位于马拉开波湖西北部的马拉开波市，是委内瑞拉第二大城市和港口，是新兴的石油城，也是苏利亚州州府。马拉开波市原为出口咖啡和农牧产品的小型港口，1918 年因马拉开波湖发现大量石油而飞速发展，10 年内成为著名的石油城，湖区原油产量最高时占全国总产量的 2/3。除石油化工业外，马拉开波市还有建筑、食品、纤维、烟草、造船、水泥等工业。

马拉开波湖是邻近地区和哥伦比亚—委内瑞拉高原的运输大动脉。水道经过疏浚，现可通过大型海轮和油轮，输出原油以及安第斯山区和湖南岸的农畜产品。沿岸陆上交通发达。1962 年，在湖口建成的马拉开波大桥是世界上最早的混凝土斜拉桥，主桥 5 孔，跨径 235 m，大桥全长 8.6 km，沟通东西两岸石油城镇。壮观雄伟的马拉开波大桥不仅是连接湖两岸的交通枢纽，也是湖区一景，当地人的骄傲。为纪念委内瑞拉独立战争时期的英雄乌达内塔将军，人们把这座大桥称为乌达内塔将军桥。

91. 尼加拉瓜湖

——中美洲最大湖泊

尼加拉瓜湖位于尼加拉瓜西南部。当地印第安人称之为科西沃尔卡湖，意思是“淡水海”。湖泊南北向长约 160 km，平均宽 60 km。湖面面积 8 264 km^2 是中美洲最大的湖泊。

尼加拉瓜湖的形成源于数万年前，当时，尼加拉瓜湖还是太平洋的一个海湾，因火山喷发堰塞，与海隔绝而成湖。湖水随着岁月的流逝，渐渐接受河流汇入而淡化，变成了一个淡水湖。生息在湖里的海鱼也适应了水的淡化而存活下来。现在，湖里仍然有成千上万尾鲨鱼、箭鱼和大海鲢等海鱼。据说，尼加拉瓜湖是世界上惟一的繁殖生息海水鱼的淡水湖。

尼加拉瓜湖西侧与太平洋之间有 19 km 的地峡相隔，地峡中水深不一，约在 23～70 m 之间。湖水向东南通过圣胡安河流入加勒比海。有蒂皮塔帕河与西北方的马那瓜湖相通。

尼加拉瓜湖中有大小岛屿数百个，其中最大的岛屿是欧梅特佩岛，位于

尼加拉瓜湖水系示意图

西部，距岸仅 8 km。岛长 26 km，宽 13 km，面积达 300 多 km^2。全岛由两个火山锥组成，两岛之间是长约 3 km 的狭窄地峡。其中北岛有康塞普西翁火山，海拔 1 610 m，1958 年和 1977 年曾猛烈喷发；南岛较小，有马德拉火山，海拔 1 224 m。岛上还有许多玛雅文化的历史遗迹。在欧梅特佩岛的西北有一座萨帕特拉岛，是尼加拉瓜重要的考古地，以印第安古庙遗址和各种石雕神像闻名世界。尼加拉瓜湖中的这些岛屿，多数是由湖边火山爆发而形成的。有些小岛上住着人家，岛上盛产芒果、椰子及其他热带水果。每到收获的季节，黄橙橙的芒果和棕褐色的椰子挂满枝头，熟透了的果实落了满地，空气中飘散着阵阵果香。

尼加拉瓜湖湖面上水鸟云集，湖内盛产各种海鱼，有鳄鱼、鲨鱼、海鳖等。鲨鱼是由加勒比海沿着圣胡安河游到湖里的，所以尼加拉瓜湖内禁止人游泳。观看大小鳖群爬上礁石晒太阳，也是湖边一景。

尼加拉瓜湖岸上绿树成荫，许多红顶凉亭点缀其间。湖水辽阔湛蓝，鸟飞鱼跃，构成了一派迷人的景色。现在，幽美的尼加拉瓜湖已与马萨亚火山齐名，成为尼加拉瓜著名的两大景观，吸引了来自世界各地的观光客。

尼加拉瓜湖与其所在的国家同名，这是它的特点之一。在尼加拉瓜这个中美洲国家，最早的土著居民是印第安人。哥伦布于 1502 年航海到达此地，后成为西班牙的殖民地。1821 年脱离西班牙宣告独立，1822—1823 年加入墨西哥帝国，1823—1838 年加入中美洲联邦，1839 年建立尼加拉瓜共和国。该国的东部为莫斯基托斯海岸平原，多沼泽丛林，除沿河地带种植热带作物外，开发利用较少；中部为高原和山地，约占总面积的三分之一；西部为尼加拉瓜湖所在的平原、湖泊区，该国的另一大湖马那瓜湖也位于这一地区。首都马那瓜城就在马那瓜湖畔。尼加拉瓜的经济以农业为主，主产咖啡、棉花、玉米、水稻、豆类、甘蔗、西沙尔麻等，木材、畜产品亦占十分重要的地位，它还是拉丁美洲主要产金国之一，另有银、铜等矿产。

92. 苏必利尔湖

——世界上面积最大的淡水湖

位于北美洲中东部的苏必利尔湖是世界上面积最大的淡水湖。与密歇根湖、休伦湖、伊利湖、安大略湖一起，并称“北美五大湖”。五大湖形成美国同加拿大的自然边界。湖群东西延伸 1 370 km，南北延伸 1 110 km，总面积达 24.5 万 km^2，是世界最大的淡水湖群。蓄水量 2.28 万 km^3，流域面积 75.4 万 km^2。

五大湖形成于 7 000～32 000 年前，由更新世冰川退缩而逐步形成。更新世冰川时期之前，大湖区为东西向水系，冰期时由于冰川作用使河谷加宽加深。更新世最后一次冰川退却时，本区南岸留下终碛垄，圣劳伦斯河下游地区仍为冰川覆盖，其间大片水域被堵，宽浅河谷成为湖盆，形成大湖雏形。

湖水大致从西向东流，注入大西洋。总体上各湖水面高度向东依次下降，苏必利尔湖与休伦湖水位相差 7 m，密歇根湖与休伦湖水平面相等。休伦湖与伊利湖水位相差 2 m；伊利湖比安大略湖水位高 99 m，其间形成一处落差 50.9 m 的世界著名大瀑布——尼亚加拉瀑布，最后湖水经安大略湖口进入圣劳伦斯河后注入大西洋的圣劳伦斯湾。

湖水主要靠降水补给，并接纳许多小河，水量丰富。夏季湖面水温在 16℃～21℃，冬季结冰期 4 个多月。五大湖对周围湖区气候具有明显的调节作用，使其温和湿润，无霜期长，有利于农业的发展。

五大湖区农、林、果、渔业均很发达，为北美洲内陆渔业主要集中区，主产湖鳟、白鱼、湖鲱等。该地区水力资源丰富，水电站集中于圣玛丽斯、尼亚加拉等河上，发电能力达 800 万 kW。五大湖周围地区富含煤、铁、铜等矿藏，沿湖有芝加哥、哈密尔顿、多伦多等重要港口城市，同哈得孙河、密西西比河等水系亦有运河相通，现在已经发展成为钢铁、汽车等工业中心。五大湖区同时也是著名的旅游胜地，加、美两国均辟有国家公园和避暑营地，每年有数以百万计的世界各地的游客来此度假。

作为北美五大湖中的面积最大者，苏必利尔湖的湖面面积约 8.24 万

km²,若考虑咸水湖在内,苏必利尔湖是仅次于里海的世界第二大湖。湖岸线长 3 000 km,最大深度 406 m,蓄水量 1.22 万 km³,占五大湖总蓄水量的一半以上。有近 200 条河流注入湖中,以尼皮贡河和圣路易斯河为最大。这些河流多从北岸和西岸注入,流域面积(不包括湖面积)12.77 万 km²。主要湖港有美国的德卢斯和加拿大的桑德贝等,全年通航期为 8 个月。

苏必利尔湖周围最初居住着切贝瓦部落的印第安人。第一个发现这个湖的欧洲人叫艾当·布鲁列——一个法国探险家,1622 年在寻找通往太平洋的道路时,他来到了苏必利尔湖畔。湖名取自法语,意为"上湖"。由于这里盛产野生动物,自那时候起,就有许多毛皮商定居在这里。现在,季节性渔猎和旅游已成为当地娱乐业的主要项目。

苏必利尔湖水系示意图

93. 大盐湖

——西半球最大咸水湖

大盐湖位于美国犹他州西北部，东面是洛基山支脉沃萨奇岭，西面是大盐湖沙漠。大盐湖西北—东南向延伸，长 120 km，宽 63 km，深 4.6～15 m，面积约为 3 525 km^2，是北美洲也是西半球最大的咸水湖。

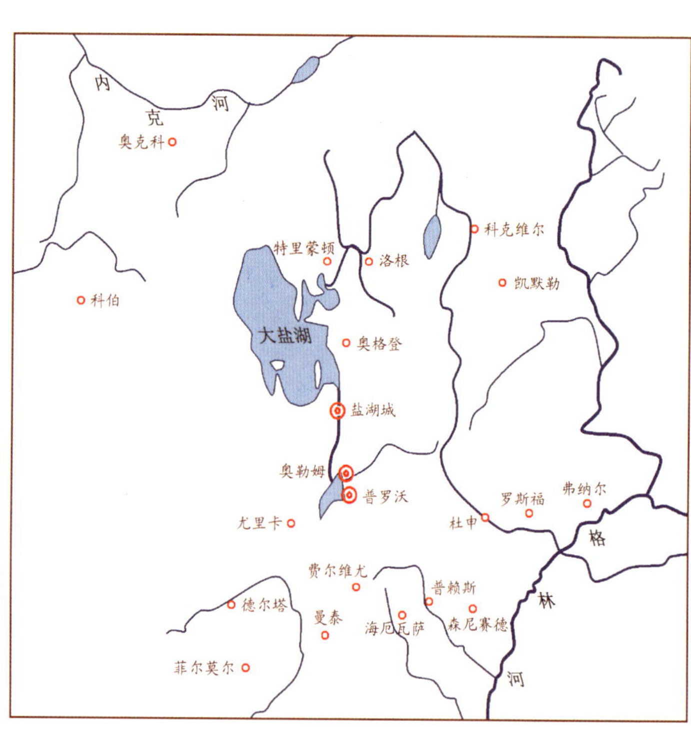

大盐湖水系示意图

大盐湖为更新世大冰期时大盆地内大淡水湖本内维尔湖的残迹湖。约在 100 万年前，本内维尔湖的面积广达 5.2 万 km^2。在其后的冰期中，大量淡水注入湖盆，经斯内克河汇入哥伦比亚河，最后注入太平洋。冰期过后，气候变干，蒸发加强，本内维尔湖的水位下降，出口被切断，遂变成内陆湖。

大盐湖地处洛基山脉 1 280 m 高程处，平均水深 4.5 m，最大深度 15 m。四周群山环绕，长年积雪。东南和南部接纳贝尔河、乔丹河和韦伯河，湖水无出口，故湖面南高北低，盐度则北高南低。湖水流失主要靠自然蒸发，湖

水的补给则主要来自天然降雨和融雪。历史上由于蒸发量和河水流量的变动，湖的面积变化极大，1873 年面积为 6 200 km^2，1963 年只有 2 460 km^2，20 世纪 70 年代初期约为 4 000 km^2。

大盐湖干燥的自然环境与著名的死海相似，蒸发量远超过河川补给量，湖水含盐度比海水大得多，盐度高达 150‰～288‰，相当于海水的 4～8 倍。湖水密度大，可使人体不沉。大盐湖资源丰富，盐类储量较大，其中食盐占 3/4，还有镁、钾、锂、硼等。湖中岛屿散布，主要有安蒂洛普岛等，可饲养水禽和牧羊。湖中生物限于虾、水藻等，虾籽是国际市场上热带鱼饲料来源之一。湖区有鹈鹕、苍鹭等珍贵动物，已建有野生动物保护区。

大盐湖北面有多处人工晒盐池，将湖水注入，利用犹他州夏季火热、高温的太阳晒制结晶钠盐。

大盐湖为犹他州一大旅游胜地。位于湖东南岸的盐湖城是该州内最大的城市和首府。美国南太平洋铁路横跨大盐湖湖面。在美国西部移民之前，印第安部落已经在山谷中居住了几千年。在山谷中定居的第一批白人是 1847 年来到这里的后期圣徒教会的信徒（摩门教徒）。当时，后期圣徒教会的信徒为逃避迫害，向西艰苦跋涉，他们的领袖杨百翰将包裹放在大盐湖岸边，希望他的团体能最终在此和平地生活。他调查过这片看似贫瘠的荒地后，说了句至今仍非常著名的话："这就是我们要找的地方。"这座城市建成后，居住者几乎全都是摩门教徒，直到 1869 年，横穿大陆的铁路才带进大批外来者。2002 年，在该市举办了冬季奥运会，刺激了当地旅游业的发展。城市经济以工业为主，电子产业和生物技术也相当发达。

94. 大熊湖

——加拿大第一大湖

大熊湖位于加拿大西北部，是加拿大第一大湖，北美洲第四大湖。湖泊长约 320 km，宽 40～176 km，面积约 3.1 万 km^2。因北极圈在大熊湖北部通过，湖区多北极熊，故而得名。

大熊湖的形成过程大致是原系构造洼地，经第四纪冰川挖蚀而成。湖盆深受切割，湖岸陡立，湖形奇特，湖水清澈。湖面海拔 156 m，平均深度 137 m，最大深度 413 m。从湖西端经过大熊河流出，注入马更些河。湖区气候严寒，结冰期长，10 月至次年 6 月为结冰期，浮冰延续至 7 月末，仅 8、9 两个月可通航。湖中多小岛。水域产白鱼和湖鳟等。

18 世纪末，一些商人来到这里，并于 1799 年在湖岸地区建立贸易站。1825 年，英国人约翰·富兰克林来此探险。20 世纪初，东岸地区发现沥青铀矿。1930 年，开始开采矿砂，提炼镭、铀，并有银、铜、钴、铅等副产品。埃科贝（镭锭港）为采矿中心，也是湖区最大的居民点。

大熊湖所处的加拿大西北地区幅员广大，占加拿大国土面积的三分之一以上。该区的地形非常复杂，气候也很极端。在马更些山脉的东面，大陆平原向东延伸到哈得逊湾，向东北直至北冰洋群岛。在低地平原，大奴湖和大熊湖流入马更些河，注入北冰洋。东北部是全无树木的冻土地带，湖泊、沼泽和泥炭沼遍布各处；南部地区夏季短暂，凉爽怡人；北部地区冬季漫长，气温奇低，一年四季都在冰点以下；在北冰洋群岛，由于大洋的影响，气候稍显温和。该地区存在极昼和极夜现象，有时夏季的白昼和冬季夜晚都长达 24 h。

该地区原住民为因纽特人，也称爱斯基摩人，至今仍然像以往一样饲养驯鹿，靠传统的皮货业和渔猎为生，但电视、摩托艇和其他技术也深刻地改变了他们的生活。由于北极地区冬季时海面封冻的时间长达几个月，因此这段时期是爱斯基摩人食物来源最少的艰苦日子。这里的库普爱斯基摩人却有非常高明的寻找海豹的方法，他们发动全村的人都到距海岸几千米的

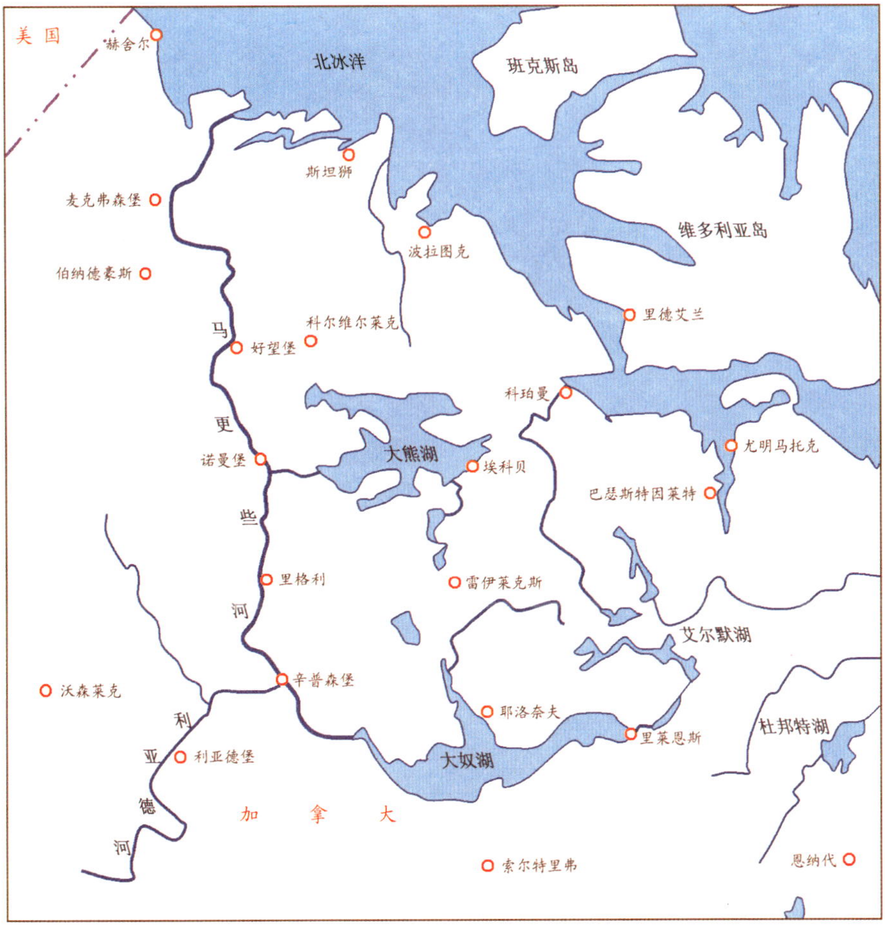

大熊湖水系示意图

冰面上寻找海豹的呼吸孔。在相当大的范围内找到一批呼吸孔后，若干名猎手便同时出发，在每一个呼吸孔旁守候一个人。这样，如果海豹在一个呼吸孔被吓跑，势必要到另一个呼吸孔吸气。守住一片区域的每一个呼吸孔，海豹就难逃天罗地网了。采用这种方法，总有一两个猎手每天可猎到至少一只海豹。直到几星期后，这一地区附近的海豹全部消失，于是村里的人再迁往别处狩猎。

95. 艾尔湖

——世界最大内流湖盆地之一

艾尔湖也被译为“埃尔湖”，系浅水盐湖，是澳大利亚最大的湖泊。位于南澳大利亚州东北，在地质年代，澳大利亚南方地壳曾上升，使艾尔湖地区与海洋隔绝，形成了典型的海迹湖——艾尔湖。1840 年，英国探险家爱德华·约翰·艾尔曾到达这里，后以其名命名此湖。

艾尔湖面积和湖区轮廓很不稳定，从 8 030 km^2 到 1.5 万 km^2 不等，按照其平均面积，它是世界第 19 大湖。雨季，间歇河若带来大量径流，湖面随之扩大，成为淡水湖；旱季，强烈蒸发使湖面缩小，湖底变成盐壳。湖盆最低点在海平面下 15 m，是澳大利亚和大洋洲的最低点。艾尔湖有南北两湖，较大的称北艾尔湖，长 144 km，宽 65 km，是澳大利亚最大的湖泊；南艾尔湖则长 465 km，宽约 19 km，两湖之间由狭窄的戈伊德水道相连接。

艾尔湖水系示意图

艾尔湖最不寻常的特点是湖中难得有水。艾尔湖一带属于干燥地区，年平均降水量为 127 mm，而蒸发器测得的年蒸发量高达 2 540 mm，蒸发量为降水量的 20 倍。当河流从山地向西流时，一路上因蒸发和渗漏损失较大，往往在半路上就消失了，所以艾尔湖水面经常干涸，湖面缩小成盐池。只有在特大降水之后，河流才能进入盐湖，盐湖暂时充水，然后再蒸发掉，故湖底常年干涸，盐盘裸露，盐壳厚达 43 cm。仅在 1950 年，澳大利亚东部曾有大量降水，水流冲入库珀河和沃伯顿河，并灌满了艾尔湖，这是艾尔湖有史以来的第一次，一时湖水深达 4.6 m，可行帆船。艾尔湖盆地没有出海口，是世界最大的内流盆地之一，主要连接河道有库珀河、沃伯顿河等。

1964 年，英国人唐纳德·坎贝尔驾驶他的“蓝鸟”汽车，在艾尔湖的盐层上创造了一项世界地面车速记录——最高时速达 715 km，接近现代客机的航速。

这里的原住民是澳大利亚土著民族阿兰达人，又称阿龙塔人，分布在中部高原艾尔湖以北沿芬克河至麦克唐奈山脉一带，属尼格罗·澳大利亚人种，为这一种族的典型代表。使用阿兰达语，系属不详。在交往中曾广泛使用手势语。18 世纪末，英国殖民者入侵时，尚处在氏族公社阶段，保存着氏族、胞族和部落组织，已由母系向父系过渡，实行婚级群婚，南部分四个婚级，北部分八个婚级。盛行图腾崇拜，相信巫术。使用石木工具，从事采集和狩猎，过着游荡生活。阿兰达人原为土著居民中大部落之一，至 19 世纪中叶因被殖民者屠杀殆尽，已不足 2 000 人，20 世纪仅存数百人。

伍

人工运河

96. 京杭大运河

——世界上最长的人工河

京杭大运河是世界上最长的人工河流，也是最古老的运河之一。它和万里长城并称为我国古代的两项伟大工程，闻名于全世界。

京杭大运河北起北京，南到杭州，全长 1 794 km，是我国重要的南北水上通道。跨经北京、天津两市及河北、山东、江苏、浙江四省，沟通海河、黄河、淮河、长江、钱塘江五大水系。京杭大运河是由人工河道和部分河流、湖泊共同组成的，全程可分为通惠河、北运河、南运河、鲁运河、中运河、里运河、江南运河等七段。

京杭大运河自开掘修建距今已有约 2 500 年的历史。始凿于春秋时期，形成于隋代，发展于唐宋，取直于元代，疏通于明清。作为南北的交通大动脉，历史上曾起过巨大作用，促进了沿岸城市的迅速发展。

公元前 486 年，吴王夫差在江苏扬州附近开凿了一条引长江水入淮的运河，称邗沟；以后在这个基础上不断向北向南发展，尤其经隋朝和元朝两次大规模的扩展和整治，基本上形成了今日京杭大运河的规模。

隋代大运河的开凿是运河航运事业的转折点，它把长安、洛阳至扬州、苏州、杭州联缀在一起。而从大运河获得更多好处的是后来的唐、宋各朝。晚唐诗人皮日休在诗中写道："尽道隋亡为此河，至今千里赖通波，若无水殿龙舟事，共禹论功不较多。"隋代大运河的开凿，劳动人民付出了巨大的代价。晚唐文人韩偓写的《开河记》中描写了修河民工的悲惨生活。其中写道，隋炀帝派遣酷吏麻叔谋主管修河，强制天下 15 岁以上的丁男都要服役，共征发了 360 万人。同时又从五家抽一人，或老，或少，或女子，担负供应民工的伙食炊事。隋炀帝还派出了 5 万名彪形大汉，各执刑杖，作为督促民工劳动的监工。因为劳动负担很重，监工动不动就用棍棒毒打民工，所以不到 1 年，360 万人中死者竟达 250 万人。所以若论功，京杭大运河显然非帝王之功，而是劳动人民创造的珍贵的物质和精神遗产。

到元朝时，元定都北京，为此把原来以洛阳为中心的隋代横向运河，修

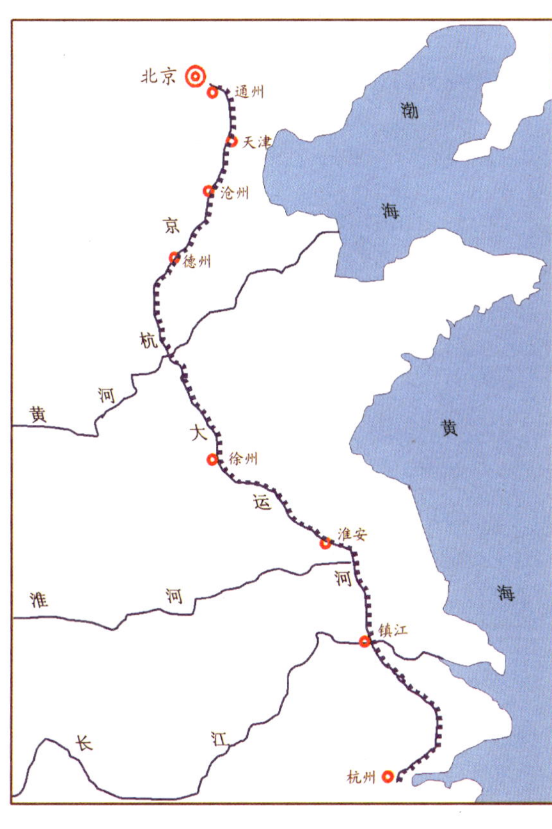

京杭大运河水系示意图

筑成以大都为起点，南下直达杭州的纵向大运河。

京杭大运河一向为历代漕运要道，对南北经济和文化交流曾起到重大作用。唐代大诗人韩愈曾说："当今赋出于天下，江南居十九。"可见运河漕运对朝廷的重要性。漕运是我国历史上一项重要的经济制度，就是利用水道调运公粮的一种政府运输行为。历代封建王朝多数建都北方城市，他们向农户征收地租田赋，较多采取征收实物的办法，而附近地区所产的粮食不能满足京城的需要。因此，把其他地区征收的粮食调运到京城就成为一项重要的政治措施，为封建统治者所重视，从而形成过一套较完整的制度和管理体制，有漕船、漕粮、漕米、漕军、漕丁和漕夫等专业划分，当然许多朝代也设有专管漕运的官员。

直至19世纪海运兴起，以后随着津浦铁路通车等原因，京杭运河的作用逐渐减小。加上黄河迁徙后，山东境内河段水源不足，河道淤浅，南北断航，京杭大运河遂趋向萧条。

目前，京杭大运河经整治建设，季节性的通航里程可达1 100 km。江苏境内的运河段大多可以畅通无阻。目前，古老的京杭大运河还要成为南水北调的输水通道，继续发挥重大的作用。

97. 灵渠

——与长城媲美的岭南古运河

灵渠又名湘桂运河、兴安运河，俗称陡河，地处桂林市兴安县境内，全程长 37 km，是世界上最古老的运河之一。郭沫若先生曾称："与长城南北相呼应，同为世界之奇观。"

灵渠始建于公元前 214 年，即秦始皇 33 年，至今已有 2 200 余年，与四川都江堰、陕西郑国渠齐名，并称为"秦代三大水利工程"。它沟通了长江水系的湘江与珠江水系的漓江，成为北连湖广、南接两粤的水运交通枢纽，同时还具有灌溉农田的功能。它的建成不仅对秦始皇开疆扩土、统一中国做出了贡献，也为促进岭南各族人民同中原的经济、文化交流发挥了重大作用。

据记载，秦始皇统一北方六国之后，又对浙江、福建、广东、广西地区的百越发动了大规模的战役。秦军在其他战场上节节胜利，惟独在两广地区苦战三年，战事却毫无进展。原来问题出在岭南山脉阻隔，湖南和广西之间道路崎岖，给运送粮草给养造成了困难，前线官兵物资供应不上。秦始皇历来很重视交通建设，认为交通线是否畅通事关战争成败，遂果断命令工程兵负责人——史禄劈山凿渠。史禄率人进行实地勘测并对方案做了论证优化和精确设计，终于圆满完成任务，开凿了灵渠，奇迹般地把长江水系和珠江水系沟通起来，援兵和给养源源不断地运往前线。终于捷报传来，秦始皇遂把岭南的广大地区正式划入了中原大秦皇朝的版图。

在 2 200 年前的古代，灵渠的工程结构堪称设计科学、建造精巧。主要工程包括铧嘴、天平、渠道、陡门和秦堤。

铧嘴形如犁铧，可劈水分流，使原来的湘水"三七分派"，七分水经北渠注入湘江，三分水入南渠流进漓江。

天平分大小天平和泄水天平，紧接在铧嘴之后，向两侧分别向南北延伸，和分水塘相接，与铧嘴合成"人"字形，起到平日拦水导流和汛期自动溢流泄洪的作用，不用设闸起闭。

渠道是灵渠的主体工程，分南、北两渠。南渠从南陡口引水入渠，向西北经兴安县城、大湾陡、铁炉陡，连接始安水，入灵河，折向西南经青石陡进入漓江。从南陡口到大湾陡一段为劈开三道土岭的山麓挖出的渠道；自大湾陡至铁炉陡一段则凿通太史庙山；铁炉陡以下利用天然河道拓成，渠道水面宽 6～50 m，水深 0.2～3 m。北渠开挖在湘江河谷平原上，几乎与湘江故道平行，至高塘村对面汇入湘江，流程 3.25 km。

沿途利用陡门集中落差，提高水位，蓄水通舟。陡门设置在渠道较浅、水流较急的地方，分布于南北二渠。陡门较多的时期是在宋、明两代，最多时有 36 陡，至今仍有遗址可查。陡门使往来船只“循崖而上，建瓴而下”，出现爬山越岭的奇观。

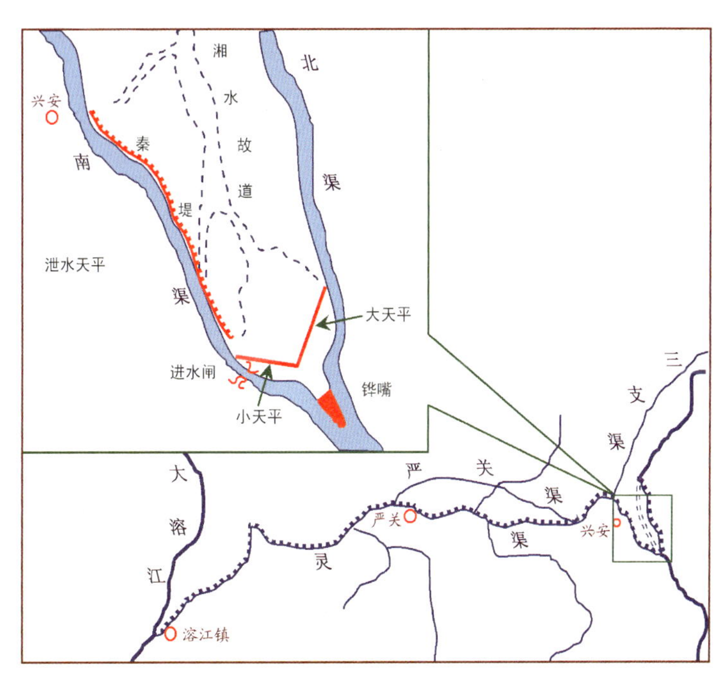

灵渠水系示意图

秦堤是南渠堤岸工程，从南陡口至大湾陡的一段堤岸，长 3.15 km，是劈山开成的，堤岸壁立，采用巨石砌筑，工程艰巨。

灵渠两岸风光秀美，文物古迹众多。灵渠本身既是水利工程，也是历史文化古迹，年年游客络绎不绝，来此领略千年中国历史文化和工程技术的风采。

98. 红旗渠

——人工天河

红旗渠是20世纪60年代河南省林县人民在巍巍太行山上建成的大型“引漳入林”灌溉工程。该工程从1960年开始动工，逢山凿洞，遇沟架桥，一锤一钎，经过10年苦干，先后于1965年总干渠通水；1969年完成干、支、斗渠配套建设。形成以红旗渠为主体的灌溉体系，灌区有效灌溉面积达到3.6万hm^2。

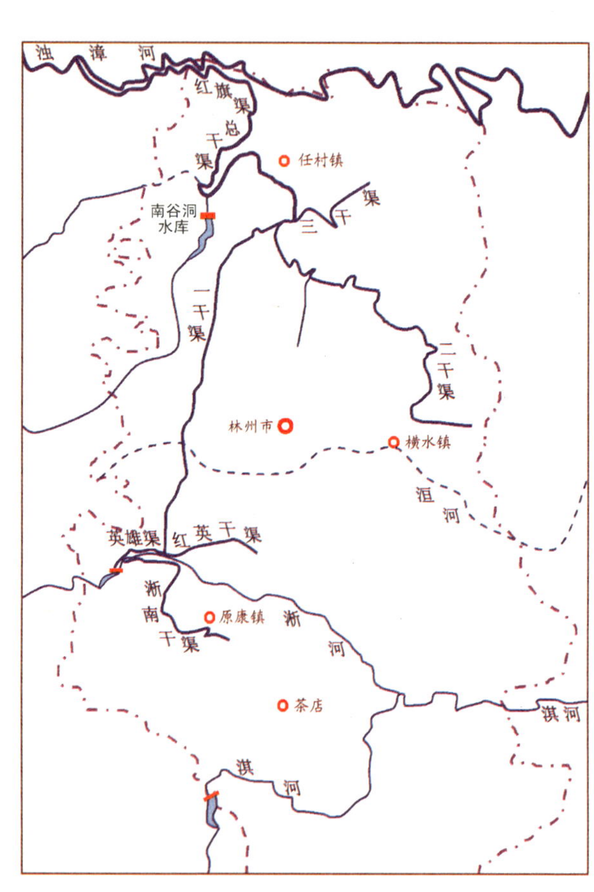

红旗渠水系示意图

红旗渠以浊漳河为源，渠首在山西省平顺县侯壁断下，将全部漳河水引入河南林县。总干渠长70.6 km，宽8 m，两侧墙高4.3 m，设计加大流量23 m^3/s。至分水岭又分为三条干渠，一干渠长39.7 km，二干渠长47.6 km，三干渠长10.9 km。干渠南北纵横，贯穿于林州腹地。红旗渠灌区共有干渠、分干渠10条，长304.1 km；支渠51条，长524.1 km；斗渠290条，长697.3 km。以上各级渠道合计总长1 525.6 km。此外，还有农渠4 281条，总长2 488 km。沿渠建有“长藤结瓜”式一、二类水

库 48 座，塘堰 346 座，提灌站 45 座，各种建筑物12 408 座。

整个工程劈开山头 1 250 座，凿通隧洞 211 个，架渡槽 151 个。利用红旗渠居高临下的自然落差，还建了水电站和提水站，兴建小型水力发电站 45 座，已成为"引、蓄、提、灌、排、电、景"相结合的大型灌区。

红旗渠工程竣工后，全县水浇地面积由 1949 年前的不到 670 hm^2 扩大到 4 万 hm^2，仅 1969 年的小麦产量就比 1968 年增加三成，改变了林县"水贵如油，十年九旱"的面貌。红旗渠不仅是造福人民的水利工程，也为林滤山自然风光增添了一大胜景。1970 年林县被批准为对外开放县。20 世纪 70 年代，前来红旗渠参观的外国友人就达 1 万余人。红旗渠地势险峻，工程宏伟，被中外游人誉为"人工天河"、"当代万里长城"、"世界第八大奇迹"。周恩来总理曾自豪地告诉国际友人："新中国有两个奇迹，一个是南京长江大桥，一个是林县红旗渠。"纪录影片《红旗渠》不但在国内广泛播映，还曾到朝鲜、斯里兰卡、尼泊尔、刚果、索马里、芬兰、瑞典、坦桑尼亚、阿尔及利亚、日本、瑞士等国播映。

红旗渠构筑在雄伟险峻的太行山悬崖峭壁之上，其工程量之大，工程之艰巨，给人以强烈的心灵冲击，令人由衷地发出"雄者愈雄，险者愈险"的感慨。著名工程景点有总干渠、青年洞、红英汇流、曙光洞、夺丰渡槽等。总干渠分水闸楼顶高悬着郭沫若亲笔书写的"红旗渠"三个苍劲有力的朱红大字。一干渠与英雄渠汇流处称"红英汇流"，渠水奔腾，飞瀑喷雪，好似银河倾泻，形成了一幅壮观的飞流直泻图。有诗赞曰："珠溅花飞雪裹玉，流激瀑泻浪逐波。闸开倾进琼浆液，两韵一渠唱凯歌。"

99. 苏伊士运河
——东方伟大的航道

苏伊士运河位于埃及境内，在埃及西奈半岛西侧，是埃及境内的一条国际通航的人工运河，是北通地中海，南通红海，连接大西洋、印度洋和太平洋的重要航线。苏伊士运河全长 195 km(包括两端伸入海中的航道)，河面宽 300～350 m，平均水深 20 m。

埃及是一个文明古国，举世闻名的不仅有金字塔、狮身人面像等名胜古迹，苏伊士运河同样也是埃及人民的骄傲。苏伊士运河是在 1869 年开通的，在此之前，通行的船只必须绕道非洲南端的好望角。苏伊士运河开通后，直接沟通了地中海和红海，船只经苏伊士运河比绕道好望角大大缩短了从欧洲和北美洲通往印度洋沿岸各国的航程，节省了 5 500～8 000 km 的航程，减少了燃料消耗，且节省 10～40 d 的航行时间，并且航道安全可靠，风险较少。

苏伊士运河北起地中海边上的塞德港，南至红海苏伊士湾的陶菲克港，可通过 150 万 t 的满载货船和 30 多万 t 的空载货船，平均过河时间为 12～13 h，每年通过苏伊士运河的船舶和货运量远远超过世界其他通海运河。每天有成亿吨的货物在这里通行，是名副其实的"国际航道"，埃及政府每年从这条世界最忙碌的航道通行费中获取数亿美元的收入。苏伊士运河不仅成为埃及的重要经济命脉，而且是联系欧、亚、非三洲的交通要冲，地位十分重要，马克思称它为"东方伟大的航道"。

相传公元前 1888 年的埃及法老苏努力尔特二世，曾是埃及历史上第一位尝试开挖河道把红海和地中海连接起来的人。苏伊士这个名字就是由他的名字演化而来的。限于当时的能力，开挖这样一条运河是根本不可能的。17 世纪中叶，一些欧洲殖民主义者扬言要征服埃及以打开通向东方所有国家的门户。1798 年，拿破仑远征军入侵埃及，法国政府提出占领埃及，开凿一条穿越苏伊士海峡的运河，并把英国势力从红海驱逐出去。拿破仑到达开罗后，亲自带领专家对苏伊士地区进行了实地考察。由于埃及人民的强

烈反对，拿破仑的梦想终未实现。1854 年，法国驻埃及领事费迪南·德·勒赛普通过欺骗和敲诈的手段获得了苏伊士运河的开凿权。

由于当时施工条件和手段的落后，在开挖苏伊士运河的 10 多年间，埃及人民付出了艰辛的劳动和巨大的代价，先后有 12 万多名挖河工人献出了生命。今天人们在塞德港看到的一座运河开掘者的塑像，就是埃及人民为纪念这些开拓者而建的。

苏伊士运河水系示意图

苏伊士运河通航之后，仍经历了一段不平常的时期。英国在 1882 年出兵占领埃及，控制了整个运河的航运权。埃及人民经过长期斗争，终于迫使英国政府于 1954 年同意从埃及撤军，苏伊士运河归埃及国有。由于苏伊士运河地处中东地区的要塞部位，战争时常发生，埃及的西奈半岛曾一度被以色列占领，苏伊士运河也一直受到战争的影响而时开时闭。1973 年，埃及与以色列之间爆发了中东战争，结果埃及收复了西奈半岛，控制了运河。其后，苏伊士运河经过重新整修，于 1975 年恢复向国际社会开放。

100. 巴拿马运河

——世界七大工程奇迹之一

巴拿马运河是沟通太平洋和大西洋的重要航运通道，它位于美洲巴拿马共和国的中部，横穿巴拿马地峡最窄处，运河全长 81.3 km，水深 13～15 m，河宽 150～304 m。整个运河的水位高出两大洋 26 m，设有 6 座船闸。

巴拿马运河自 1914 年 8 月 15 日正式通航起，已有 90 余年。它的开通使太平洋和大西洋之间的航程比绕好望角缩短 1.6 万 km。目前，每年大约有 1.4 万艘来自世界各地的船舶经过这条运河。通航船舶可达 76 000 t 级，船舶通过运河约需 9 h。

巴拿马运河的开凿过程是一段不平凡的历史。巴拿马地处北美洲与南美洲的交界处，左临太平洋，右临大西洋，最宽的陆域宽度只有 80 多 km，这使得巴拿马成为沟通两大洋的理想位置。早在 1534 年，西班牙就曾计划开凿运河并做了勘察。当时的巴拿马属西班牙殖民地。19 世纪，巴拿马又成为哥伦比亚共和国的一个省。1879 年，曾开凿苏伊士运河的法国公司获得巴拿马运河的开凿权。1880 年开工，然而由于自然条件恶劣、疾病、技术失误、财政困难等原因，挖凿工程在 1889 年停顿。此后，美、英、法三国围绕着巴拿马运河的开凿问题展开了激烈的争逐。1901 年，美国终获开凿、经营和管理巴拿马运河的特权。1903 年，美国以策动并支持巴拿马独立、脱离哥伦比亚为手段，与巴拿马签订条约，以 1 000 万美元取得控制面积约 14.74 万 hm^2 的巴拿马运河区的权利。在法国原先开凿的基础上，美国又追加投资 3.87 亿美元，雇佣数十万劳工，其中包括许多中国劳工，在极其恶劣的环境下继续开凿运河，整个工程于 1914 年竣工，建成梯级船闸。

巴拿马运河通航后，一直为美国完全控制，二战期间曾经驶过航空母舰补充太平洋舰队。为夺回巴拿马运河的管理权，长期以来，巴拿马人民进行了不屈的斗争，直到 1977 年，美国才和巴拿马签定《巴拿马运河条约》，承认巴拿马对运河区的主权，并在 1999 年逐步将主权归还巴拿马。

2006 年，巴拿马就是否对巴拿马运河进行扩建举行全民公投，超过 78%

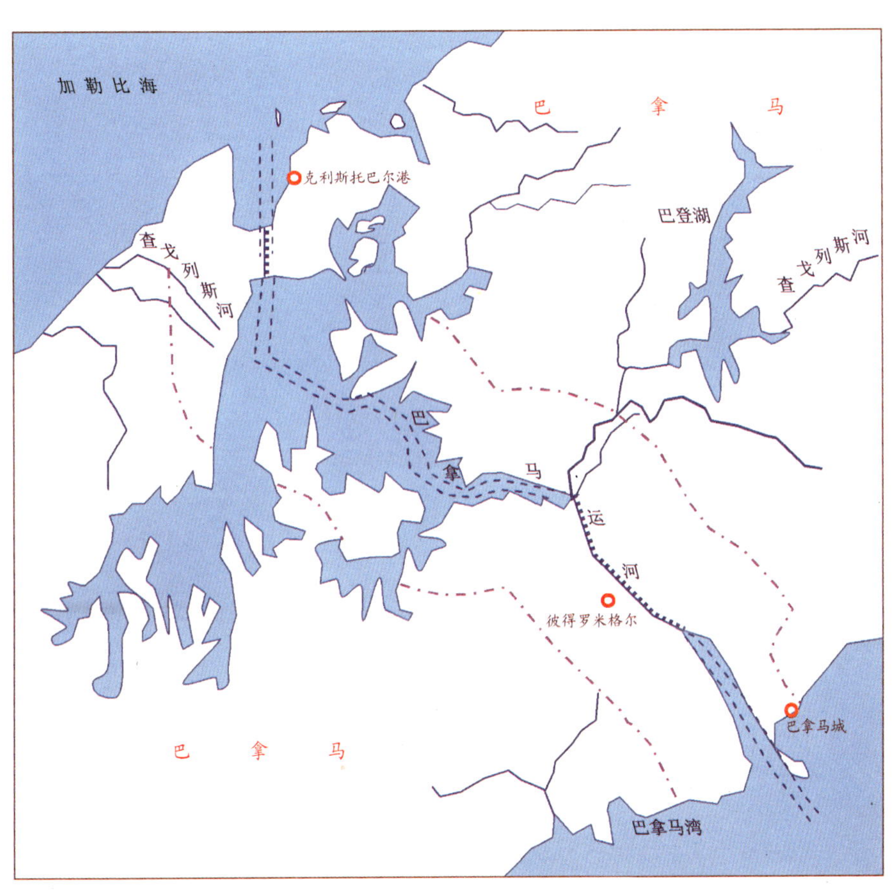

巴拿马运河水系示意图

的投票者支持扩建计划。根据扩建计划，将拓宽船闸宽度，使得每年通过巴拿马运河的船只数量将从目前的大约 1.4 万艘增加到 1.77 万艘。到 2025 年，巴拿马政府每年从运河上获取的收益将由 12 亿美元增至 40 多亿美元。

参 考 文 献

1. 中国水利百科全书编辑委员会. 中国水利百科全书(共四卷). 北京:水利电力出版社,1991.
2. 中国水利百科全书编辑部. 水利百科图集. 北京:水利电力出版社,1992.
3. 卢金凯,杜国桓等. 中国水资源. 北京:地质出版社,1991.
4. 水利电力部水利水电规划设计院. 中国水资源利用. 北京:水利电力出版社,1987.
5. 水利电力部水文局. 中国水资源评价. 北京:水利电力出版社,1987.
6. 水利部国际合作与科技司,水利部国际经济技术合作交流中心. 国外水利水电考察学习报告选编(1983—1990). 北京:水利水电出版社,1993.
7. 水利部国际合作与科技司,水利部国际经济技术合作交流中心. 国外水利水电考察学习报告选编(1998—2000). 北京:水利水电出版社,2003.
8. 朱铁铮. 20 世纪中国河流水电规划. 北京:中国电力出版社,2002.
9. 卢嘉锡,席泽宗主编. 彩色插图中国科学技术史. 北京:中国科学技术出版社.
10. 王苏民,窦鸿身主编. 中国湖泊志. 北京:科学出版社,1998.
11. 熊怡等主编. 中国的河流. 北京:人民教育出版社,1991.
12. 吴国盛著. 科学的历程. 北京:北京大学出版社,2002.
13. 胡绳主编. 中国共产党的七十年. 北京:中共党史出版社,1991.
14. http://www.cws.net.cn/history-new/History.asp.
15. http://baike.baidu.com/.

「后记」

为了弘扬中国传统文化，挖掘发展中华水文化，河海大学结合自身的办学特色，在开展水文化研究的基础上，组织编写了《水文化教育丛书》。丛书的根本要旨，在于通过水文化知识的普及和教育，提高人们对水的战略地位的认识，以带动全社会水意识的觉醒和提升；教育人们树立科学发展的水利观，以增强对水的忧患意识；培养人们爱水、节水、护水、亲水的情怀，以养成良好的水文化行为习惯；帮助人们提升水利工程建设中的文化自觉性，以确立人水和谐的科学发展理念。

《丛书》分为10个分册，分别为：《100条江河湖泊》，主编：吴胜兴，副主编：顾圣平、贺军；《100座城市与水》，主编：郑大俊，副主编：刘兴平、钱恂熊；《100项水工程》，主编：吴胜兴，副主编：沈长松、孙学智；《100例水灾害》，主编：颜素珍，副主编：唐德善、汤鸣鸿；《100位水利名人》，主编：王如高，副主编：刘春田、陈家洋；《100首水歌曲》，主编：蔡正林，副主编：刘兴平、沈俐；《100种水用具》，主编：王培君，副主编：戴玉珍、贺杨夏子；《100处水景观》，主编：蒲晓东，副主编：张彦德、潘云涛；《100篇咏水诗文》，主编：尉天骄，副主编：林一顺；《100个水传说》，主编：张建民，副主编：莫小曼、郑如鑫。

《丛书》封面上"水文化"三个字由水利部原副部长敬正书同志题写。在《丛书》的编写过程中，为了充分反映不同时期有关水文化的经典之作，各分册的编写人员通过多种途径，参阅和收集了大量的文献资料。这些文献资料对于进一步传播、发展和弘扬水文化，进一步提升人们的水文化素养具有重要价值。在此，我们对这些文献资料的奉献者表示衷心的感谢。

与此同时，我们还要说明的是，《丛书》各分册选列的是主要参考文献，未能详尽所有文献，在选引中也会有遗漏不全之处，亦敬请各位作者谅解。